agenda Zeitlupe 6

Bernd Müller/Friso Wielenga (Hrsg.)

Kannitverstan?

Deutschlandbilder aus den Niederlanden

D1622471

agenda Zeitlupe

6

Bernd Müller/Friso Wielenga (Hrsg.)

Kannitverstan?

Deutschlandbilder aus den Niederlanden

a

agenda Verlag
Münster
1995

Die Deutsche Bibliothek – CIP-Einheitsaufnahme

Kannitverstan? :
Deutschlandbilder aus den Niederlanden
/ Bernd Müller und Friso Wielenga (Hrsg.). –
Münster : Agenda-Verl., 1995
    (Agenda Zeitlupe ; 6)
    ISBN 3-929440-63-6
NE: Müller, Bernd [Hrsg.]; GT

© 1995 Thomas Dominikowski,
agenda Verlag Münster
· Hammer Str. 223, D-48153 Münster,
Tel.: 02 51 / 79 96 10, Fax: 02 51 / 79 95 19
Alle Rechte vorbehalten
Umschlagentwurf: Joern Schlund
Satz: agenda Verlag
Lektorat: agenda Verlag
Printed in the Netherlands
ISBN 3-929440-63-6

Vorwort

Grenzen trennen nicht nur, sie können auch verbinden. Dies war einer der Kernsätze des Kongresses „Deutsche und Niederländer im Europäischen Haus", den die Landeszentrale für politische Bildung Nordrhein-Westfalen im Oktober 1993 durchgeführt hat.

Auch in bezug auf die Niederlande und Nordrhein-Westfalen findet dieser Satz vielfach Bestätigung, wofür nur einige Beispiele genannt seien. Nordrhein-Westfalen, über dessen Gebiet der längste Teil der deutsch-niederländischen Grenze verläuft, hat – zusammen mit dem Land Niedersachsen und der Bundesrepublik Deutschland – am 23. Mai 1991 mit dem Königreich der Niederlande einen Staatsvertrag über grenzüberschreitende Zusammenarbeit abgeschlossen. Nordrhein-westfälische und niederländische Städte und Gemeinden arbeiten in der Euregio zusammen, um nationale Verwaltungsbarrieren abzubauen, die im Alltag das Zusammenleben hemmen. An der Universität Münster leistet das Zentrum für Niederlande-Studien in Lehre und Forschung erfolgreiche Arbeit zur Verbesserung der deutsch-niederländischen Beziehungen. Entsprechende Zentren für Deutschland-Studien gibt es an der Universität Groningen, der Freien Universität Amsterdam, der Erasmus-Universität Rotterdam und der Universität Nimwegen. Die Europäische Staatsbürgerakademie in Bocholt pflegt seit langem die deutsch-niederländische Freundschaft in zahlreichen Veranstaltungen in ihrem Europa-Institut.

Die Landeszentrale für politische Bildung Nordrhein-Westfalen hat im Rahmen dieser deutsch-niederländischen Kooperation seit vielen Jahren ihren festen Platz. In Kongressen und Tagungen gibt sie Teilnehmerinnen und Teilnehmern aus Schulen und Hochschulen sowie deutschen und niederländischen Gemeinde- und Stadträten die Möglichkeit, sich über deutsch-niederländische Fragen zu informieren und über sie zu diskutieren. Das negative Bild, das Deutsche und Niederländer häufig voneinander haben, ist dabei stets ein wichtiges Thema gewesen. Es ist durch die besorgniserregenden Ergebnisse der Umfrage, die das Clingendael Institut im März 1993 über das Deutschland-Bild niederländischer Jugendlicher veröffentlichte, noch stärker in den Blickpunkt gerückt. Oft drohten dabei Emotionen und Vorurteile die Diskussion zu verzerren.

Mit dem vorliegenden Buch, das die Landeszentrale für politische Bildung Nordrhein-Westfalen angeregt und finanziert hat, soll dazu beigetragen werden, die Diskussion zwischen Niederländern und Deutschen zu versachlichen und den Blick wieder frei zu machen für das Wesentliche in den deutsch-niederländischen Beziehungen, nämlich für die lange Tradition gutnachbarlicher und freundschaftlicher Zusammenarbeit.

Dr. Günter Wichert

Leiter der Landeszentrale für politische Bildung Nordrhein-Westfalen

Inhalt

Einleitung

BERND MÜLLER UND FRISO WIELENGA

Im Mai 1985 stattete Bundespräsident Richard von Weizsäcker den Niederlanden einen offiziellen Besuch ab. Nach einer Diskussion mit jungen Niederländern im Amsterdamer Goethe-Institut zeigte er sich schockiert wegen der Themen, die seine Gesprächspartner angeschnitten hatten: Zweiter Weltkrieg, Besatzung, Judenverfolgung und Neonazismus in der Bundesrepublik. Nicht das gegenwärtige Deutschland, sondern das Deutschland von 1933 bis 1945 färbte das Bild vom östlichen Nachbarn. Einander besser kennenzulernen durch Intensivierung von Austauschprogrammen nach dem Beispiel des deutsch-französischen Jugendwerks, hieß es nachher programmatisch auf beiden Seiten der Grenze.

Es blieb bei guten Absichten. Im Frühjahr 1993 veröffentlichte das niederländische Institut für internationale Beziehungen „Clingendael" eine unter Fünfzehn- bis Neunzehnjährigen durchgeführte Umfrage zu ihrem Deutschland- und Deutschenbild. Trotz Kritik an der Untersuchungsmethode, an der Formulierung der Fragen und an dem Zeitpunkt, zu dem die Umfrage durchgeführt wurde – nämlich im Herbst 1992, zur Zeit der ausländerfeindlichen Brandanschläge in Rostock und Mölln –, war an den Ergebnissen wenig zu rütteln. Unter jungen Niederländern war das Bild vom östlichen Nachbarn stark negativ gefärbt. Viele Jugendliche meinten, die Deutschen seien kriegstreibend, Deutschland wolle die Welt erobern, und im Vergleich zu anderen europäischen Völkern wurden die Deutschen als am wenigsten sympathisch eingestuft. Der damalige deutsche Botschafter in Den Haag, Klaus Citron, entdeckte im Ergebnis trotzdem positive Anhaltspunkte. Zu Recht stellte er fest: Wenn das Deutschlandbild vieler Jugendlicher so sehr durch die Vergangenheit geprägt wird, dann kennen sie die heutige Bundesrepublik nicht. Jugendaustausch solle jetzt wirklich auf den Weg gebracht werden. Diese Notwendigkeit wurde im Frühsommer 1993 noch einmal deutlich, als sich etwa 1,2 Millionen Niederländer, darunter viele Schüler und Schülerinnen, nach dem Brandanschlag in Solingen an einer Postkartenaktion beteiligten, in der sie Bundeskanzler Helmut Kohl wissen ließen, „wütend" über dieses Attentat zu sein. 48 Jahre nach Kriegsende schien der „Widerstand" gegen Deutschland massiver als je zuvor.

Die Clingendael-Veröffentlichung und die „Ich bin wütend"-Postkartenaktion lösten in den Niederlanden und bei denjenigen, die sich in der Bundesrepublik mit den Niederlanden befassen, einen Schock aus. Gerade in einer Periode, in der in niederländischen politischen und diplomatischen Kreisen für eine weitere Intensivierung der ohnehin schon sehr guten offiziellen bilateralen Beziehungen plädiert wurde[1], schienen die Niederlande von einer „antideutschen Welle" überrollt zu werden. Derartige Wellen sind an sich nichts Neues in den Beziehungen zwischen beiden Ländern, und nach einiger Zeit haben sie sich auch immer wieder beruhigt. Trotzdem gab es Grund zur Beunruhigung, zumal in der Bundesrepublik das Unverständnis über das niederländische Wahrnehmungsmuster Deutschland gegenüber wuchs.[2] Bundeskanzler Helmut Kohl, selbst 1979 in einem Fernsehinterview mit Niederländern Opfer einer früheren „antideutschen" Welle, erkundigte sich Anfang 1995 persönlich in Den Haag über die psychologischen Verständnisprobleme. Der niederländische Ministerpräsident Wim Kok plädierte anläßlich dieses Besuchs für die Förderung eines niederländisch-deutschen „Wir-Gefühls". Kein Zweifel: das psychologische Verhältnis ist nach dem Schock von 1993 ein Sorgenkind auf höchster politischer Ebene geworden.

Die jüngste Zunahme der Aufmerksamkeit für die Beziehungen zwischen beiden Ländern darf nicht darüber hinwegtäuschen, daß Spannungen und Reibungen zwischen den Niederlanden und Deutschland älteren Datums sind. „Im Schatten Deutschlands"[3], „Argwohn und Profit"[4], „Westdeutschland: Partner aus Notwendigkeit"[5], „Zwei Nachbarn – zwei Kulturen"[6], bereits eine kleine Auswahl von Buchtiteln über das niederländisch-deutsche Verhältnis verweist auf die inhärente Spannung, die die Beziehungen zwischen diesen „zwei ungleichen Nachbarn"[7] kennzeichnet. In seinem 1982 erschienenen Bericht „Faktor Deutschland" faßte der wissenschaftliche Beirat der niederländischen Regierung diese Spannung in die Begriffe „Sensibilität" und „Verwundbarkeit". Die Sensibilität eines Landes definierte der Beirat in Anlehnung an die amerikanischen Politologen R.O. Keohane und J.S. Nye als „das Ausmaß, in dem Phänomene in anderen Ländern Folgen für das eigene Land haben". Unter Verwundbarkeit wurde das „Verfügen oder Nichtverfügen über politische Alternativen zur Begrenzung der Sensibilität" verstanden.[8] Es ist nicht verwunderlich, daß in der Schlußfolgerung dieses Gutachtens über die niederländische Politik gegenüber der Bundesrepublik Deutschland von „einem starken Maß an Sensibilität" auf niederländischer Seite gesprochen wurde und der politische Spielraum zu ihrer Verringerung als „relativ gering" bezeichnet wurde.[9]

Die durch den wissenschaftlichen Beirat konstatierte Abhängigkeit auf
wirtschaftlichem und sicherheitspolitischem Gebiet kann nicht losgelöst
von der ambivalenten politisch-psychologischen Haltung Deutschland
gegenüber gesehen werden: Bewunderung und Mißbilligung, intensive
Beziehungen und Distanz, Vertrauen und Mißtrauen – es sind solche
Begriffspaare, die aus niederländischer Perspektive die Beziehung zu den
östlichen Nachbarn vielfach kennzeichnen. Zu Recht stellte der außenpolitische Kommentator des liberalen *NRC Handelsblad*, J.L. Heldring,
1988 fest, daß „das Verhältnis eines kleinen Volkes einem großen Nach-
barvolk gegenüber immer psychologisch vorbelastet ist – auf seiten des
kleinen Volkes wohlgemerkt".[10] Dem kann zum einen hinzugefügt werden, daß dies um so mehr gilt, wenn das größere Volk die Autonomie des
kleineren in einer nicht allzu fernen Vergangenheit schwer verletzt hat und
wenn das kleinere Volk diese Periode der Verletzung (1940–1945) als einen
wichtigen Bestandteil seines kollektiven historischen Bewußtseins verinnerlicht hat. Zum anderen ist hinzuzufügen, daß diese Ambivalenz und
dieses strukturelle Spannungsfeld des Kleinen gegenüber dem Größeren
seit der deutschen Vereinigung noch zugenommen haben. Es sind diese
strukturellen und historischen Gegebenheiten, die in Betracht gezogen
werden müssen, wenn man die politisch-psychologischen Spannungen
erklären und verringern will.

Mit dem vorliegenden Band soll ein Beitrag zur Lösung von Verständ-
nisproblemen zwischen Deutschen und Niederländern geleistet werden.
Dazu gehört sicherlich genauere Kenntnis über unangenehme Wahrhei-
ten. Deshalb wird, trotz der bereits genannten Vorbehalte, die Clingendael-Studie zum ersten Mal in Übersetzung einem breiteren deutschen
Publikum zugänglich gemacht, einschließlich einer Erläuterung von Clin-
gendael-Mitarbeiter Robert Aspeslagh. Im Zentrum dieses Bandes steht
jedoch der breitere theoretische und historische Rahmen der Beziehungen
zwischen den beiden Nationen. Im einleitenden Beitrag „Stille Tage im
Klischee" faßt Bernd Müller verschiedene empfindliche Aspekte dieses
Spannungsfeldes pointiert zusammen. Anschließend zeigt Anne Katrin
Flohr aus theoretischer Sicht gekonnt auf, wie Stereotypen, Vorurteile
und Feindbilder zwischen Nationen entstehen und welche Funktionen
sie sowohl im nationalen als auch im internationalen Kontext erfüllen.
Damit wird ein wichtiger struktureller Faktor im gegenseitigen Wahrnehmungsmuster sichtbar, der in der öffentlichen Diskussion über das niederländisch-deutsche Verhältnis manchmal übersehen zu werden droht.

Mögen die niederländisch-deutschen Nachkriegsbeziehungen auch
noch so sehr durch die Besatzungszeit und die internationale Entwick-

lung nach 1945 geprägt worden sein, gerade vor dem Hintergrund des oben angedeuteten strukturellen Spannungsfeldes ist es wichtig, älteren Mustern des bilateralen Verhältnisses Beachtung zu schenken. Spätestens seit der Gründung des deutschen Kaiserreiches im Jahre 1871 war an der niederländischen Ostgrenze eine kontinentale Großmacht entstanden, und die genannten Begriffe „Sensibilität" und „Verwundbarkeit" erhielten aus niederländischer Perspektive eine dauerhafte Bedeutung. Vor diesem und einem noch weiter zurückliegenden geschichtlichen Hintergrund zeigen Hermann von der Dunk und Ernest Zahn in diesem Band die unterschiedlichen historischen Entwicklungen beiderseits der Grenze auf. Wie ist die niederländisch-deutsche Grenze entstanden, welche Funktion erfüllt sie für die gegenseitige Wahrnehmung und wie entwickelten sich die niederländische und später die deutsche Nation? Welche Gemeinsamkeiten und Unterschiede ergab diese Entwicklung für die politische Kultur in Deutschland und in den Niederlanden?

Antworten auf diese Fragen sind unerläßlich, um das Phänomen des *„Kannitverstan"* und der niederländisch-deutschen Mißverständnisse in ihren komplexen nationalen und bilateralen Zusammenhängen zu verstehen. Mehr Verständnis füreinander fängt mit mehr Kenntnis voneinander an, und gerade hier springen zwischen Deutschen und Niederländern noch viele Defizite ins Auge. Auf deutscher Seite sind die Niederlande für viele *das unbekannte Holland*[11], während auf niederländischer Seite, und nicht nur unter Jugendlichen, eine gewisse Kultivierung der Besatzungszeit festzustellen ist, die zu Einseitigkeiten in der Wahrnehmung gegenüber Deutschland führt. Welche Bedeutung das Dritte Reich und die Besatzungszeit 1940–1945 auch in einem breiteren kulturellen Rahmen im niederländischen Deutschlandbild spielen, macht Bernd Müller in seinem Beitrag über die Darstellung dieses historischen Traumas in der niederländischen Literatur deutlich. Er unterscheidet verschiedene Phasen in der Entwicklung von Deutschlandbildern in der Nachkriegsliteratur und zeigt auf, daß trotz der Anwesenheit von nuancierten Deutschlandbildern auch heute noch Assoziationen festzustellen sind, bei denen *die* Deutschen in erster Linie mit Krieg, Gewalt und Faschismus in Zusammenhang gebracht werden. Gleichzeitig wird jedoch deutlich, daß es *das* niederländische Deutschlandbild nicht gibt und daß immer von verschiedenen Deutschland- und Deutschenbildern gesprochen werden muß. So enthält dieser Beitrag auch die implizite Warnung, sich nicht auf negative Tendenzen zu fixieren.

Die Vielschichtigkeit niederländischer Deutschlandbilder seit 1945 wird noch stärker in Friso Wielengas Beitrag sichtbar. Er präsentiert zunächst Umfragen zum Deutschlandbild aus der gesamten Nachkriegszeit mit teilweise positiven Ergebnissen, die somit auch als eine gewisse Relativierung der „Clingendael-Umfrage" zu betrachten sind. Anschließend analysiert er die niederländische Meinungsbildung bezüglich der deutschen Frage und der Demokratie im Nachkriegsdeutschland. Seine Darstellung zeigt, daß der Begriff „antideutsch" für das politischpsychologische Klima gegenüber der Bundesrepublik eine unzulässige Vereinfachung ist und daß bei genauerem Hinschauen die niederländischen Deutschlandbilder viel nuancierter und differenzierter sind als ihr Ruf.

Der vorliegende Band zeigt also eine breite Palette von Deutschlandbildern aus den Niederlanden. Auch wenn Stereotypen und Vorurteile im Verhältnis zwischen den Nationen wohl immer eine Rolle spielen und empfindliche Wahrnehmungsmuster im kleineren Nachbarland als struktureller Faktor auch künftig dazugehören werden, lassen sich durch näheres Kennenlernen viele Kommunikationsschwierigkeiten und Mißverständnisse aus der Welt schaffen.

Ziel dieses Bandes ist es, hierzu beizutragen und sich mit dem *Kannitverstan* nicht zufrieden zu geben.

Köln und Amsterdam   im März 1995

Anmerkungen

1 Vgl. z. B. den vom im Außenministerium angesiedelten „Beirat für Frieden und Sicherheit" herausgegebenen Bericht „Duitsland als partner". Den Haag 1994. Auf deutsch erschienen unter dem Titel „Deutschland als Partner".

2 Vgl. z. B. E. Wiedemann: Frau Antje in den Wechseljahren. In: Der Spiegel, 28. Februar 1994.

3 Nederlands Genootschap voor Internationale Zaken (Hrsg.): In de schaduw van Duitsland. Een discussie. Baarn 1979.

4 H.J.G Beunders und H.H. Selier: Argwaan en profijt. Nederland en West-Duitsland 1945–1981. Amsterdam 1983.

5 F. Wielenga: West-Duitsland: partner uit noodzaak. Nederland en de Bondsrepubliek 1949–1955. Utrecht 1989.

6 H.W. von der Dunk: Twee buren, twee culturen. Opstellen over Nederland en Duitsland. Amsterdam 1994.

7 H. Lademacher: Zwei ungleiche Nachbarn. Wege und Wandlungen der deutsch-niederländischen Beziehungen im 19. und 20. Jahrhundert. Darmstadt 1990; vgl. auch: J. C. Heß und F. Wielenga: Duitsland in de Nederlandse pers – altijd een probleem? Drie dagbladen over de Bondsrepubliek 1969–1980. Den Haag 1982; und: F. Wielenga: Die Niederlande und Deutschland: Zwei unbekannte Nachbarn. In: Internationale Schulbuchforschung 5(1983) Nr. 2, S. 145–155.

8 Wetenschappelijke Raad voor het Regeringsbeleid: Onder invloed van Duitsland. Een onderzoek naar gevoeligheid en kwetsbaarheid in de betrekkingen tussen Nederland en de Bondsrepubliek. Den Haag 1982, S. 8. Eine deutsche Übersetzung erschien unter dem Titel: Faktor Deutschland. Zur Sensibilität der Beziehungen zwischen den Niederlanden und der Bundesrepublik. Den Haag/Wiesbaden 1984.

9 Ebd. S. 211.

10 J.L. Heldring: Politiek-psychologische aspecten in de verhouding tussen Nederland en Duitsland. In: M. Prangel und H. Westheide (Hrsg.): Duits(land) in Nederland. Waar ligt de toekomst van de Nederlandse germanistiek? Groningen 1988, S. 59.

11 Nach E. Zahn: Das unbekannte Holland. Regenten, Rebellen und Reformatoren. Dritte erweiterte Auflage. München 1993. Zahn hat damit eine vorzügliche und breit angelegte Studie über die Geschichte der niederländischen politischen Kultur vorgelegt.

Stille Tage im Klischee

Sinn, Unsinn und Entwicklung niederländischer Deutschlandbilder

BERND MÜLLER

Einleitung

Das Thema Deutschland hat in der öffentlichen Diskussion in den Niederlanden in der ersten Hälfte der neunziger Jahre eine neue Dimension bekommen. Man macht sich Sorgen über das Deutschlandbild der Landsleute, ja fragt sich öffentlich: Enthalten die sehr verbreiteten und gerade bei Jugendlichen beliebten antideutschen Sprüche nicht vielleicht sogar rassistische Elemente? Damit soll jetzt endlich einmal Schluß sein, heißt es. Als Hauptargumente werden dafür die gute Zusammenarbeit mit dem Nachbarland auf politischer und vor allem auf wirtschaftlicher Ebene angeführt. Der Rückblick auf eine mehr als vierzigjährige Bewährungszeit Deutschlands als demokratischer Staat wird dabei wie eine Neuigkeit gehandelt, als ob erst jetzt der Blick auf den Nachbarn im Osten frei wäre. Und um einen Befreiungsprozeß scheint es sich auch tatsächlich zu handeln, Befreiung von einer ganzen Reihe von Feindbildern und Vorurteilen und vielleicht auch vom Zwang, Deutschland und die Deutschen ständig argwöhnisch durch die Brille des Zweiten Weltkriegs zu mustern.

Obwohl schon seit dem Ende der siebziger Jahre ein Unbehagen über das Deutschlandbild in den Niederlanden gärt, erreichte es erst im Jahr 1993 eine breite Öffentlichkeit. Wie kam es zu diesem Stimmungsumschwung? Vielleicht, weil in diesem Jahr antideutsche Gefühle und Äußerungen gleich dreimal zum Medienereignis wurden: Eine Studie über das Deutschlandbild niederländischer Jugendlicher wurde veröffentlicht und machte auch in Deutschland Furore; aus Anlaß der rassistischen Terroranschläge in Deutschland gab es eine gigantische Protestaktion unter dem Titel *„Ik ben woedend!"* (Ich bin wütend!), und der Botschafter des Königreichs der Niederlande las schon kurz nach seiner Amtseinführung in Bonn seinen antideutschen Landsleuten öffentlich in deutschen und niederländischen Medien die Leviten.

Die Diskussion über Deutschland bewegt sich in unserem Nachbarland auf zwei Ebenen. Es gibt die Ebene der wirtschaftlichen und politischen Beziehungen, die sich seit 1945 kontinuierlich verbessert haben. Verlautbarungen und Verträge dokumentieren das zur Genüge. Die Ebene der politisch-psychologischen Beziehungen sind schon schwieriger zu ergründen und darzustellen. Hier verzögert sich eine „Normalisierung". Die Diskussion über die deutsch-niederländischen Beziehungen auf der Ebene der politischen Praxis bis hin zur politischen Psychologie wird von Friso Wielenga in diesem Band ausführlich referiert und reflektiert. Einer der Gründe für die Verzögerung auf der Ebene der politischen Psychologie liegt in den Bildern, die in der Öffentlichkeit, in den Medien, in Kunst und Kultur, aber auch in der mündlichen Überlieferung kolportiert werden. In diesen Bildern finden wir ein ganzes Bündel von Klischees, die nicht nur eine spezifisch niederländische Befindlichkeit widerspiegeln, sondern selbst ein Teil niederländischer Kultur sind.

Der Bedeutung und der Bedeutungsveränderung solcher Bilder in ihren historischen und kulturellen Zusammenhängen in der öffentlichen Meinung und im Bezug auf eine niederländische kulturelle Identität möchte ich im folgenden nachgehen.

Deutschlandbilder

Der Zweite Weltkrieg – die deutsche Besatzung (1940–45) und der Mord an den Juden – ist für die niederländische Kultur ein tiefer Einschnitt. Das hat auch Konsequenzen für das Bild von den Deutschen. Die Wahrnehmung des östlichen Nachbarn wird nachhaltig durch diese traumatischen Erfahrungen geprägt. Wenn Friso Wielenga und Jürgen Heß auf die Frage, „gibt es noch Ressentiments ...?" antworten: „Statt Ressentiments gibt es zunächst einmal Wunden, Wunden, die schmerzen, immer noch, wieder, oder vielleicht gar mehr als früher"[1], dann zeigen sie, welch hohen Stellenwert das historische Trauma in der niederländischen Gesellschaft hat.

Die Vorurteile und Feindbilder über Deutschland und die Deutschen fallen keineswegs vom Himmel. Es gab sie schon vor der Besatzungszeit und dem Mord an den Juden. Sie sind auch nicht so homogen wie sie aus deutscher Sicht und auf den ersten Blick erscheinen mögen. Wie jedes Fremdbild ist auch das der Niederländer in erster Linie individuell und lebensgeschichtlich geprägt. Dabei spielt die Zugehörigkeit zu einer bestimmten Generation eine maßgebliche Rolle. In bezug auf Deutschland bestimmt übrigens auch hier der Zweite Weltkrieg, der in den Niederlanden einfach nur „der Krieg" genannt wird, die Generationsgrenzen:

Kriegsgeneration, deren Kinder und die Enkel. Die Wahrnehmung des Nachbarn im Osten muß aber auch geographisch unterschieden werden. Sie ist in der direkten Nachbarschaft entlang der Grenze anders als im Westen des Landes. Sie hat in der städtischen „Randstad" (im Dreieck Amsterdam-Rotterdam-Utrecht) andere Bedeutungen als in ländlichen Regionen. Und die historischen Erfahrungen der südlichen Niederlande, die schon im Sommer 1944 von Nazi-Deutschland befreit waren, sind andere, als die der nördlichen Provinzen, die den sogenannten Hungerwinter 1945 erleiden mußten.

Für alle gilt aber gleichermaßen, daß sie auf einen bereits vorhandenen „Schubladenkasten" mit einem ganzen Bündel von Deutschlandbildern zurückgreifen konnten. Einzelne Merkmale, die als typisch deutsch angesehen wurden und werden, bekamen im Kommunikationszusammenhang der Kriegs- und Nachkriegszeit mehr Gewicht, als Merkmale, die vorher gängige Klischees waren. Die Konstruktion und die Funktionsweise solcher „Schubladenkästen" werden im Beitrag von Anne Flohr genauer erklärt.

Das bekannte Schimpfwort für die Deutschen „mof" findet Horst Lademacher in der Bedeutung „grober unbehauener Kerl" schon in der Literatur des 16. Jahrhunderts. Er beschreibt die Bedeutungsveränderung des Begriffs, die mit der historischen Entwicklung der beiden Völker einhergeht. „Aber während es in den Anfängen seiner Zuweisung eher eine Disqualifizierung im gesellschaftlichen Umgang bedeutete, auch eher zugespitzt war auf Bauern oder Seeleute, erfuhr es im 19. Jahrhundert eine Verallgemeinerung für alle Deutschen und erhielt deutlich politischen Charakter." [2] Seit dem 19. Jahrhundert werden den Deutschen Attribute wie Militarismus, Bürokratie und Untertanengeist zugewiesen. [3] Diese Klischees wurden während der Besatzungszeit ja auch bestätigt und durch die Spezifizierungen „gewalttätig" und „hinterlistig" ergänzt. Seit der Befreiung wird bei der Wahrnehmung der Deutschen auf dieses Bündel von Klischees zurückgegriffen. Es wurde nach dem Wirtschaftswunder durch die Klischees von der deutschen Gründlichkeit, dem Fleiß und der Stabilität der deutschen Wirtschaft ergänzt. In seiner Gegenüberstellung der „ungleichen Brüder" geht Ernest Zahn auf beiden Seiten den Ursprüngen und der Entwicklung solcher Klischees nach.

Bernd Müller

Deutschland als Antiland

Empirische Untersuchungen über das Deutschlandbild der Niederländer zeigen, wie sehr sich die Wahrnehmung Deutschlands bereits in den ersten Nachkriegsjahren verbesserte. Wie schon erwähnt, ist dabei interessant, daß es verglichen mit Wirtschaft und Politik eine Verzögerung bei der Verbesserung der Beziehungen auf politisch-psychologischer Ebene gibt. Jürgen Heß und Friso Wielenga zeigen in ihrer Studie über *„Nachbarn zwischen Nähe und Distanz"*, daß sich das Deutschlandbild in den Niederlanden zwischen 1945 und 1977 kontinuierlich zum Positiveren wendet. „Für die übergroße Mehrheit galt somit offensichtlich die nüchterne Kaufmannsmentalität, nach der betonte Zurückhaltung auf politisch-psychologischem Gebiet einer wirtschaftlichen Normalisierung nicht im Wege stehen brauchte." [4]

Der Begriff „Zurückhaltung" ist für das Deutschlandbild bekannter niederländischer Meinungsträger noch zwanzig Jahre nach der Befreiung eher euphemistisch. Das zeigt eine Debatte, die 1965 unter dem Titel *„Dürfen wir noch antideutsch sein?"* [5] veröffentlicht wurde. L. Aletrino erinnerte noch einmal an die abscheulichen Verbrechen der Besatzungszeit. Er wies darauf hin, daß die Deutschen auf keine demokratische Kulturtradition zurückgreifen könnten. Deshalb sei auch die Re-educationpolitik der Alliierten zum Scheitern verurteilt gewesen. [6] Der bekannte Strafrechtler und Schriftsteller J.B. Charles stieß in dasselbe Horn. Er erwähnte zwar Widerstand und Verweigerung im Dritten Reich, hätte es aber noch im Jahr 1965 begrüßt, wenn 95% der Deutschen der Zugang zu den Niederlanden verweigert worden wäre. Charles unterscheidet zwischen den zwei Deutschlanden. Die Gefahren eines versteckten unheilbaren Faschismus waren seiner Meinung nach in der Bundesrepublik größer als im kommunistischen Deutschland. „Es ist zwar Unsinn antideutsch zu sein, aber die Frage, ob Deutschland, das Adenauer, unterstützt durch u. a. die Amerikaner und Niederländer, aufgebaut hat, eine Gefahr für den Frieden darstellt, muß positiv beantwortet werden." [7]

Die Gegenpositionen nahmen zwei Deutsche ein, die noch vor dem Krieg aus Nazi-Deutschland in die Niederlande geflüchtet waren. H. Wielek ging dabei ausführlich auf den deutschen Widerstand ein. Der Exilschriftsteller und Psychoanalytiker Hans Keilson stellte Überlegungen zum Thema Antihaltungen an. „Ganz gleich ob es sich um antiweiße, antischwarze, antijüdische oder antideutsche Haltungen handelt – jede Antihaltung muß überdacht werden. Die menschliche Neigung zur Verallgemeinerung, zur Simplifizierung und zur Arbeit mit Stereotypen –

psychologische Mechanismen, die man beim Entstehen und Funktionieren von Vorurteilen ausgezeichnet beobachten kann – diese menschliche Neigung spielt immer eine Rolle, wo globale Urteile über Minderheiten, Völker oder ganze Nationen gefällt werden." [8] Die eigentliche Frage muß lauten: „Dürfen westliche Völker im Zeitalter der nuklearen Bedrohung noch emotional Antihaltungen proklamieren, während ihre Politiker längst die bessere Alternative gefunden haben? Die Wachsamkeit. Die Wachsamkeit, die die positiven, aufbauenden Kräfte in der Bundesrepublik Deutschland in ihrer nicht zu beneidenden Aufgabe unterstützt, ohne sie zu diffamieren, und die die unverbesserlichen alten Machtkonstellationen genau beobachtet." [9]

Die Mahnung zur kritischen Distanz und die Aufforderung Deutschland und den Deutschen mit konstruktiver Kritik demokratisch auf die Beine zu helfen, verhallen zunächst weitgehend. Die *kollektive* Verinnerlichung des historischen Traumas aus dem Zweiten Weltkrieg in der niederländischen Kultur und der moralische Anspruch, der aus der Opferrolle gezogen wird, begleiten die Debatte um das Deutschlandbild bis heute. Der Gedanke an die Besatzungszeit „lebt in unserem kollektiven Gedächtnis weiter; sei es als erlebte Wirklichkeit, sei es als Mythos, sei es manchmal als Alibi", kritisiert der Publizist Jerome J. Heldring in den siebziger und achtziger Jahren wiederholt seine Landsleute. [10]

Das Deutschlandbild in der Öffentlichkeit

In ihrer Studie über das Deutschlandbild in der niederländischen Presse kommen Heß und Wielenga zu einem weit positiveren Ergebnis als bei ihrer Beschreibung der politisch-psychologischen Beziehungen aus historischer Sicht. Sie attestieren den drei Tageszeitungen *NRC Handelsblad*, *De Volkskrant* und *De Telegraaf*, daß ihre Berichterstattung über Deutschland gut informiert und ausgesprochen ausgewogen ist. In der Berichterstattung und der Beurteilung der Geschehnisse in Deutschland stellen sie thematische Wellen fest. Hohe Wellen schlugen die Diskussionen um den sogenannten „Radikalenerlaß" und die Hysterie aufgrund der Terroranschläge der „RAF". Mit der Frage, ob in der Bundesrepublik nicht wieder faschistische Tendenzen sichtbar würden, ließen nach dem Herbst '77 einige der Blätter das neue Deutschland wieder fallen, die es bis dahin hochgehalten hatten. Die Untersuchung ergibt trotzdem ein positives Bild der Berichterstattung über Deutschland. Die Autoren ziehen die Schlußfolgerung, daß die Medien in den Niederlanden nicht für ein negatives oder gar stereotypes Deutschlandbild verantwortlich gemacht werden können.

Implizite stereotype Bedeutungen – wie die journalistische Fragestellung „Gleitet Deutschland wieder in den Faschismus ab?" – werden bei dieser Untersuchung nicht berücksichtigt. Damit bleibt ein wichtiger unterschwelliger Aspekt „zwischen den Zeilen" im Mitteilungsbündel der untersuchten Zeitungsartikel unberücksichtigt. Auch sozial-psychologischen Phänomenen wie selektiver Wahrnehmung zur Bestätigung von Vorurteilen kann in diesem Zusammenhang nicht nachgegangen werden.

Bei der Fußball-Europameisterschaft 1988 in der Bundesrepublik besiegte das „Oranien-Team" im Halbfinale die DFB-Auswahl vor eigenem Publikum. Der Sieg über „die Mannschaft" löste eine nationale Eruption aus, die in den Niederlanden euphemistisch „Oraniengefühl" genannt wurde und die sich vehement gegen den deutschen Nachbarn richtete. Als der Trainer der Nationalmannschaft, „der General" Rinus Michels, der Fernsehnation mitteilte, daß das eigentliche Endspiel um den Meistertitel das Halbfinale gegen Deutschland gewesen sei, sprach er seinem Publikum aus der Seele. Der nationale Siegestaumel förderte unterschwellige und rational kaum faßbare Gefühle zutage, deren Agressivität auch die Meinungsträger in den Niederlanden schockierte. Der kollektive Gefühlsausbruch entfesselte in den Niederlanden aber neben anti-deutschen Entgleisungen auch eine Diskussion über das Deutschlandbild, die bis heute anhält. Diese Diskussion wird immer wieder von heftigen Gefühlsausbrüchen genährt und von beschämten und verärgerten Kommentaren dazu begleitet.

Eine Nachlese und wissenschaftliche Reaktion auf den Siegestaumel mit antideutschen Begleiterscheinungen bei der Fußball-Europameisterschaft im Sommer 1988 war eine Tagung über das Deutschlandbild in niederländischen Medien, die am 8. Juni 1989 in Nijmegen stattfand. Der Medienwissenschaftler Karsten Renckstorf schloß sich in seinem Beitrag zunächst der Auffassung von Heß und Wielenga an, daß die Medien nicht für negative Images verantwortlich gemacht werden könnten. Er verallgemeinerte aber seine Beobachtung, daß die Medien die niederländischen Leser, Hörer und Zuschauer eher in ihren Vorurteilen bestätigten als diese zu relativieren oder bei ihrem Publikum gar produktiven Zweifel zu säen.[11] Auf derselben Veranstaltung berichtete der langjährige Korrespondent der Amsterdamer Tageszeitung *De Volkskrant*, Jos Klaassen, wie zwei Faktoren die Berichterstattung über Deutschland maßgeblich prägten. Da ist zunächst die selektive Wahrnehmung der Leserschaft:

Transparent in der Nähe der deutsch-niederländischen Grenze bei Zevenaar nach der Europameisterschaft 1988. Foto: Guus Dobbelmann, *de Volkskrant*

„Wenn ich darüber schreibe, wie deutsche Städte Millionen für Kulturpaläste ausgeben, dann mag der eine Leser neidisch sein, daß die Deutschen so viel für Kultur übrig haben. Der andere Leser sieht sich in seinem Bild vom angeberischen Protzertum bestätigt." [12]

Bereits 1987 wurde in dem publizistischen Fachblatt „*Reporter*" beschrieben, wie Korrespondenten niederländischer Medien in Deutschland von ihren Auslandsredaktionen systematisch und nachdrücklich zu stereotyper Berichterstattung aufgefordert wurden. Differenzierte Artikel wurden nachträglich zurechtgerückt. Dies geschieht durch Schlagzeilen, Fotos und Karrikaturen, die an gängige Stereotypen anknüpfen und eine selektive Wahrnehmung der gebotenen differenzierten Informationen in die Wege leiten. In diesem Artikel wird Jos Klaassen zitiert. „Er habe den Eindruck, die Korrespondenten in Bonn wären nur dazu da, die niederländischen Vorurteile über Deutschland zu bestätigen." [13] Obwohl diese Einschätzung keineswegs repräsentativ ist – sie trifft z. B. für Zeitungen wie *NRC-Handelsblad* nicht zu – zeigt sie doch, wie „marktorientiert" publiziert wird. Die dicke Kruste von Vorurteilen bei den Kollegen in der Heimatredaktion spielt dabei eine genauso große Rolle wie die des Zielpublikums. Zum publizistischen Geschäft gehört es schließlich auch, das Bedürfnis der Leserschaft nach Selbstbestätigung zu befriedigen. Spielraum für Irritation und Differenzierung gibt es fast nur dann, wenn andere spektakuläre Ereignisse die verkrusteten Vorurteilsstrukturen aufbrechen lassen, so beispielsweise die Staatsbesuche von Bundespräsident Heinemann in den Niederlanden (1969) und Bundeskanzler Brandt in Warschau (1970) oder der Fall der Berliner Mauer (1989). Bereits 1990 kamen Karsten Renckstorf und Olaf Lange in einer empirischen Studie zu einem Ergebnis, das 1993 durch die bekanntere *„Clingendael-Studie"* bestätigt wurde: Vor allem niederländische Jugendliche mit wenig Kontakt zu Deutschland und den Deutschen und geringem Wissen über Land und Leute hätten ein negatives Deutschlandbild. Vor dem Hintergrund eines so ausgesprochen negativen Bildes vom östlichen Nachbarn kann man von einer speziellen Form von Fremdenhaß reden. Dieser „Moffenhaß" ist Ausdruck eines irrationalen Gefühls gegen Deutschland. [14] Die Untersuchung von Renckstorf und Lange wurde in der Öffentlichkeit kaum wahrgenommen. Sie hatte das Pech, in den Medien von den deutschen Vereinigungsdebatten überflügelt zu werden.

Identität und Gegenidentität

Der Utrechter Historiker Hermann von der Dunk beteiligt sich schon seit Jahren kritisch an der Diskussion über die niederländische Sicht auf Deutschland. Seine Gedanken in diesem Band zur Bedeutung der Grenze, die Deutschland und die Niederlande trennt und verbindet, gehören in diese Reihe. In seinem Aufsatz über *„Die Niederländische unbewältigte Vergangenheit und die deutsche Einigung"* spitzt er diese Kritik zu. Er rechnet hart mit den Vorurteilen über eine „typisch deutsche Mentalität" oder einen „deutschen Volkscharakter" ab. Immer wieder weist er darauf hin, daß sich die Mentalität junger Deutscher viel weniger von derjenigen junger Niederländer, junger Engländer oder junger Franzosen unterscheidet als von der Mentalität der älteren Generation. „Hinter diesem Gerede über ‚die Deutschen' steckt eigentlich ein verkappter Rassismus. Als wenn man sagen würde: ‚Die Juden'." [15] Von der Dunk kritisiert auch, daß sich solche Vorstellungen so hartnäckig halten, weil sie regelmäßig durch die verschiedensten Gedenkveranstaltungen und Institutionen weiter kultiviert werden. Das sei zwar sehr verständlich, habe aber auch seine Schattenseiten. Man verschließt nämlich die Augen vor der politischen und gesellschaftlichen Realität in der Bundesrepublik Deutschland heute. „Ich halte es für bedenklich, daß man hierzulande Deutschland oft durch die

Brille der Vergangenheit betrachtet. Man erkennt zwar unmittelbar, was auf diese Vergangenheit hinweist, übersieht aber, was sich geändert hat."[16]

Im Bann der Vergangenheit befinden sich wahrscheinlich auch diejenigen, die sich vor einer politischen oder gar militärischen Dominanz Deutschlands in Europa fürchten. In diesem Sinne mahnt Henri Beunders in seinem Abgesang auf die DDR, *„Das Drängen nach Deutschland"*: „Wer sich um einen Kulturimperialismus sorgt, müsse bedenken, daß die westliche Kultur in diesem Jahrhundert immer schon von Deutschen dominiert wurde: Marx, Nietzsche, Freud, Heidegger, Einstein, Marcuse."[17]

Die Studie *„Bekannt und unbeliebt"*[18] von Lútsen B. Jansen über das Deutschlandbild junger Niederländer, die das Institut für internationale Beziehungen *„Clingendael"* herausgegeben hat, sorgte nicht nur in unserem Nachbarland für Furore. Der Studie werden nicht nur methodologische Mängel nachgesagt, auch die Überschneidung von Erhebungszeitpunkt und dem rassistischen Anschlag in Mölln (1992) verzerrt die Aussagen der Jugendlichen. Sie ist lange nicht die erste Studie dieser Art und inzwischen auch längst nicht mehr die neueste. Trotzdem wurde sie 1993 in der Bundesrepublik zum Symbol einer niederländischer Aversion gegen Deutschland und die Deutschen. Ein Bild, das inzwischen selbst schon wieder zum Klischee geworden ist.

Aber auch in den Niederlanden gab es besorgte Mienen. Anlaß dafür waren weniger die tiefgehenden Ressentiments der Jugendlichen zwischen fünfzehn und neunzehn Jahren gegenüber den Deutschen, als vielmehr das ungeheuer positive Bild, das die jungen Leute vom eigenen Land haben. Die Kolumnisten der großen Zeitungen und andere Meinungsträger schlugen die Hände über dem Kopf zusammen. Als Verantwortliche der Studie fragten sich Rob Aspeslag und Lútsen Jansen in der Tageszeitung *„De Volkskrant"*, „ob es sich hier nicht vielleicht um eine (extreme) Form von Nationalismus handelt?" Mit dieser Bewertung treffen sie laut Jerome Heldring den Nagel auf den Kopf. Seiner Ansicht nach sind die Niederländer, auch wenn sie es noch so heftig bestreiten, genauso nationalistisch wie alle anderen Völker. Nur die Erscheinungsform ist subtiler.

Rassistische Äußerungen in der Öffentlichkeit gelten als unanständig. Fremdenfeindlichkeit tritt in der politischen Praxis indirekt z. B. in der Einwanderungs-, Integrations- und Asylpolitik zutage. Individuell äußert sie sich in der sicheren Anonymität der Masse, als verhaltenes Schimpfen über „die" Ausländer und ethnische Minderheiten in der Straßenbahn, und nicht zuletzt in der Wahlkabine. Die Wahlerfolge der rassistischen Partei „*Centrum Democraten*" insbesondere auf kommunaler Ebene sprechen für sich.

Die Studie von „*Clingendael*" zeigt die Funktion des negativen Deutschlandbildes als Gegenidentität, die dazu nötig ist, die nationale Identität mit den gerade angeführten Mythen und dem ständig ausgestreckten calvinistisch-moralistischen Zeigefinger zu bestätigen. Heldring faßt das so zusammen: „Die Niederländer brauchen den deutschen Buhmann zur Selbstbestätigung, für ihre nationale Identität. Dabei spielt es keine Rolle, daß das Buhmann-Bild kaum etwas mit der aktuellen Wirklichkeit zu tun hat. Im Selbstbild einer Nation sind Mythen wichtiger als Fakten."

IK BEN WOEDEND

Solingen, 29 mei 1993. Vijf onschuldige vrouwen en meisjes zijn levend verbrand, alleen maar omdat ze buitenlander zijn. Via deze briefkaart wil ik laten weten dat ik verbijsterd ben.

Die spektakuläre Postkartenaktion mit dem Titel „*Ik Ben Woedend!*" (Ich bin wütend!) wirbelte im Frühjahr 1993 viel Staub auf. Dem deutschen Bundeskanzler wurde dabei auf immerhin 1.200.000 vorgedruckten Ansichtskarten mitgeteilt, daß man entsetzt sei über die Morde von Solingen und anderswo und daß man die politische Entwicklung in Deutschland mit Sorge beobachte. Begleitet von einem enormen Medientroß wurde die gesammelte Meinungsfracht im Bonner Kanzleramt abgeliefert. Wichtiger als die Sorge um Deutschland scheint mir die Bedeutung der Aktion für die Niederlande selbst. Die Postkarten lagen in jedem Tabakladen und Supermarkt an der Kasse. Hier hatten sie zeitweise den Charakter einer nationalen Erhebung mit dem Tenor: „Jetzt zeigen wir den Deutschen mal, wo's lang geht!". Und schließlich fletschte der niederländische Löwe ja auch millionenfach die Zähne. Er tat es allerdings nur, um eine Briefmarke zu lecken, die für gerade sechzig Pfennig den nachträglichen Beitritt zum niederländischen antifaschistischen Widerstand besiegelte. Schade nur, daß böse Zungen später behaupteten, die ganze Aktion wäre nur als ein Werbegag geplant worden, um die beiden verantwortlichen Moderatoren einer Musiksendung für Jugendliche im „seriösen" politischen Nachmittagsprogramm zu etablieren.

Als der Botschafter der Niederlande 1993 sein Amt in Bonn antrat, wurde er laufend auf die *„Clingendael-Studie"* angesprochen und danach gefragt, wie es denn nun mit dem niederländischen Deutschlandbild stehe. Das Bild vom antideutschen Niederländer etablierte sich gerade als neues Klischee neben Frau Antje, Rudi Carrell und den angeblich geschmacklosen Hollandtomaten. Das Klischee verfestigte sich durch die bereits erwähnte *„Ik ben woedend!"* Aktion. Der Botschafter vertrat daraufhin in der Tageszeitung *NRC Handelsblad* die Auffassung, daß die strikte Ablehnung von Intoleranz und Diskriminierung gegenüber Fremden genauso zur niederländischen Erziehung gehöre wie antideutsche Sentimente und Sentimentalitäten. „Die Ablehnung der Deutschen ist unsere nationale Variante der Fremdenfeindlichkeit. Und das attraktive daran ist, daß es opportun ist." [19]

Im selben Jahr waren die niederländischsprachige Literatur und damit die Niederlande und Belgien Schwerpunkt der Frankfurter Buchmesse. Mit der Literatur stand auch die Kultur unserer Nachbarn im Mittelpunkt des öffentlichen Interesses. Kein Wunder, daß die Untersuchung des Deutschlandbildes in niederländischer Literatur als Teil dieser Kultur viel Aufsehen erregte. Die Ergebnisse dieser Studie sind in meinem Beitrag über Deutschland als Thema in der Literatur 1945–1995 in diesem Band zusammengefaßt.

Eine Studie über Deutsche und Niederländer in der Euregio, *„Spiegelbild einer Grenzregion"*, relativiert 1994 die Ergebnisse der *„Clingendael-Studie"* für das direkte Grenzgebiet. Die Bewertung der Deutschen über die Niederländer ist zwar deutlich positiver als umgekehrt, insgesamt werden die deutschen Nachbarn aber nicht so negativ beurteilt wie in landesweiten Untersuchungen. „Eingeschränkt wird diese recht positive gegenseitige Wahrnehmung (im Grenzgebiet) dadurch, daß etwa ein Drittel der befragten Niederländer eine wirtschaftliche Bedrohung durch Deutschland annimmt". [20]

Ein wichtiger Faktor des nationalistischen und calvinistisch geprägten „Wir-Gefühls" ist der Glaube an die kollektive moralische Überlegenheit.

Ein Glaube, der die skurrilsten Blüten treibt. Ähnlich wie bei der *„Ik ben woedend"*-Aktion 1993 zeigten Anfang der achtziger Jahre Hunderttausende Niederländer mit dem Button *„Beware! I've got Hollanditis"*, daß sie (als Atomraketengegner) gute Menschen sind.

Ausblick

Das Deutschlandbild wurde 1993 in seiner Qualität und in seiner kulturellen Bedeutung in den Niederlanden einer breiten Öffentlichkeit zur Diskussion gestellt. Die Mauer aus Vorurteilen und Klischees wurde brüchig. In diese Kerbe schlug im Februar 1994 das deutsche Nachrichtenmagazin *„Der Spiegel"* mit ungeahnter Wut. Unter dem Titel „Frau Antje in den Wechseljahren" wurde das deutsch-niederländische Verhältnis einfach auf den Kopf gestellt. Dem Klischee vom häßlichen Deutschen wurde plump das Klischee vom häßlichen Holländer entgegengehalten: Schulterzuckend sieht er zu, wie die Jugend der Welt in seinem Sündenbabel Amsterdam unter die Räder von „Sex and Drugs and Rock'n' Roll" kommt. Während er noch im Krieg mit den Deutschen kollaborierte, vergiftet er sie heute mit seinem Hightech-Gemüse. Die positiven Klischees, die in Deutschland und in den Niederlanden über „die Holländer" bestehen, wurden gegen durchweg negative ausgetauscht. Aus dem kollektiven Widerstand und der toleranten Gesellschaft wurden die genauso falschen Klischees von Kollaboration und Fremdenfeindlichkeit. Der Schlag unter die Gürtellinie verfehlte sein Ziel nicht: Es gab einen wahren Aufschrei in der niederländischen Öffentlichkeit und eine empörte Debatte in den Medien über diese Anfeindungen. Und bei aller Kritik an der publizistischen Holzhammermethode und den beleidigenden Sequenzen dieses Artikels muß festgestellt werden, daß er der Diskussion über das Deutschlandbild noch einmal Schwung und neue Nahrung gab. Vorurteile und Klischees werden immer mehr öffentlich zu dem erklärt, was sie ihrer Funktion nach sind: „Der Stoff aus dem die Dummheit ist".

Seit der Bildung der „lila" Koalition aus Sozialdemokraten, Liberalen und Sozialliberalen 1994 zeichnet sich auch in der Regierungspolitik der Niederlande eine Trendwende ab. Obwohl es seit Jahren auf der offiziellen wirtschaftlichen und politischen Ebene zwischen dem niederländischen Königreich und der Bundesrepublik keine Probleme gibt, wird die Verbesserung der deutsch-niederländischen Beziehungen mit der Thronrede im September 1994 erklärtes Ziel dieser Regierung. Damit wird implizit eingestanden, daß der Zustand der politisch-psychologischen Beziehun-

Abbildung: Sebastian Krüger, *Der Spiegel*, 28. Februar 1994

gen sehr zu Wünschen übrig läßt. Aber man will etwas dagegen unternehmen. Daß der deutsche Bundeskanzler im Januar 1994 nach Den Haag
kam, um sich über die niederländische Sicht auf Deutschland und die
Deutschen zu informieren, ist ein weiterer Schritt zu guter Nachbarschaft. In der von Außenminister van Mierlo betriebenen Umgewichtung

(„hereiking") der Außenpolitik zeigt sich ebenfalls eine Wende: Der Blick und der Schwerpunkt der Aktivitäten wenden sich von der Nordsee und dem Nord-Atlantik zu den Nachbarn auf dem Festland, Deutschland, Belgien und Frankreich. Für die deutsch-niederländischen Beziehungen zeichnet sich damit eine erfreuliche Entwicklung ab. Auf politisch-psychologischer Ebene bestätigt sich eine Entwicklung, die in den Medien seit dem deutschen Einigungsprozeß beobachtet werden kann: Prinzipiell argwöhnisches Desinteresse weicht langsam einem Wissensdurst über die Nachbarn im Osten. Die Initiativen von höchster Stelle lassen hoffen, daß aus der bewährten wirtschaftlichen und politischen Zweckgemeinschaft langsam eine gute Nachbarschaft entsteht, ohne daß die Bäume gleich in den Himmel wachsen. Ein niederländisches Sprichwort sagt bescheiden: „Ein guter Nachbar ist besser als ein ferner Freund".

Anmerkungen

1 Jürgen C. Heß und Friso Wielenga: Gibt es noch Ressentiments ... ? Das niederländische Deutschlandbild seit 1945. In: Jürgen C. Heß und Hanna Schissler (Hrsg.): Nachbarn zwischen Nähe und Distanz. Deutschland und die Niederlande. Studien zur internationalen Schulbuchforschung. Studienreihe des Georg-Eckert-Instituts, Band 52. Frankfurt/M. 1988, S. 13.

2 Horst Lademacher: Zwei ungleiche Nachbarn. Wege und Wandlungen der deutsch-niederländischen Beziehungen im 19. und 20. Jahrhundert. Darmstadt 1989, S. 253.

3 Ebd., S. 253 f.

4 Heß und Wielenga 1988, S. 25.

5 L. Aletrino, J. B. Charles, Hans Keilson und H. Wielek: Mogen wij nog nati-Duits zijn? Amsterdam 1965.

6 Ebd., S. 43 f.

7 J. B. Charles: Een nieuwe vereniging. In: Ebd., S. 64.

8 Hans Keilson: Overpeinzingen van een niet-politikus. In: Ebd., S. 69.

9 Ebd., S. 83.

10 Jerome L. Heldring: Politiek-psychologische aspecten in de verhouding tussen Nederland en Duitsland. In: Matthias Prangel und Henning Westheide: Duits(land) in Nederland. Waarin ligt de toekomst van de Nederlandse germanistiek? Groningen 1988, S. 68; ebd. In: Nederlands Genootschap voor Internationale Zaken (Hrsg.): In de schaduw van Duitsland. Een discussie. Baarn 1979.

11 Karsten Renckstorf: Vormen of spiegelen de media beelden: Bijvoorbeeld het beeld van Duitsland en de Duitsers? In: Karsten Renckstorf und Jeroen Janssen (red.): Erger dan Duitsers ... Het beeld van Duitsland en de Duitsers in de Nederlandse media. Nijmegen 1989, S. 28.

12 Jos Klaassen: Buitenlandse berichtgeving is gekleurder. In: Karsten Renckstorf und Jeroen Janssen (red.): Erger dan Duitsers ... Het beeld van Duitsland en de Duitsers in de Nederlandse media. Nijmegen 1989, S. 28.

13 Anke Plättner: De subtiele wraakneming op Duitsland. In: Reporter 6/87, S. 32.

14 Karsten Renckstorf und Olaf Lange: Niederländer über Deutsche. Eine empirische Studie zur Exploration des Bildes der Niederländer von Deutschen. Nijmegen 1990, S. 32.

15 Hermann W. von der Dunk: Nederlands onverwerkt verleden en de Duitse eenwoording. In: W. de Moor: „Duitsers!?". 'S Gravenhage 1990, S. 124.

16 Ebd., S. 124.

17 Henri Beunders: De drang naar Duitsland. Of het einde van een zwaar bewaakte illusie. Amsterdam 1990, S. 183.

18 Lútsen B. Jansen: Bekend en onbemind. Het beeld van Duitsland en Duitsers onder jongeren van vijftien tot negentien jaar. Nederlands Instituut voor Internationale Betrekkingen „Clingendael". 'S Gravenhage 1993.

19 Peter A. van Walsum: „Afkeer van Duitsers variant van vreemdelingenhaat". In: NRC Handelsblad 1.9.1993.

20 Thomas Blank und Rudolf Wiengarn: Spiegelbild einer Grenzregion. Forschungsprojekt über die deutsch-niederländischen Beziehungen im Euregiogebiet. Unter Mitarbeit von Kathy Gaalman, Stefan Reiners, Ilona Vloon und Hubertus Zdebel. Münster 1994, S. III.

Nationenbilder: Nationale Vorurteile und Feindbilder

Wie entstehen sie, und warum gibt es sie?*

ANNE KATRIN FLOHR

Was sind Nationenbilder?

Realistische Wahrnehmung seiner Umwelt zählt nicht zu den Stärken des Menschen. Das gilt auch für die Politik. Wir neigen dazu, andere Ethnien[1], Völker und insbesondere unsere politischen Gegner anders wahrzunehmen, als sie tatsächlich sind. In den meisten Fällen sind diese Vorstellungen negativ geprägt: Wir haben keine hohe Meinung vom anderen, „dem Fremden", und wir mögen ihn auch nicht besonders. Diese Negativimages reichen von mehr oder weniger „harmlosen" Vorurteilen über andere Völker bis hin zu gefährlichen Feindbildern.

Negativbilder können, wie Images überhaupt, unser Verhalten gegenüber anderen Völkern beeinflussen, es unter Umständen sogar entscheidend prägen.[2] Oft wirken sie mit, wenn wir Angehörigen anderer Ethnien oder Völker distanziert, ablehnend oder sogar feindselig gegenübertreten. Dies gilt sowohl für unsere privaten Kontakte mit Fremden als auch für zwischenstaatliche Beziehungen. Insbesondere Feindbilder tragen häufig entscheidend zur Entstehung und Verschärfung internationaler Krisen bei. Sie waren z. B. ein zentraler Bestandteil des Ost-West-Konfliktes. Die Vehemenz erbitterter Haßtiraden gegen die jeweils andere Supermacht – man denke etwa an Ronald Reagans Verteufelung der Sowjetunion als „Reich des Bösen" – zeigte dies. Sicher entsprach die schwindelnde Höhe der Militärausgaben von NATO und Warschauer Pakt kaum der realen Bedrohung, sondern war auch Konsequenz von Feindbildern.[3] Nationenbilder sind oft genug bedeutsam für unser Verhalten gegenüber anderen Völkern, und darum ist ihre Erforschung eine wichtige Aufgabe der Sozialwissenschaften, insbesondere der Politikwissenschaft. Der traditionelle Bezug der Politologie auf historische Entwicklungen, bürokratische Mechanismen und Ideologien ist zu ergänzen durch den

---

* Der Beitrag basiert in Teilen auf meinem Buch: Feindbilder in der internationalen Politik. Ihre Entstehung und ihre Funktion. Münster/Hamburg 1991.

„subjektiven Faktor", nämlich durch die „Bilder in unseren Köpfen", die wir uns von anderen Völkern machen. Nun werden diese Bilder mit verschiedenen Begriffen wie „Stereotyp", „Vorurteil" und „Feindbild" umschrieben, die es zu unterscheiden gilt. *Stereotyp* bezeichnet verallgemeinernde, vereinfachende und klischeehafte Vorstellungen. Stereotype beziehen sich ausschließlich auf den kognitiven[4] Bereich, Nicklas und Ostermann nennen sie daher „geistige Schubladen"[5]. Nationale Stereotype beziehen sich auf Mitglieder anderer Nationen. Per definitionem können Stereotype sowohl positive als auch negative Einschätzungen sein, nationale Stereotype sind freilich überwiegend negativ.

Sind Stereotype also rein kognitiv, so schließen *Vorurteile* außerdem noch Gefühle ein. Vorurteile sind vorgefaßte Urteile, die von positiven oder negativen Emotionen begleitet und nur schwer veränderbar sind. Vorurteile gegenüber anderen Völkern sind überwiegend negativ und gehen daher mit entsprechend negativen Gefühlen einher.

Der Ausdruck *Feindbilder* schließlich wird zumeist in politischem Zusammenhang verwendet. Er bezieht sich auf andere Ethnien, Völker, Nationen oder Nationengruppen. Feindbilder erstrecken sich wie Vorurteile allgemein auf unser Denken und Fühlen. Wichtigstes Merkmal ist ihr höchst negativer Charakter. Unseren Feinden stehen wir klar ablehnend, eben „feindlich" gegenüber. Vielleicht hassen wir sie und wollen sie gar vernichten. Womöglich ist das Negativbild vom Feind so extrem, daß er „entmenschlicht" erscheint: der Feind wird zur Bestie oder zum Teufel. In Kriegszeiten geschieht dies oft genug in politischer Propaganda.[6] Der Grund für diese Dehumanisierung des Feindes ist offenkundig: Verliert der Gegner sein menschliches Gesicht, so steigt unsere Bereitwilligkeit, ihn mit Gewalt zu bekämpfen. Auf diese Weise werden aggressive Politik und der Abbau von Tötungshemmungen auf dem Schlachtfeld scheinbar legitimiert. Einige Naturvölker wie die Zulus in Südafrika gehen sogar so weit, ihren eigenen Stamm kurzerhand mit „Menschen" zu bezeichnen; alle Nichtzulus wären somit Nichtmenschen. Ein weiteres Merkmal von Feindbildern ist ihre Spiegelbildlichkeit: Politische Gegner beschuldigen sich oftmals der gleichen Vergehen, ihre jeweiligen Vorstellungen vom anderen sind nahezu Spiegelbilder. So werfen sich politische Kontrahenten häufig gegenseitig Expansionsdrang, Nichteinhaltung bestehender Verträge oder mangelndes Interesse an Abrüstungsverhandlungen vor.[7]

Alle drei Phänomene, also Stereotypen, Vorurteile und Feindbilder, sind universell, d. h. in allen Kulturen zu finden. Grundsätzlich sind alle Menschen anfällig für das Denken in vereinfachenden, verallgemeinernden und klischeehaften Mustern, die emotional gestützt sein können.

Zwar gibt es individuelle Erfahrungen und Eigenschaften, die diese Phänomene begünstigen oder abschwächen können, doch an ihrer Universalität ändert das nichts. Stereotype und Vorurteile sind keine Ausnahmeerscheinung, sondern allgegenwärtig. Grundsätzlich veränderbar sind dagegen ihre Inhalte, denn gegen welche Völker sich unsere Vorurteile richten, ist von historischen Erfahrungen, Sozialisation, der geographischen Lage eines Landes und anderem abhängig.

Allerdings sind etablierte Stereotype, Vorurteile und Feindbilder sehr stabil. Sogar gegenteilige Informationen können sie nicht leicht erschüttern. Dies gilt umso mehr, je stärker sie von entsprechenden Emotionen begleitet und je intensiver sie sind. Demnach können wir Feindbilder, die einen stark negativen Charakter aufweisen, besonders schwer abbauen.

Wie steht es mit dem Wahrheitsgehalt von Stereotypen, Vorurteilen und Feindbildern? Sind es allein Produkte unserer Phantasie, oder haben sie womöglich einen „wahren Kern"? Gewiß sind Bilder denkbar, die jeder realen Grundlage entbehren, zu vermuten ist jedoch, daß sich in ihnen meist reale und irreale Elemente verbinden. So existieren häufig zwischen Völkern tatsächliche Interessengegensätze, die in der gegenseitigen Wahrnehmung um ein Vielfaches übersteigert werden. Oft gibt es dann eine Wechselwirkung zwischen Wirklichkeit und Wahrnehmung: Reale Interessenkonflikte führen zu gegenseitigen Vorurteilen und Feindbildern, diese wiederum veranlassen die Beteiligten, sich feindlich zu verhalten, und eben das verschlechtert die Beziehungen noch mehr.

Wie entstehen Nationenbilder?

Nationale Vorurteile und Feindbilder sind Teil eines Wahrnehmungsmusters, das als „Freund-Feind-Denken" bezeichnet wird. Wir ordnen uns und andere Völker in dieses simple Wir-die-Muster ein, wobei wir uns selbst und unsere Verbündeten übertrieben positiv, die „anderen" hingegen allein negativ beurteilen. Aber warum bemühen wir uns nicht, unsere Umwelt differenzierter, also wirklichkeitsnäher wahrzunehmen? Die Kognitionspsychologie gab hierauf eine Antwort, und zwar mit der „Theorie der kognitiven Dissonanz"[8]. Grundlegende Annahme ist hier, daß Menschen die Gleichzeitigkeit von Informationen, die einander widersprechen, nur schwer ertragen. Um diese Widersprüchlichkeit zu vermeiden, paßt unsere Wahrnehmung neue Informationen den schon bestehenden Vorstellungen so weit an, bis sie mit diesen übereinstimmen.

Wir verändern also neue Informationen so, daß unsere ursprünglichen Auffassungen, die „belief systems", nicht erschüttert, sondern bestätigt werden. Erreicht wird das durch sogenannte selektive Wahrnehmung: Informationen, die unseren verfestigten Auffassungen widersprechen, werden entweder ignoriert oder so sehr verzerrt, daß sie mit unseren etablierten Anschauungen in Einklang stehen. Kurz: Durch selektive Wahrnehmung bestätigt sich unsere ohnehin existierende Vorstellung, und damit vermeiden wir Inkonsistenz.

Bei den uns interessierenden Nationenbildern gibt es mehrere Mechanismen, welche die Bilder in unseren Köpfen bestätigen helfen. „Schwarz-Weiß-Denken" ist ein wichtiger davon, und im schon erwähnten Freund-Feind-Denken findet es besonders klaren Ausdruck. Wir tendieren dabei zur äußerst positiven Bewertung unserer eigenen Eigenschaften und Verhaltensweisen und beurteilen umgekehrt die unserer Gegner äußerst negativ. Für uns selbst nehmen wir in Anspruch, ehrlich und gerecht zu sein, unseren Kontrahenten hingegen unterstellen wir Bösartigkeit, Unberechenbarkeit und Hinterlist. Die jeweiligen Selbst- und Fremdbilder gegnerischer Staaten weisen dabei häufig ein hohes Maß an Übereinstimmung auf (Spiegelbildlichkeit). Dieses Phänomen zeigt sich nicht nur zwischen gegnerischen Staaten. Es kann auch zwischen miteinander verbündeten Nachbarvölkern eine Rolle spielen, wie z. B. die in diesem Band dokumentierte „Clingendael-Umfrage" zeigt. Die befragten niederländischen Jugendlichen schrieben sich selbst gerade diejenigen positiven Eigenschaften zu, die sie insbesondere den Deutschen aberkannten. Bei den negativen Eigenschaften war es genau umgekehrt.

Unterschiedliche Bewertung gleicher Verhaltensweisen ist ein anderer Mechanismus, der uns hilft, unsere gewohnten Freund-Feind-Bilder aufrechtzuerhalten. Gemeint ist, daß ein bestimmtes Verhalten unterschiedlich beurteilt wird, je nachdem, ob wir oder unsere Gegner es praktizieren. So legitimierten die Vereinigten Staaten während des Kalten Krieges ihre militärischen Interventionen als notwendige Maßnahmen zum Schutz von Demokratie und Freiheit, die Sowjetunion beurteilte diese jedoch als Unterstützung von Tyrannei und Militärregimen. Umgekehrt interpretierte die Sowjetunion ihr Eingreifen in Konflikte der Dritten Welt als Unterstützung nationaler Befreiungsbewegungen, die Vereinigten Staaten hingegen werteten es als Angriff auf die freie Welt. Solch unterschiedliche Bewertung gleicher Verhaltensweisen offenbart sich oft schon im Sprachgebrauch: Nationale Widerstandsgruppen werden von den einen als „Terroristen" beschimpft und von den anderen als „Freiheitskämpfer" gefeiert. Im Kalten Krieg wurden die sowjetischen Atomwaffen im Westen als

Karikatur: Albo Helm, *Dagblad Tubantia*, 17. September 1994

„Massenvernichtungsmittel" bezeichnet, die eigenen hingegen als „peace-keepers". Wir urteilen also mit doppeltem Maßstab und passen dadurch widersprüchliche Informationen an unsere vertraute Einteilung der Welt in Gut und Böse an.

Besonders wichtig im Zusammenhang mit Feindbildern ist das sogenannte „Worst-Case-Denken". Hierunter versteht man die Annahme, daß „die anderen" stets nach ihrem größten Vorteil streben, was für einen selbst zugleich den größtmöglichen Schaden bedeutet. Gegnerische Verhaltensweisen, die nicht ohne weiteres in etablierte Denkraster einzuordnen sind, werden im Zweifel auf aggressive Beweggründe zurückgeführt, also negativ gedeutet. „Worst-Case-Denken" ist besonders im Bereich militärischer Planung anzutreffen, aber nicht nur dort; Kelman hat es etwa in der gegenseitigen Einschätzung der Konfliktpartner im israelisch-palästinensischen Konflikt nachgewiesen.[9]

Im Laufe des Hineinwachsens in unsere Gesellschaft, also während der Sozialisation, übernehmen wir einen großen Teil der in unserer Gesellschaft vorherrschenden Einstellungen und Werte. Nationale Vorurteile und Feindbilder sind Teil dieses gesellschaftlichen „Wissens". Ein wichtiger Vermittler dabei ist die Familie. Von ihr übernehmen wir viele unserer Überzeugungen. Untersuchungen belegen, daß wir von unseren Eltern oder älteren Geschwistern eine Menge ihrer Einschätzungen und Vorurteile über andere Völker aufnehmen.[10] Dies kann in direkter Form geschehen: Eltern erzählen uns von fremden Völkern und verbinden das mit ihrer jeweiligen Bewertung. Oftmals erlernen wir Vorurteile jedoch auf indirektem Wege, etwa durch Beobachtung und Imitation elterlicher Verhaltensweisen im Kontakt mit Fremdgruppen. Beurteilungen von Fremdgruppen finden sich häufig auch im typischen Sprachgebrauch. Viele Redewendungen und Sprichwörter haben ethnische Bezüge, zahlreiche Bezeichungen anderer Völker enthalten einen verächtlichen Unterton (Polacken, Nigger, über die Deutschen z. B. in den Niederlanden und Frankreich Moffen bzw. Boches usw.). Durch die Übernahme solcher standardisierten Ausdrücke erlernen wir zugleich die nationalen Vorurteile unserer Gesellschaft. Bei all diesen Mechanismen entstehen Vorurteile nicht durch persönlichen Kontakt mit Fremdgruppen, sondern durch Kontakt mit Vorurteilen über diese. Im Verlauf unserer weiteren Entwicklung wird die Familie als Vermittler von Einstellungen zunehmend durch andere Bezugsgruppen (Schulkameraden, Freundeskreis u. a.) abgelöst.

Einen wichtigen Einfluß auf die Herausbildung nationaler Vorurteile und Feindbilder haben Politiker. Stärker als innenpolitische Themen ist der Bereich der Außenpolitik der persönlichen Erfahrungsmöglichkeit des einzelnen entzogen. Darum ist das Individuum hier viel mehr auf Informationen aus zweiter Hand angewiesen und orientiert sich besonders an den Aussagen seiner Politiker. Diese Orientierungsfunktion der Politiker wurde z. B. für das Feindbild „Sowjetunion" in den Jahren 1952 bis 1971 gezeigt. [11]

Wir erlernen Vorurteile und Feindbilder nicht nur vermittelt über Personen, sondern auch über Massenmedien. [12] Zeitungen, Bücher, Kinofilme, Fernsehen und Radio liefern gesellschaftliche Meinungen und Urteile über andere Völker. In dieser Hinsicht wurden vor allem Schulbücher eingehend untersucht. Sie sind besonders wichtig, weil sie den Unterrichtsablauf entscheidend bestimmen, weil sie die „Autorität des Gedruckten" besitzen und weil sie häufig die ersten (manchmal auch die letzten) Bücher sind, die wir lesen. Lißmann, Nicklas und Ostermann konnten in ihrer Untersuchung über Geschichtsbücher viele nationale Vorurteile und sogar Feindbilder nachweisen. So wurde etwa der Ost-West-Konflikt pauschal entsprechend dem Freund-Feind-Muster dargestellt. [13]

Auf die Niederlande und Deutschland übertragen geht es in diesem Zusammenhang nicht um ein Freund-Feind-Muster, sondern es stellt sich ein anderes Problem: In niederländischen Schulbüchern wurde bis Ende der 80er Jahre der Nachkriegsgeschichte Deutschlands kaum Aufmerksamkeit gewidmet, dem Untergang der Weimarer Republik und der Nazizeit jedoch relativ viel. Auch wenn diese Abschnitte der deutschen Geschichte *an sich* differenziert dargestellt wurden, führte die Beschränkung auf gerade diese Zeit dazu, daß in der Oberschule ein problematisches historisches Deutschlandbild vermittelt wurde. Möglicherweise läßt sich das negative Deutschlandbild jugendlicher Niederländer auch vor diesem Hintergrund erklären. Die „Clingendael-Umfrage" zeigte schließlich ein Deutschen- und Deutschlandbild, das mit dieser Vergangenheit verbunden war, jedoch nichts mit der deutschen Gegenwart zu tun hatte. Dieses einseitige Geschichtsbild könnte inzwischen an Bedeutung verloren haben, denn seit 1994 wird auch die deutsche Nachkriegsgeschichte stark in den Geschichtsunterricht mit einbezogen. Umgekehrt gilt, daß die Niederlande in den deutschen Geschichtsbüchern kaum thematisiert werden. Die Aufmerksamkeit beschränkt sich auf die Revolte gegen Spanien (1568–1648) und die Blütezeit der Niederlande im 17. Jahrhundert. [14]

Entstehung, Verbreitung und Intensität nationaler Vorurteile und Feindbilder werden nicht zuletzt von politischen und anderen Rahmenbedingungen beeinflußt, nämlich von historischen Erfahrungen, der geographischen Lage, politischer Ideologie und der militärischen Stärke eines Staates. Die historischen Erfahrungen eines Staates etwa können Auskunft geben über die Wurzeln bestehender Feindbilder. Verlorene Kriege, Greueltaten gegnerischer Soldaten, Ausbeutung und Unterdrückung durch die Sieger, als Schmach empfundene Reparationsauflagen und viele andere Erlebnisse begründen nationale Vorurteile und Feindbilder. Sie erklären, warum solche Vorurteile häufig über Generationen hinweg stabil sind, oft ungeachtet veränderter politischer Konstellationen. „Erfahrungen aus erster Hand", also eigene Erlebnisse, sind hierbei übrigens viel prägender als Informationen, die etwa über den Geschichtsunterricht in der Schule vermittelt wurden.

Bedeutsam für die in einer Gesellschaft bestehenden nationalen Vorurteile und Feindbilder ist auch die geographische Lage eines Staates. So beschreibt Jervis, daß geographisch relativ isolierte Länder wie die Vereinigten Staaten und Großbritannien oft weniger Bedrohungsgefühle und damit eine geringere Anfälligkeit für Feindbilder zeigten als solche mit zahlreichen Nachbarn in unmittelbarer geographischer Nähe.[15] Denn letztere waren viel stärker der Gefahr gewaltsamer Übergriffe ausgesetzt. Mit der zunehmenden Reichweite moderner Waffensysteme mögen sich diese Unterschiede verringert haben, aber für die Vorbehalte vieler Niederländer gegenüber den Deutschen spielt neben den schlimmen Erfahrungen aus dem Zweiten Weltkrieg die unmittelbare Nachbarschaft nach wie vor eine erhebliche Rolle. Verstärkt werden diese Vorbehalte noch dadurch, daß im niederländisch-deutschen Verhältnis ein kleines neben einem großen Land existiert und daß sich das kleine Land seiner Abhängigkeit vom größeren in der wirtschaftlichen und politischen europäischen Zusammenarbeit deutlich bewußt ist.

Warum gibt es Nationenbilder?

Festgestellt wurde bereits, daß die komplexen Zusammenhänge internationaler Politik für den einzelnen kaum direkt erlebbar sind. Persönliche Erfahrungen mit Angehörigen fremder Völker beschränken sich meist auf kurze Kontakte während des Urlaubs im Ausland. So steht uns in der Regel kein ausreichender Erfahrungsschatz zur Verfügung, um über fremde Völker angemessen urteilen zu können. Die damit verbundene Unsicherheit im Bewerten ist jedoch – wie oben beschrieben – für das Individuum nur schwer zu ertragen, sie ist „psychisch unbequem". Denn wie in allen Lebensbereichen streben wir auch in bezug auf andere Völker und Nationen nach einem eindeutigen Urteil, einem „festen Standpunkt". Hier bieten nun nationale Vorurteile und Feindbilder wirksame Hilfe: Sie sind unkomplizierte, vielseitig anwendbare Deutungsraster. Insbesondere Feindbilder vermitteln darüber hinaus auch emotionale Orientierung. Die Stigmatisierung zum „Feind" erlaubt eine zweifelsfreie emotionale Abqualifizierung der jeweiligen Fremdgruppe. Hiermit tragen nationale Vorurteile und Feindbilder zugleich zur Identitätsfindung des einzelnen bei. Unter Identität verstehen wir die „Definition einer Person als einmalig und unverwechselbar durch die soziale Umgebung wie durch das Individuum selbst" [16]. Identität hängt also zusammen mit Abgrenzung der eigenen Person gegenüber anderen Menschen. Die auf allen Ebenen des sozialen Lebens stattfindende Unterscheidung zwischen Wir- und Fremdgruppen dient daher nicht zuletzt der Identitätsfindung. Sie ermöglicht dem Individuum, sich eindeutig einer Gruppe zugehörig zu fühlen und sich gleichzeitig von anderen Gruppen und deren Mitgliedern zu unterscheiden. Nationale Vorurteile und Feindbilder helfen, das Zugehörigkeitsgefühl zum eigenen Volk zu stärken und sich zugleich von anderen Völkern abzugrenzen.

Feindbilder bieten darüber hinaus einen weiteren Vorteil: Die Ausrichtung negativer Gefühle auf fremde Völker erlaubt es, Aggressionen relativ ungestraft und risikofrei auszuleben. Auch wenn sich die Aggressionsabfuhr in friedlichen Zeiten auf symbolische Drohgebärden wie das Verbrennen gegnerischer Fahnen oder Fotos verhaßter Herrscher beschränkt, so läßt die offenkundige Begeisterung bei solchen Aktionen vermuten, daß sie ein hohes Maß an Befriedigung bringen. Darüber hinaus kann man sich der Bestätigung und Unterstützung durch die eigene Gruppe zumeist sicher sein, da Feindbilder in der Regel von den meisten Mitgliedern der Gesellschaft geteilt werden. Schmolke spricht hier von „Verteidigungsmitteln" [17] und meint damit, daß die Übernahme gesellschaftlicher Stereotype vor Isolation innerhalb der eigenen Gruppe schützt.

Nationale Vorurteile und Feindbilder bieten nicht nur einzelnen Personen Vorteile, sondern auch ganzen Gruppen. Die Ausrichtung negativer Emotionen auf andere Ethnien und Völker, bei Feindbildern oft mit Bedrohungsgefühlen verbunden, trägt bei zum Zusammenhalt der eigenen Gruppe. Die in jeder Gruppe bestehenden Spannungen und Meinungsverschiedenheiten treten in den Hintergrund angesichts des gemeinsamen Feindes. Da die tatsächliche oder vermeintliche Bedrohung alle Gruppenmitglieder betrifft, solidarisiert man sich gegen den äußeren

Foto: Ronald Hoeben

Feind. Dies fördert zusätzlich die Handlungsfähigkeit der Gruppe. Sie agiert geschlossener und damit effizienter, was insbesondere zu Kriegszeiten Vorteile bringt. Die internen Spannungen und Konflikte könnten die Stabilität und Funktionstüchtigkeit der Gruppe schwächen, würden sie ungehindert ausgetragen. Günstig ist es deshalb, das gruppeninterne Aggressionspotential nach außen zu lenken. Vorurteile und Feindbilder erleichtern das sehr. Sie richten die Aggressionen einer Gesellschaft kurzfristig oder auch für lange Zeit auf Fremdgruppen. „Die Ablenkung der Triebspannung nach außen ... ist gleichsam der ökonomische Trick zur Erhaltung des Gruppengleichgewichts" – so hat Alexander Mitscherlich diesen Zusammenhang formuliert. [18] Die Handlungsfähigkeit der Gruppe und ihr „innerer Friede" bleiben so erhalten.

Nationale Vorurteile und Feindbilder tragen nicht nur zur Orientierung des einzelnen und zur Stabilität und Effizienz sozialer Gruppen bei, sie haben auch spezielle politische Funktionen, wie die folgenden Beispiele zeigen. Beschließt die politische Führung eines Staates, internationale Konflikte gewaltsam auszutragen, kommt es also zum Krieg, braucht sie zu seiner Durchführung – zumindest in Demokratien – die Bereitschaft der Bevölkerung. Diese hat ja Entbehrungen hinzunehmen, und die Soldaten müssen ausreichend motiviert werden, in den Krieg zu ziehen und ihr eigenes Leben einzusetzen. Es gilt also, die Bevölkerung von der tatsächlichen oder vermeintlichen Notwendigkeit eines Krieges zu überzeugen. Ein wirksames Mittel sind dabei Aufbau und Verstärkung von Feindbildern. Mit Hilfe politischer Propaganda wird ein Schreckensbild des Gegners gemalt, der das eigene Volk bedroht. Oftmals wird z. B. suggeriert, ein feindlicher Angriff stehe bevor, dem man natürlich zuvorkommen müsse. In früheren Zeiten, als Kriege hauptsächlich auf dem Schlachtfeld ausgetragen wurden, sollten Feindbilder vor allem den Soldaten die Tötungshemmungen nehmen. Dies ist angesichts moderner Waffensysteme immer mehr in den Hintergrund getreten. Feindbilder dienen jedoch weiterhin der Begründung staatlicher Entscheidungen, z. B. wenn es um das Bereitstellen von viel Geld für Waffen geht. Feindbilder helfen der Legitimation von Militärausgaben auch in Friedenszeiten. Um neue Waffensysteme einzuführen oder bestehende Kapazitäten auszubauen, bedarf es in Demokratien des Gefühls der Bürger, bedroht zu sein.

Außer zur Rechtfertigung von Rüstungsausgaben können Feindbilder genutzt werden, um das jeweilige gesellschaftliche System zu stabilisieren. Der „gemeinsame Feind" verstärkt das nationale Selbstwertgefühl, erhöht – besonders in Krisenzeiten – die Akzeptanz der politischen Führung und fördert dadurch die politische Stabilität des Landes. Außenpolitische Feindbilder lenken, wie erwähnt, die Bevölkerung ab von innenpolitischen Problemen und reduzieren interne Konflikte. Sie sind „Integrationsideologien", die zur Bildung oder Verstärkung des innergesellschaftlichen Konsenses beitragen. Außerdem erfüllen sie oftmals eine weitere innenpolitische Aufgabe: das Diffamieren innenpolitischer Gegner. Besonders in Kriegszeiten, aber auch im Frieden werden innenpolitischen Gegnern gern ideelle oder materielle Verbindungen zum äußeren Feind unterstellt, vielleicht gar über persönliche Kontakte. Dadurch sollen sie in den Augen der Bevölkerung als Verräter gebrandmarkt werden und zumindest an politischem Gewicht verlieren. So wurde während der NATO-Nachrüstungsdebatte in der Bundesrepublik den Nachrüstungs-

gegnern vorgeworfen, sie seien „von Moskau gesteuert". Der Bayernkurier etwa schrieb: „Die *Friedensbewegung* hat mobil gemacht, die Armeen
des politisch-psychologischen Krieges, vom Kreml gezielt eingesetzt und
gesteuert, marschieren, Straßen und Plätze werden zu Schlachtfeldern
umfunktioniert."[19]

Im niederländisch-deutschen Verhältnis kann nicht von Feindbildern
gesprochen werden, wie sie im Kalten Krieg zwischen Ost und West
vorherrschten. Wie erwähnt ist die Funktion der nationalen Vorurteile
jedoch mit derjenigen von Feindbildern vergleichbar: Sie stiften Identität und verschaffen die Möglichkeit zur Abgrenzung. Dieses Bedürfnis
nach Abgrenzung spielt niederländischerseits Deutschland gegenüber
eine wichtige Rolle. Gerade um sich selbst, den Deutschen und der
übrigen Außenwelt (die ja oft kaum zwischen „dutch" und „deutsch"
zu unterscheiden weiß) zu zeigen, daß sie „anders" sind, sind bei Niederländern nationale Vorurteile über Deutsche relativ stark verbreitet.

Geht es auch ohne Nationenbilder?

Nationale Vorurteile wurden als Urteile vorgestellt, die von Emotionen begleitet sind. Allerdings darf das nicht so verstanden werden, als
müsse es zunächst die stereotype Meinung geben, der dann die „emotionale Zutat" beigefügt wird. Gerade bei Vorurteilen gegen andere Men-
schen(-gruppen) entwickelt sich oft zunächst ein Gefühl, und um dieses rechtfertigen zu können (anderen Leuten oder auch nur sich selbst
gegenüber), werden Stereotype gebildet bzw. aus dem stets vorhandenen
„Angebot" an fertigen Meinungen übernommen. Bei dieser Reihenfolge
der Komposition von Vorurteilen aus Emotionen und Meinung wirken
die Stereotype als nachgeschobene Begründung. Ihr Inhalt ist in gewis-
sem Umfang willkürlich; wichtig ist allein, daß er zum (meist negativen)
Gefühl „paßt". Stereotype stützen die Emotion sozusagen intellektuell
ab. Werden sie nun massiv widerlegt, kann ich mein Stereotyp „beim
besten Willen" nicht verteidigen, dann gebe ich normalerweise nicht etwa
auch meine emotionale Position auf, sondern suche ein neues Stereotyp.
Werde ich fündig, so habe ich eine neue Rechtfertigung für mein Gefühl.
Bei diesem Prozeß werden folglich diskreditierte Meinungen gegen neue
ausgetauscht, während die emotionale Tendenz erhalten bleibt. Kann ein
deutscher Jugendlicher „die Holländer" nicht leiden, weil dies einfach
„in" ist unter seinen Freunden, dann begründet er das vielleicht damit,
„die stehen doch alle unter Drogen". Der Kritik an solchen Verallgemei-

nerungen weicht er aus, relativiert sie oder begegnet ihr aggressiv, so lange es geht. Kann er seine These nicht mehr länger verteidigen, dann mag ihm einfallen, daß „die" ja nicht einmal richtig Fußball spielen können. Und wenn sich auch das nicht durchhalten läßt, greift er auf die Behauptung zurück, daß „die unsere Autobahnen kaputtfahren".

In diesen häufigen Fällen lassen sich Vorurteile nur wenig dadurch bekämpfen, daß man die vorgeschobenen Stereotype kritisiert, denn diese „wachsen" sogleich nach. Rein informative Aufklärung hinkt hoffnungslos hinterher. Das wird bei der politischen Bildung, auch an den Schulen, viel zu wenig beachtet. Wie die Vorurteilsforschung nachgewiesen hat, ist am ehesten Erfolg zu erwarten, wenn Kontakte organisiert werden, bei denen die Mitglieder verschiedener Völker zusammenwirken müssen und sich einander als Gruppenmitglied schätzen lernen können. Es sind also nicht Kontakte an sich, die Vorurteile vermindern, sondern die Kontakte müssen unter bestimmten Bedingungen stattfinden. Dennoch glaubte man lange Zeit, man müsse die jeweiligen Gruppen nur zusammenbringen, um Vorurteile abzubauen. Doch es stellte sich heraus, daß Kontakte oft genug entweder gar nichts bewirken oder sogar bestehende Vorurteile verstärken. Deutsche Jugendliche einfach „mal so" in die Niederlande zu schicken – oder dasselbe in anderer Richtung – wird die bestehenden Vorstellungen eher erhärten als schwächen. Sollen Kontakte erfolgreich sein, müssen sie außerdem durch gründliches Informieren vorbereitet werden. Das betrifft vor allem die Geschichte, die Verhaltensregeln und den Lebensstil des anderen Volkes. [20]

Die starke, politisch gefährliche Wirkung von Vorurteilen oder gar Feindbildern ist natürlich bedrückend. Deshalb ist es geboten, sie intensiv zu bekämpfen. Aber wir dürfen dabei nicht „übertouren". Weder heftiges Schimpfen noch energische Aufrufe führen zum Ziel, können sich sogar negativ auswirken. „Allzu eifrige Appelle an die Toleranz ... bergen latent die Gefahr, gegenteilige Wirkungen zu erzielen, nämlich Vorurteile und stereotypes Verhalten zu schaffen oder zu verstärken." [21]

Wirksamer als noch so gut angelegte Pädagogik ist das Herbeiführen von Lebensverhältnissen, mit denen die Menschen leidlich zufrieden sein können. Unter materiell und ideell nicht akzeptablen Bedingungen gedeihen Vorurteile noch erheblich besser als sonst. Aber sogar in guter Lebenslage entwickeln Vorurteile und Feindbilder mehr Kraft, als die gesellschaftlichen Umstände es eigentlich erwarten lassen.

Sehr wahrscheinlich wird zwar der Inhalt von Vorurteilen gelernt, doch die Tendenz zu Vorurteilen ist Teil unseres biologischen Erbes, unserer natürlichen Ausstattung. [22] Dasselbe gilt speziell auch für Nationen-

und Feindbilder, die zum so verhängnisvollen Ethnozentrismus führen. Diese natürliche Verwurzelung vereinfacht das Zurechtfinden in unserer Umgebung, nicht zuletzt bezüglich anderer Menschen. Vorurteile liefern uns zwar objektiv meist falsche, doch subjektiv befriedigende Orientierung. Im Laufe unserer Stammesgeschichte haben sich jene Mechanismen herausgebildet, welche die Bildung von Vorurteilen erleichtern. Es sind bestimmte Weisen des Aufnehmens und Verarbeitens von Informationen, wodurch Stereotype entstehen, und ebenfalls sind es bestimmte Tendenzen, Gefühle zu entwickeln, aus denen sich Vorurteile emotional aufladen. All dies kann hier nicht ausführlicher dargestellt werden,[23] doch wir sollten uns solcher „Verankerung" bewußt sein. Das schützt vor einem Optimismus, der von pädagogischen und/oder politischen Maßnahmen zuviel erwartet. Viel spricht dafür, daß die Neigung zu Vorurteilen und ihren politisch gefährlichen Ausprägungen wie Feindbildern nie ganz überwunden werden kann, aber Teilerfolge sind möglich. Dabei sollte man sich auf die wichtigsten (= politisch schädlichsten) konzentrieren, und es liegt nahe, besonders an seine geographischen Nachbarn zu denken, mit denen man ja in Frieden und Harmonie leben möchte.

Anmerkungen

1 Ethnien sind Gruppen von Menschen, die der Glaube an eine gemeinsame Abstammung verbindet und die eine gemeinsame Identität haben.

2 Ein exklusiver Zusammenhang zwischen Einstellungen und Verhalten besteht jedoch nicht; vielmehr wird unser Verhalten außer durch Einstellungen auch von der jeweiligen Situation und von sozialen Normen beeinflußt.

3 Zu Feindbildern im Ost-West-Konflikt siehe z.B. Daniel Frei: Feindbilder und Abrüstung. Die gegenseitige Einschätzung der UdSSR und der USA. München 1985.

4 In der Psychologie wird unterschieden zwischen dem kognitiven Bereich eines Individuums, d.h. seiner Vorstellungswelt, und dem affektiven Bereich, d.h. seiner Gefühlswelt.

5 Hans Nicklas/Änne Ostermann: Vorurteile und Feindbilder. München 1976.

6 Sam Keen hat hierzu politische Plakate und anderes Propagandamaterial aus verschiedenen historischen Epochen zusammengestellt; vgl. Sam Keen: Bilder des Bösen. Wie man sich Feinde macht. Weinheim/Basel 1987.

7 Die Spiegelbildlichkeit von Feindbildern konnte insbesondere im Ost-West-Konflikt nachgewiesen werden. Siehe Urie Bronfenbrenner: The Mirror Image in Soviet-American Relations. A Social Psychologist's Report. In: Journal of Social Issues, Vol. 17, No.3 (1961), S. 45–56. White zeigte die Spiegelbildlichkeit von Feindbildern im arabisch-israelischen Konflikt: Ralph K. White: Misperception in the Arab-Israeli Conflict. In: Journal of Social Issues, Vol. 33, No.1 (1977), S. 190–221.

8 Leon Festinger: A Theory of Cognitive Dissonance. Stanford, CA 1957.

9 Herbert C. Kelman: The Political Psychology of the Israeli-Palestinian Conflict: How Can We Overcome the Barriers to a Negotiated Resolution? In: Political Psychology, Vol. 8, No.3 (1987), S. 347–363.

10 Vgl. hierzu R. Bergler/B. Six: Stereotype und Vorurteile. In: C.F. Graumann (Hrsg.): Handbuch der Psychologie. Bd. 7: Sozialpsychologie. 2. Halbbd. Göttingen 1972. S. 1407 f.

11 Jörg Becker/Klaus Jürgen Gantzel: Feindbilder in Regierungserklärungen und Bundestagsreden. In: Friedensanalysen. Für Theorie und Praxis 1. Schwerpunkt: Feindbilder. Frankfurt/M. 1975, S. 63–86.

12 So zeigte Rüdiger Zimmermann den Aufbau des Feindbildes „Saddam Hussein" durch die Medienberichterstattung im Vorfeld des Golfkrieges; Rüdiger Zimmermann: Der Feind am Golf – Medienberichterstattung zwischen Gedankenlosigkeit und Komplizentum. In: Utopie kreativ, H. 19/20 (1992), S. 55–66. Zur Vermittlung von Nationenbildern durch Massenmedien siehe auch Michael Kunczik: Die manipulierte Meinung. Nationale Image-Politik und internationale Public Relations. Köln/Wien 1990.

13 Hans-Joachim Lißmann/Hans Nicklas/Änne Ostermann: Feindbilder in Schulbüchern. In: Friedensanalysen. Für Theorie und Praxis 1. Schwerpunkt: Feindbilder. Frankfurt/M. 1975, S. 37–62.

14 Vgl. den vom Georg-Eckert-Institut für internationale Schulbuchforschung herausgegebenen Band: Jürgen C. Heß/ Hanna Schissler (Hrsg.): Nachbarn zwischen Nähe und Distanz. Deutschland und die Niederlande. Frankfurt/M. 1988.

15 Robert Jervis: Perception and Misperception in International Politics. Princeton 1976, S. 208 f.

16 Rolf Oerter: Jugendalter. In: Rolf Oerter/Leo Montada: Entwicklungspsychologie. 2. neubearb. und erw. Aufl., München/Weinheim 1987, S. 265–338, hier S. 296.

17 Michael Schmolke: Stereotypen, Feindbilder und die Rolle der Medien. In: Communicatio Socialis, Jg. 23, H.2 (1990), S. 69–78, hier S. 72.

18 Alexander Mitscherlich: Revision der Vorurteile. In: Der Monat, Jg.14, Nr. 165 (1962), S. 7–21, hier S. 12.

19 Bayernkurier v. 22. Oktober 1983, hier zitiert nach Arnim Burkhardt: Sprachrüstung. In: Gert Sommer u. a. (Hrsg.): Feindbilder im Dienste der Aufrüstung. Marburg 1987, S. 178–202, hier S. 182.

20 Vgl. Kurt R. Spillmann/Kati Spillmann: On Enemy Images and Conflict Escalation. In: International Social Science Journal, Vol. 43, No.1 (1991), S. 57–76, hier S. 72.

21 Ulrike Schöneberg: Fremdenangst und Ausländerfeindlichkeit. In: Zeitschrift für Kulturaustausch, Jg.41, H.1 (1991), S. 118–125.

22 Zur biologischen Verwurzelung von Vorurteilen siehe Heiner Flohr: Biological Bases of Prejudice. In: International Political Science Review, Vol. 8, No.2 (1987), S. 183–192; Heiner Flohr: Biological Basis of Social Prejudice. In: V. Reynolds/ V. Falger/I. Vine (eds.): The Sociobiology of Ethnocentrism. London 1986, S. 190–207.

23 Siehe hierzu Anne Katrin Flohr: Fremdenfeindlichkeit. Biosoziale Grundlagen von Ethnozentrismus. Opladen 1994.

Die Sache mit der Grenze

Über die politische und kulturelle Funktion einer geographischen Bestimmung[*]

HERMANN VON DER DUNK

Wer von den Niederlanden aus über die Grenze nach Osten reist und in den ersten deutschen Ort gelangt, bemerkt sofort einen Unterschied. Ist das nur Suggestion, weil er es weiß und folglich bereit ist, ja sich verpflichtet fühlt, es auf Schritt und Tritt zu merken? Würde er es auch so empfinden, wenn man ihn mit verbundenen Augen etwa auf den Marktplatz von Emmerich transportierte und die Binde löste? Ich denke, er würde – selbst ohne die dort vorhandenen deutschen Aufschriften. Die Schilder sind anders gefärbt, die Ampeln springen von rot auf gelb statt gleich auf grün, die Fenster gehen nach innen auf, das Brot, die Brötchen schmecken anders und die Zahl der Torten überwältigt noch immer – trotz der löblichen Ausdehnung des Repertoires beim niederländischen Konditorwesen in den letzten Jahrzehnten.

Europa zeichnet sich aus durch eine Vielfalt von Grenzen. Der Überreichtum an Grenzen, kurzen und längeren, könnte eine im Vergleich zu anderen Erdteilen spezifisch europäische Eigenart genannt werden. Die Menge an Grenzen in Europa ist keineswegs begründet durch natürlich-geologische Bedingungen wie Gebirge, Flüsse, Seen oder Moorlandschaften, sondern durch die Geschichte, durch menschliche Machtverhältnisse und Machenschaften. Nur in einer Minderheit von Fällen decken sich die bestehenden politischen Grenzen mit den natürlichen, und wer auf der Grundlage einer geologischen Karte Europas eine staatliche zeichnen würde, käme zu einem sehr anderen Ergebnis.

Die natürlichen Grenzen haben in der Geschichte eine oft beinahe mythische Rolle gespielt. Sie haben zur Unterstützung von Gebietsansprüchen beigetragen, wurden für Neuordnungsentwürfe und Friedensregelungen herangezogen und haben die Vorstellung von national-ethnischen Identitäten begründet. Dennoch waren sie auch Gegenstand

---

[*] Als Vortrag am 21.10.1993 in Münster gehalten, auf einer Konferenz, die vom Regierungspräsidenten zusammen mit der Landeszentrale für politische Bildung NRW und der Universität organisiert wurde.

erheblicher Divergenzen und Auseinandersetzungen. Die „natürliche Grenze" scheint mindestens so oft ein Ansporn gewesen zu sein, sie zu überschreiten, wie sie als ein Haltegebot zu respektieren. Sie reizte von alters her die Neugier, den Abenteuergeist. Altbekannt ist dieser Aspekt für die Entwicklung und den Geist der Vereinigten Staaten von Amerika, wo die „Frontier", die offene Westgrenze, zu immer weiterer Exploration und Expansion in neue, unkultivierte Gebiete bis zum Pazifik lockte. Dieses Bewußtsein der Weite, der unbegrenzten Ausdehnungsmöglichkeiten, wurde als ein Grund für den amerikanischen Optimismus, das Überlegenheitsgefühl und den Fortschrittsglauben angeführt. Die konkrete Erfahrung, die Möglichkeit einer immer weiter verschiebbaren oder erfolgreich zu überwindenden Grenze, wurde zum Ausgangspunkt für den Glauben an die Zukunft, die Grenzüberschreitung zwischen heute und morgen, und für die Auffassung, daß das Leben ein großes spannendes Abenteuer sei.

Die Grenze hat jedoch verschiedenartige und widersprüchliche Funktionen: Einmal – und das ist wahrscheinlich ihre älteste, wohl biologisch angelegte Hauptaufgabe – ist sie der Ausdruck des Territorial- und Besitzinstinktes. Als solche fungiert sie nicht nur in der menschlichen Gesellschaft, wie jeder Zoologe aus Beobachtung des Tierreiches weiß. Die Grenze schirmt das Eigene ab, den Besitz, und schafft damit einen Bereich der Sicherheit. Das Bedürfnis, ein eigenes Territorium abzustecken, ist elementar und zeigt sich schon bei Kindern und Kinderspielen. Ohne Raum keine Existenz, und somit war Raumbesitz von jeher das wichtigste und sichtbarste Zeichen von Macht und Ansehen. Es war und ist noch in vielen Fällen sogar damit identisch. Die gewaltsame Einschränkung des Raumes war immer eine bekannte Strafe, und das Zusammenpferchen von Gefangenen auf engstem Raum, ja die Fortnahme von Raum im Gefängnis, manchmal bis auf den Umfang des eigenen nackten Körpers, gehörte zu den schlimmsten Foltermethoden und führt zur völligen Entwürdigung und Vernichtung der menschlichen Person. Freiheit ist im Ursprung und zuallererst ein zutiefst räumlicher Begriff.

Daneben hat die Grenze auch im abstrakten Sinn eine Ordnungsfunktion. Sie trennt und rubriziert und ermöglicht so einen praktischen oder intellektuellen Zugriff auf die Wirklichkeit. Und letztlich verlockt die Grenze, wie schon gesagt, auch immer zur Überschreitung, sobald sie ihre primäre Funktion des Schutzes, der defensiven Sicherung erfüllt hat. Dieser Grenzüberschreitungs- und Expansionsdrang, diese Neugier stellen einen wesentlichen Unterschied zum Tierreich dar und sind eine anthropologische Eigentümlichkeit.

Karikatur: Marc Terstroet, Illustration zu einer Artikelserie über niederländisch-deutsche Beziehungen, *Trouw*, März 1990

Doch zurück zur Geschichte: Staatliche Grenzen unterteilen territorialen Besitz oder deuten seinen Umfang an. Damit trennen sie auch die Bewohner der entsprechenden Gebiete in mancher Hinsicht. Wie die Trennung ausfällt, ist nun aber die Kardinalfrage, die zusammenhängt mit der Entwicklung der Gesellschaften und der Bedeutung des Staates, welcher die Kultur und die Identität seiner Bevölkerung prägt. Die überwältigende Mehrzahl aller Kriege und Konflikte in der gesamten Geschichte wurden um Grenzen als Symbole von Besitz und Macht geführt, und die Resultate waren, wie die bunte Karte Europas zeigt, oft äußerst willkürlich und bizarr auf Grund der jeweiligen militärischen Kräfte, des Kriegsausganges, des Ergebnisses vom Tauziehen am grünen Tisch, von Heiraten oder Erbschaften. Und in sehr vielen Fällen wurden sie von einem der Nachbarn niemals als endgültig akzeptiert. Grenzrevision zählt zu den brisantesten politischen Themen und zähest verfochtenen Zielen. Die Forderung wird somit zum dankbaren Objekt für politisches Demagogentum.

Wie prägend sind staatliche Grenzen? Das ist also hier die Frage. Eben weil sie so häufig das Resultat zufälliger und zeitlich begrenzter Machtverhältnisse waren, wurden sie in der Alltagspraxis von der Grenzbevölkerung unterhöhlt, da diese unter den gleichen geographisch-klimatischen Bedingungen lebte, die gleiche Sprache oder einen eng verwandten und gegenseitig verständlichen Dialekt sprach. Insbesondere wurden die Grenzen ignoriert, wenn es sich um Neuordnungen handelte, wobei ein Gebiet, das seit langer Zeit auch staatlich-organisatorisch und kulturell eine Einheit gebildet hatte, durch solch eine Grenze plötzlich durchschnitten wurde. Gerade das war nun bei zahllosen Friedensschlüssen oder diplomatischen Verhandlungen der Fall. Man kann deshalb die These aufstellen, daß die staatlichen Grenzen Europas häufig nicht übereinstimmten mit dem sprachlich, religiös, geschichtlich oder kulturell geprägten Bewußtsein von Gemeinsamkeit bei der Bevölkerung des entsprechenden Gebietes. Dieses jedoch war oft das Ergebnis von früheren Grenzen. Bekanntlich fand und findet ein Großteil der zahlreichen Nationalitätenkonflikte Europas seinen Ursprung in eben dieser Divergenz zwischen staatlichen Grenzen und dem Identitätsgefühl in der Bevölkerung – worauf dieses auch immer beruhen mag!

Fraglos hat, ganz pauschal gesagt, die Bedeutung der staatlichen Grenze seit dem Mittelalter und im Lauf der Neuzeit in dem Maße zugenommen, wie die Bedeutung der natürlichen und anderer Grenzen abgenommen hat. Letzteres hängt damit zusammen, daß durch die Fortschritte der Technik die natürlichen Hindernisse (wie Berge oder Flüsse) immer besser überwunden werden konnten, immer geringere Schwierigkeiten boten. Und die staatliche Grenze gewann an Gewicht mit dem Wachsen der Staatsmacht. Im Mittelalter und in der frühen Neuzeit war der konkrete Zugriff einer zentralen Macht des Monarchen oder Fürsten mangels eines Instrumentariums der Kontrolle noch ziemlich gering. Der Fürst war abhängig von den Ständen und den regionalen und lokalen Gewalten, und die Grenzen seines Besitzes müssen wir uns in den meisten Fällen als recht nominell vorstellen. Die lokale Obrigkeit war in vielen Dingen Herr und Meister mit ihren Zöllen, Verordnungen, Münzsystemen, Marktrechten usw. Je größer die Grenzen der Monarchien, Fürstentümer und Bistümer waren, desto mehr wurden sie durchkreuzt und somit abgeschwächt durch ein buntes Netz von kleinen dünnen Grenzen, die die Unterschiede zwischen den regionalen oder lokalen Machtbereichen markierten. Und die Städte besaßen wiederum ihren eigenen freien, meist durch Mauern unmißverständlich abgesicherten Bereich. Die Mobilität des Großteils der Bevölkerung war gering, und ihr Bewußtsein, ihre Identität und ihr Patriotismus waren bis ins 18., ja bis ins 19. Jahrhundert hinein noch vorwiegend regionaler oder lokaler Art. Das wurde durch die Vielfalt an Dialekten bei den unteren Schichten verstärkt. Zudem deckten sich diese Sprach- und Dialektgebiete, die doch zu Grenzen in kommunikativer Hinsicht und im Sinn der Gemeinsamkeit, des Wir-Gefühls führten, nicht einfach mit den regionalen und lokalen Herrschaftsbereichen, und das brachte eine zusätzliche Relativierung dieser Grenzen mit sich. Die Identität des Einzelnen wurde außerdem in starkem Maße durch den Stand bestimmt. Das komplizierte territoriale Geflecht von sich gegenseitig teils aufhebenden oder abschwächenden Grenzen wurde also noch weiter durchkreuzt durch eine Solidarität und Gemeinsamkeit des ständischen Bewußtseins und die sozial-gesellschaftlichen Grenzen, die zwar niemals auf den Landkarten standen, die aber von Kind an die Umgangsformen und das Bewußtsein bestimmten. Der Klerus, die Klöster, auch der Adel bildeten so etwas wie supraterritoriale Gemeinschaften.

Mit dem Aufkommen der modernen absolutistischen Monarchie kamen im Zuge der dynastischen Politik durch Erbschaft, Tauschhandel und Kriege wieder ganz neue Gebietsgrenzen zustande, die oft sehr willkürlich waren und ältere kulturelle oder sprachliche Einheiten durchschnitten. Die Bevölkerungen wechselten dabei den Herrscher als zugehörig zu seinem Besitz. Die südlichen Niederlande, das spätere Belgien, die beim Utrechter Frieden 1713 den spanischen mit dem österreichischen Habsburger vertauschen mußten, sind ein vielsagendes Beispiel.

Der Nationalstaat

Erst Nationalismus und Nationalstaat haben dann im Laufe des 19. Jahrhunderts zur Erhöhung und Verstärkung der staatlichen Grenzen geführt, indem sie die innerstaatlichen regionalen und lokalen Unterschiede und Grenzlinien immer mehr abbauten. Das ging Hand in Hand mit der Politisierung der Bevölkerung, unter dem Leitstern der nationalen Bewußtwerdung und Integration. Indem die Untertanen dank konstitutioneller Verfassungen und Wahlrecht allmählich zu nationalen Bürgern wurden und sich mit dem Nationalstaat identifizieren konnten oder mußten, bekamen die staatlichen Grenzen ein neues Gewicht. In ihnen flossen die

Funktionen der regionalen und lokalen sowie der kulturellen Grenzen sozusagen zusammen. Das Monopol des Nationalstaates umfaßte nicht nur den Bereich von Verordnungen und Gesetzen, sondern auch den des Unterrichts, der offiziellen Sprache und Sprachkultur, des Geldwesens und zusehends auch den der Sozialregelungen. Der Einzelne wurde in seinem täglichen Dasein mehr und mehr vom Zentralstaat abhängig und somit auch durch ihn und die nationale Kultur geprägt. Erst im 19. Jahrhundert entstanden hundertprozentige Niederländer, Deutsche, Belgier, Franzosen; getrennt durch Grenzen, die nun eine Trennung nicht nur zwischen Staaten, sondern zwischen Nationen bedeuteten. Und eine Nation war, laut Kanon des Nationalismus, eine geschlossene Gemeinschaft gleicher Herkunft, gleicher Sprache, Kultur, Sitten, Mentalität und damit gleicher Interessen; die denen der anderen Nationen oft diametral entgegengesetzt waren. Die Geschichte der Nation wurde vornehmlich aus einer finalistischen Perspektive gesehen, und die Nationalstaaten wurden dabei historisch zurückprojiziert; gleichsam als Gebilde, die im Schoß der Vergangenheit embryonal durch die Jahrhunderte herangereift waren bis zur Volljährigkeit in der Gegenwart. Die gegenwärtige Nation galt als natürliches Endziel der Geschichte.

Vor diesem Hintergrund entwickelte sich in Deutschland im vorigen Jahrhundert die Vorstellung von den Niederländern als den abtrünnigen oder verlorenen Söhnen, die sich einst vom Reich losgesagt hatten, aber im Grunde dazugehörten; eine Auffassung, die vielleicht unterschwellig noch immer gerade in historisch gebildeten Kreisen kursiert. Die sprachliche Verwandtschaft und viele andere Gemeinsamkeiten und Verbindungen wirtschaftlicher und kultureller Art unterstützten diese These. Davon ist so viel richtig, daß der Großteil der heutigen Niederlande und Belgiens nach komplizierten Machenschaften – wie Erbschaftsregelungen und kriegerischen Eroberungen – im 15. Jahrhundert als Teil des burgundischen Herzogtums locker zusammengefaßt und dann als „Burgundischer Kreis" 1512 von Maximilian I. an das Reich angeschlossen wurde. Karl V. suchte im Burgundischen Vertrag von 1548, diese Bindung für ewige Zeiten festzuschreiben, wobei auch noch neue Gebiete wie Utrecht, Groningen, Friesland, Overijssel und Geldern nebst der Grafschaft Zütphen hinzugefügt wurden.[1] Zweck dieses ewigen Anschlusses war im Grunde jedoch mehr die Verstärkung der Habsburgischen Hausmacht als des Reiches, wie schon aus dem Sonderstatus des Kreises hervorgeht. Gerade die Reichsstände – also die wahren Vertreter der Reichsinteressen – behandelten den Burgundischen Kreis als Fremdkörper. Als sich die nördlichen Niederlande beim Westfälischen Frieden 1648 in aller Form als souveräne Förderation von jeder Bindung an das Reich lossagten, hatten die Reichsstände gegen diesen Schritt nichts einzuwenden, da sie den größten Teil der Niederlande, namentlich die dominierenden Seeprovinzen – das eigentliche Holland – niemals als echtes Reichsgebiet betrachtet hatten. Nur der Süden – Belgien – blieb unter spanisch-habsburgischer Herrschaft locker an das Reich geknüpft. Die Zugehörigkeit zum Reich war für die ganzen Küstenregionen und die weitaus wichtigste Provinz Holland also eine zeitlich befristete von etwa anderthalb Jahrhunderten und dabei eine sehr spezifische, nämlich als sonderbares Anhängsel des Reiches. Freilich war die Bindung der östlichen Territorien der heutigen Niederlande an das Reich eine viel engere und längere.

Und das führt uns zu einem springenden Punkt: dem bekannten universalen nationalistischen Mythos eines ursprünglichen Reiches innerhalb bestimmter Grenzen, die auch die eigentlichen und natürlichen Grenzen des modernen Nationalstaates sein sollten. Die meisten Nationalstaaten des 19. Jahrhunderts waren diesem Mythos erlegen. Und immer wurde dabei der Zeitpunkt der größten Ausdehnung – ob historisch oder fiktiv – zur Norm erhoben. Das war sozusagen die historische Nullinie. Man denke nur an großpolnische, großserbische, großrussische Ambitionen, die sich auf solch ein ehemaliges Großreich beriefen. Indem das vereinte Deutschland des Bismarckreiches sich als der gesetzliche und natürliche Erbe des mittelalterlichen Reiches fühlte, lag die Versuchung nahe, auch dessen Ansprüche zu übernehmen. Das geschah nicht in der offiziellen Reichspolitik. Aber in romantisch-völkischen Kreisen waren diese Gedanken nicht unbekannt, und um die Wende zum 20. Jahrhundert finden wir wiederholt Anschlußgedanken, sei es auch nur im Sinn einer Zollunion. Umgekehrt waren die Niederlande geneigt, ihr gesamtes derzeitiges Territorium als naturgemäß niederländisch zu betrachten. Dabei wurde auf beiden Seiten vergessen, daß es gerade bei einigen Grenzgebieten, etwa der Grafschaft Lingen, dem niederrheinischen Streifen um die Festungen Wesel und Kleve oder umgekehrt bei dem zersplitterten Territorium, das heute die Provinz Limburg ausmacht, sehr wohl zu einer anderen Grenzziehung hätte kommen können, wobei die ersteren heute zu den Niederlanden, letztere teils zu Deutschland, teils zu Belgien gehören würden.

Die deutsch-niederländische Grenze

Und damit sind wir bei unserem eigentlichen Thema, der deutsch-niederländischen Grenze. Diese Grenze deckt sich nirgendwo mit einer natürlichen – abgesehen vielleicht von der Dollardbucht, ganz im äußersten Norden. Überall ist die Landschaft beiderseits der Grenze vollkommen die gleiche. Die niedersächsischen Dialekte im ostfriesischen, westfälischen und niederrheinischen Raum ähneln dem ebenfalls niedersächsischen in den östlichen Teilen der heutigen Niederlande. Zwischen dem Limburger und dem rheinischen Dialekt ist manche Gemeinsamkeit. Wie schon gesagt, wurde Limburg erst in der zweiten Hälfte des vorigen Jahrhunderts vollständig in die Niederlande aufgenommen, und die Spuren dieser verhältnismäßig jungen Integration sind heute noch keineswegs bei der katholischen Bevölkerung Limburgs verschwunden. Die Atmosphäre in Maastricht zum Beispiel ist weit mehr belgisch – sogar mit wallonischem Einschlag, was die französischen Namen anbelangt – als holländisch. Mit dem Rheinland als Ganzem ist es ähnlich: Es fiel erst nach der Napoleonischen Epoche an Preußen.

Obschon die Niederlande seit dem frühen 17. Jahrhundert faktisch ein unabhängiger, souveräner Staat waren – gut 250 Jahre eher als das geeinte Deutschland –, war die alte Republik eine Föderation.

Die Unterschiede in ökonomischer sowie sozial-politischer Struktur namentlich zwischen den mächtigen Seeprovinzen und den östlichen Landprovinzen wurden durch die weitgehende Autonomie der Mitglieder unterstrichen. Wenn in jedem Schulbuch zu lesen ist, daß Holland eine ausgesprochen patrizisch-bürgerliche Kultur besaß und ein Kolonial- und Handelsstaat war, so gilt das eben für „Holland" und die Küstenprovinzen, aber weit weniger etwa für Overijssel, Drenthe und Gelderland – jenen Namenserben des mittelalterlichen Herzogtums, dessen ursprünglicher Kern Geldern längst außerhalb der Provinz lag. Hier dominierte nicht nur die Landwirtschaft, sondern auch der Landadel und eine entsprechende Mentalität, die ein Zusammenwachsen mit Gebieten wie Kleve, Jülich, Berg und dem Bistum Münster bis ins 15. oder 16. Jahrhundert noch genauso möglich erscheinen ließen wie die Mitgliedschaft in der Föderation der Niederlande. Diese war schließlich eine Folge der kriegerischen Ereignisse nach dem Aufstand gegen Spanien. Zwischen Groningen und Ostfriesland waren die sprachlichen und kulturellen Unterschiede geringer als zwischen Groningen und Holland. Dasselbe gilt für Gelderland im Hinblick auf Jülich. Die Gegensätze innerhalb der Niederlande und ein gewisses Ressentiment der Landprovinzen gegen die Dominanz Hollands blieben lange spürbar. Noch zu Ende des 18. Jahrhunderts klagte der Dichter Staring, daß sein geliebtes Gelderland viel besser selbständiger Teil des Reiches hätte sein können als Mitglied der niederländischen Republik. [2] Noch länger und stärker galt das für die Bevölkerung südlich der großen Flüsse, im katholischen Brabant, das nicht einmal als Mitglied in die Generalstaaten aufgenommen war, sondern als quasi-koloniales Territorium verwaltet wurde und sich mit Flandern verwandt fühlte.

Wie wenig sich im 16. und 17. Jahrhundert ein eindeutig national-niederländisches Bewußtsein in den östlichen und südlichen Gebieten durchgesetzt hatte, zeigt die Sprache. Noch mancherorts wurde in jenen Bezirken im niederdeutschen Dialekt gepredigt. Das Wort „Niederduytsch" figurierte lange Zeit neben dem Wort „Nederlandsch", u. a. als offizieller Titel der „Niederduytsch Hervormde Kerk". Merkwürdigerweise kam es sogar erst im späten 17. Jahrhundert auf, z. B. bei Übersetzungen aus dem Französischen ins Niederländische, die „Verdeutschungen" genannt wurden. Dies wird so erklärt, daß die Niederländer damals ihre Sprache als die erste ausgebildete Schrift- und Kultursprache des Niederdeutschen dem Hochdeutschen entgegenhalten wollten. [3] Die noch lange und hartnäckig in Deutschland kursierende Meinung, es handele sich beim Niederländischen um einen deutschen Dialekt, eine Abzweigung, beruht auf dem gleichen Irrtum wie die These von ihrem Abfall vom Reich: Während sich aus den hochdeutschen Dialekten eine allgemeine deutsche Schrift- und Kultursprache entwickelte, kam es innerhalb der Republik zu einer niederländischen, die sich vornehmlich aus dem Niedersächsischen bildete. In beiden Fällen wurde die Bevölkerung des Grenzgebietes hüben und drüben jedoch erst später in ihrer Sprache davon abhängig. Erst im späten 18. und dann im 19. Jahrhundert setzte mit der Emanzipation der Mittelschichten auch die energische Nationalisierung durch die Kultursprache und den Unterricht ein. Das führte dazu, daß nach der Auflösung der alten republikanischen Konföderation und der Errichtung eines zentralisierten Einheitsstaates unter dem Druck der französischen Revolutionsheere die östlichen Landprovinzen nun immer stärker vom Westen, von Holland aus, in den Staat integriert wurden. Für die deutschen Grenzgebiete Rheinland, Westfalen und Niedersachsen galt Ähnliches, aber nach 1813, 1866 bzw. 1871 nun in östlicher Richtung nach Preußen hin.

Hier muß jedoch noch eine wesentliche Einschränkung gemacht werden: Die Nationalisierung war in erster Instanz Sache der Mittelschichten und der Städte, so wie die gesamte Modernisierung es war. Die Landbevölkerung, die Bauern und Bewohner der Dörfer, hielten bekanntlich noch viel länger am Alten fest: an ihrer heimischen Sprache und an ihrem ganzen althergebrachten Lebensstil, folglich auch an Kontakten herüber und hinüber. Die staatlich-nationale Grenze, unentbehrliches Symbol sowie praktisches Mittel der Nationenbildung, war für diese Bewohner noch weniger hoch und markant.

Nach diesem Zusatz müssen wir allerdings auch feststellen, daß im Laufe des 19. Jahrhunderts für eine wachsende Zahl der Einwohner durch die Nationalisierung, das Anwachsen der Staatsmacht und deren Durchdringung des individuellen Lebens die staatlichen Grenzen bedeutsamer wurden. Der Einzelne wurde aufgesogen in die nationale politische Tradition seines Staates. Und da hatten sich im Laufe der letzten Jahrhunderte zwei schließlich sehr unterschiedliche Kulturen herausgebildet, die die Normen, den Umgang und die gesellschaftliche Organisation bestimmten. Erst jetzt wurden alle, die von Geburt an innerhalb des staatlichen Territoriums seßhaft waren, hunderprozentig Niederländer oder Deutsche.

Zwei politische Kulturen

Charakteristikum der holländisch-niederländische Entwicklung waren der religiöse Pluralismus, ja das Sektierertum, und gewissermaßen damit korrespondierend die dezentralistische Struktur der alten Konföderation, wobei immer der Staat als Instrument der Gesellschaft, d. h. der verschiedenen konfessionell-weltanschaulichen Gruppierungen und der verschiedenen Regionen angesehen wurde.

Ganz anders im deutschen Bereich: Der Absolutismus in der Person der zahlreichen großen und kleinen Fürsten hatte dort der Gesellschaft seinen Stempel aufgedrückt. Der Staat, namentlich der preußische Staat, war zum Garanten der Ordnung und des Rechts sowie des wirtschaftlichen Gedeihens geworden. Er bekam eine eigene, fast sakrale Stellung über und vor der Gesellschaft. In großen Teilen des deutschen Reiches hatte der Adel seine soziale Machtposition noch erhalten können. Die bürgerliche Revolution war 1848 gescheitert. Der Etatismus übertrug sich auf das noch stark monarchisch geprägte Bismarckreich von 1871. Ohne starken Staat, ohne einen pyramidenförmigen Aufbau der Gesellschaft, drohte das Reich von den alten zentrifugalen Kräften in Nord und Süd, Ost und West auseinandergezerrt zu werden – so jedenfalls mußte es aus der Sicht des Hochnationalismus erscheinen. Die holländisch-niederländische Gesellschaft war obendrein vom Handelsgeist geprägt. Sie war seewärts, atlantisch ausgerichtet. Sie fühlte sich den angelsächsischen politischen Verhältnissen verwandt. In Deutschland dominierte hingegen das Arbeitsethos des Handwerkertums, und es galten die soldatischen Werte einer feudal-agrarischen Tradition. Etwas von diesen so verschiedenartigen politischen Kulturen färbt noch immer die heutigen Umgangsformen, den Gang der alltäglichen Entscheidungen im politischen wie im wirtschaftlichen Bereich. In Deutschland werden Beschlüsse einfach von der Spitze nach unten weitergegeben. In den Niederlanden bildet sich ein Konsens an der Spitze erst nach oft umständlichem Dialog bis hinunter zur Basis.

Einen Einfluß hatte auch der Unterschied zwischen der calvinistischen und der lutherischen Kirche. In der ersteren gab es ebenfalls einen Entscheidungsprozeß von unten, von den Kirchenältesten, den Konsistorien nach oben zur Classis und von da zur Synode. In der letzteren war es eher umgekehrt, wobei der Landesherr bekanntlich auch Oberhaupt der Kirche war. Das verhinderte in Deutschland jenes für die Niederlande so bezeichnende Sektierertum, die Abspaltung von Dissidentengruppen, die immer wieder eine neue Gemeinschaft gründeten.

Alle diese Faktoren – republikanische Oligarchie gegen Absolutismus, städtisches Bürgertum gegen fürstlichen Hof und feudalen Landadel, Handel gegen Handwerk, Gesellschaft gegen Staat, Dezentralismus gegen Zentralismus – haben, so glaube ich, jene allgemeine Verschiedenheit in der Mentalität bedingt, die sich gerade in den kleinen, unscheinbar-alltäglichen Dingen äußert. Der niederländische Pluralismus erzeugte jenen extrovertierten Bekenntnisdrang, bei dem jede Gruppe sich in religiösprinzipiellen Fragen klar abgrenzt von den anderen. Da die Gesellschaft dabei jedoch in Anarchie auseinanderfallen würde, herrscht zugleich in der Praxis weitgehende realistische Kompromißbereitschaft. Man trennt eben sehr scharf zwischen den zwei Ebenen, und die calvinistische Lehre von der Nichtigkeit alles Irdischen erleichtert diese Haltung. Nicht das Resultat, sondern die Gesinnung zählt. Das mag auch eine gewisse gemütliche Laxheit und Neigung zur Relativierung in praktischen Dingen, die man nie allzu ernst nehmen soll, erklären. Der Einzelne identifiziert sich sozusagen niemals ganz mit seiner gesellschaftlichen Rolle und seinem Beruf. Merkwürdigerweise hat das wieder zu gewissen, etwas gravitätisch-steif anmutenden Förmlichkeiten im Umgang geführt; dies zeigt sich etwa im ganzen altmodischen Zeremoniell um das oranische Königshaus, im Stil des parlamentarischen Jargons sowie in der für Ausländer so belustigenden schriftlichen Titulatur.

Das alles wird als eine Fassade, eine Art feierlich-amüsantes Ritual aufgeführt, aber es wird dennoch beibehalten. Außerhalb dieser speziellen und klar definierten Kommunikationsbezirke herrscht hingegen kein förmlicher Umgangston. Das Fehlen einer prägenden höfisch-aristokratischen Vergangenheit zeigt sich in der bekannten, oft berüchtigten Direktheit und Unverblümtheit des niederländischen Umgangstons, bei dem sofort jene andere Ebene der klaren, einfachen moralischen Prinzipien betreten wird, die den Ausländer oft schockiert – vor allem dann, wenn der Ton wie so oft in moralische Schulmeisterei ausartet.

Das Luthertum hatte nun zwar auch einen scharfen Unterschied zwischen ewiger Wahrheit und sündiger Welt gemacht, doch das hatte sich in umgekehrter Richtung ausgewirkt. Der Glaube wurde zur innerlich-privaten Angelegenheit, und diese Ebene wurde viel stärker aus dem politischen Bereich ausgeklammert. Folglich war dort die Kompromißbereitschaft geringer, weil nicht die Gesinnung, sondern die praktische Tat und das Resultat zählten. In der deutschen Gesellschaft hat sich ein Bewußtsein gebildet, wonach jeder seinen spezifischen Platz in der Hierarchie hat. Allerdings kann man es auch umdrehen und daraus folgern, daß eben die weitgehende Identifikation mit diesem Platz und der Rolle in der Gesellschaft einen Glauben an die letztendliche Gleichwertigkeit aller Positionen voraussetzt. Der tüchtige Bäcker oder Kellner ist an seinem Platz genauso wichtig und wertvoll für das Ganze wie der gute Staatsmann oder der hervorragende Wissenschaftler. Die Hauptsache ist, er kann was in seinem Beruf. Diese Haltung hat zweifellos den Professionalismus und den Respekt vor der Leistung in allen Bereichen, das hohe Niveau fachlichen Könnens in Deutschland enorm begünstigt.

Erst in den letzten Jahrzehnten hat sich auch in den Niederlanden zusehends der Professionalismus durchgesetzt. „Durchgesetzt" geht eigentlich noch zu weit. Jedenfalls ist der Respekt vor der Leistung immer noch mit einem oft starken Schuß gutmütiger Ironie gewürzt, so als ob es letztlich nicht darauf ankomme. Kein größeres Kompliment, als wenn auch eine berühmte oder einflußreiche Persönlichkeit als ein „ganz gewöhnlicher Mensch" bezeichnet wird, als „heel gewoon". Doch hier bedeutet schon die Übersetzung des deutschen Wörtchens „gewöhnlich" in das niederländische „gewoon" eine Verfälschung, weil das erstere eher mit Begriffen wie „trivial, uninteressant, grau" assoziiert wird, das letztere mit „natürlich, schlicht, bescheiden".

Einer niederländischen Tendenz zur Verkleinerung, Trivialisierung, Nivellierung und damit zum Dilettantismus steht eine deutsche Neigung zur rhetorischen Aufbauschung, zum Imponiergehabe durch das

Fachmännische oder die Bildung gegenüber. Wenn der Niederländer einen Vortrag nicht versteht, kritisiert er den Redner sehr rasch als Wirrkopf, während der Deutsche eher dazu neigt, ihn als hochgelehrt zu respektieren und die Schuld bei der eigenen Unbildung zu suchen. Jede Gesellschaft kennt ihre Tabuzonen, wo Spott unstatthaft und blasphemisch ist. Während diese in Deutschland auf dem Gebiet der Leistung und des Bildungsernstes zu finden sind, liegen sie in den Niederlanden vor allem auf religiös-moralischer Ebene, was mit dem alten Pluralismus und dem Erfordernis, den Nachbarn auf dem Gebiet zu dulden, zusammenhängt. In dieser Beziehung hat die Säkularisation in Deutschland viel früher und vor allem viel intensiver als in den Niederlanden die ganze Kultur seit dem 18. Jahrhundert geprägt, wobei Philosophie und Bildung die Rolle übernahmen, die in den Niederlanden noch weitgehend in der Hand der Kirchen lag. Hier war es der Gymnasialprofessor, dort der Pfarrer, der „dominee", dem man bei entsprechenden Anlässen den feierlichen Sprachgebrauch abguckte.

Der Katalog feiner oder weniger feiner Unterschiede des Umgangsstils und der dahinter verborgenen Werte und Leitbilder ließe sich noch eine Weile fortsetzen. Doch ohne die geschichtliche Einordnung würden diese Unterschiede unerklärlich bleiben und können in der Praxis zu Mißverständnissen und Irritationen führen, wie dies auch regelmäßig geschieht.

Klein und Groß

Über die Verwandtschaft zwischen Deutschland und den Niederlanden ist in der Vergangenheit so manches geschrieben worden. Und zwar wurde diese Verwandtschaft gerade von deutscher Seite, seit der Romantik und Hoffmann von Fallersleben betont, während man von der niederländischen Seite meistens, jedenfalls in jüngster Zeit, lieber die Verschiedenheiten unterstrichen hat. Bekannt und vielzitiert ist das Wort von Huizinga, daß die Linie zwischen Delfzijl und Vaals Westeuropa von Mitteleuropa trenne[4] – wobei man freilich bedenken muß, daß es aus dem Jahr 1933 stammt. Immer betonten und betonen die Niederländer aber, daß sie Westeuropäer sind, und sie blicken lieber zur See hin als zum Kontinent.

Der Grund für die auffallende Differenz in der Haltung zum Thema Verwandtschaftlichkeit liegt auf der Hand. Sie folgt aus der Nachbarschaft von Klein und Groß. Deutschland hatte sich vor einer engeren Verbindung wenig zu fürchten – im Gegenteil: Die Größe und das Gewicht der deutschen Kultur und seine politische und ökonomische Potenz würden durch solch eine Annäherung nicht bedroht, eher bereichert. Gelegentlich spielten auch sehr konkrete Absichten in die Annäherungsversuche hinein, wie Ende des vorigen Jahrhunders der Gedanke an das reiche niederländische Kolonialreich in Indonesien. Hintergrund dieser Haltung, die ich hier keineswegs nur auf platte materielle oder machtpolitische Interessen zurückführen möchte, war die erwähnte Vorstellung von der ursprünglichen Einheit: Sprachverwandtschaft, Protestantismus, germanischer Ursprung etc. waren für Norddeutschland naheliegende Erklärungen, die die Vorstellung eines kleinen Bruderlandes nährten – gerade im Zeitalter des Nationalismus und romantisch-völkischer Theorien. Das konnte zu einem extremen Kult niederdeutsch-germanischen Wesens mit unverkennbar expansionistischen Absichten führen wie bei Langbehn. Es konnte sich auch unauffälliger, versteckter äußern wie im wissenschaftlich-historischen Interesse der Landeskunde an Gemeinsamkeiten des ganzen niederdeutschen Raumes, inklusive Flanderns und der gesamten Niederlande. Überhaupt war die Einteilung der europäischen Völker erst in protestantische und katholische, später nach der Aufklärung in germanische und romanische unter den Historikern und Philologen Gang und Gäbe. Als Ausfluß dieser Konzeptionen glaubte Hitler dann die Niederlande als germanisches Land nazifizieren zu können, was seine im Vergleich zu Frankreich und Belgien wesentlich intensivere Besatzungspolitik erklärt.

Genau diese Vorstellungen und die Nachbarschaft von Klein und Groß führten auf niederländischer Seite zur Besorgnis. Zwar befürchtete man nicht gleich einen direkten Anschluß, aber doch einen allzu starken deutschen Einfluß in politischer, ökonomischer, kultureller Hinsicht, der die eigene Art und die eigenen Traditionen untergraben würde. Gelegentlich kamen im 19. Jahrhundert Zweifel auf an der zukünftigen nationalen Selbständigkeit in der Epoche großer Staatenbildungen. Deshalb wurden die Unterschiede besonders betont. Nach dem Zweiten Weltkrieg hat sich das auf Grund des Besatzungstraumas erheblich verschärft. Die heutigen engen deutsch-niederländischen Beziehungen auf diversen Ebenen haben vor diesem Hintergrund eher die Wirkung, daß man sich umso entschiedener als eine andere Nation absetzt. Die Zähigkeit, mit der die Erinnerung an die Besatzungszeit im öffentlichen Bewußtsein fortlebt und kultiviert wird, hat somit auch eine Funktion: sie stiftet Identität.

Auch wenn die nationalen Grenzen Produkt der Geschichte, das heißt immer auch des Zufalls waren, sie führten in Folge der Nationalisierung und Politisierung der ganzen Bevölkerung zu getrennten, andersartigen politischen Kulturen und Unterschieden der Mentalität, die jeder spürt, sowie er sich länger im „Ausland" aufhält. Das Phänomen der nationalen Grenze ist auch aus dem Leben und Werdegang des Einzelnen im 20. Jahrhundert nicht hinwegzudenken. Ein deutliches Beispiel bietet die allerjüngste deutsche Vergangenheit und die einundvierzigjährige Teilung in zwei Staaten – und damit konträre Gesellschaften. Ob man sich zum überzeugten Marxisten-Kommunisten oder zum Anhänger der westlichen Demokratie entwickelte, es war – jedenfalls für die deutsche Jugend nach 1945 – eine Frage der Geographie, der Grenze, und somit eine Frage von oft nur ein paar Kilometern. Aber es wurde entscheidend für das Leben und die Weltanschauung, und die Wiedervereinigung kann diese Tatsache für die betroffenen Generationen einstweilen nicht auswischen.

Indessen ist es nach 1945 zu einem klaren Substanzverlust des Nationalstaates gekommen. Die Gründe sind eine allgemeine Internationalisierung, die westeuropäische Integration und die mondiale Bipolarität im Kalten Krieg. Heute sind wir sogar Zeuge einer weltweiten Gegenbewegung von unten: Wir erleben Regionalismus, die Entdeckung und den Kult ethnischer Unterschiede, die vielfach zu Separationsbewegungen und in Osteuropa zu blutigen Greueln und zu einem völligen Zerfall von Ordnung und Autorität führen. Die Schreckensvision eines barbarischen Urzustandes, eines „bellum omnium contra omnes", wie sie einst Hobbes ausmalte, scheint im ehemaligen Jugoslawien Wirklichkeit geworden zu sein, und daß sie es nicht auch in anderen osteuropäischen Gebieten wird, ist noch nicht ganz ausgeschlossen. Hier im Westen handelt es sich dabei um eine Reaktion eben auf die Internationalisierung und organisatorische Großräumigkeit, und vielleicht unter psychologischem Aspekt um einen Protest gegen die mondiale Uniformität der Konsumgesellschaft und die Bürokratisierung, gegen die Weltherrschaft von Jeans, McDonalds und Computern. Die Betonung des Eigenen, Spezifischen wird dabei ein Schutz gegen die Aufgabe jeglichen Selbstgefühls und Wir-Bewußtseins.

Schluß

Abschließend bleibt festzustellen: Das Bemerkenswerte ist, daß die Bedeutung der nationalen Grenzen wieder entschieden abgenommen hat. Dies wurde einerseits von oben her bewirkt, durch die hohe Politik und die Bürokratie, andererseits aber auch von unten oder innen heraus beeinflußt durch die Mobilität und den Tourismus der Bevölkerung und einen zunehmenden Regionalismus. Es braucht nicht betont zu werden, daß es sich dabei um einen ausgesprochen ambivalenten Prozeß handelt. Indem Europa kleiner wird, die Nachbarn näher rücken und ähnlicher werden, wächst gleichzeitig das Bedürfnis nach neuen Abgrenzungen im wörtlichen wie übertragenen Sinn. Ähnlich wie im Mittelalter und der frühen Neuzeit entsteht heute ein neues, kompliziertes, oft sehr feinmaschiges Netzwerk, das über den bekannten nationalen Grenzen liegt. Es entwickeln sich vielfältige Querverbindungen auf bürokratischer, wirtschaftlicher, machtpolitischer, kultureller und sozial-psychischer Ebene.

Der Begriff „Regionalismus" umfaßt allerdings zwei ganz verschiedene Bedeutungsdimensionen: Er beschreibt einerseits neue organisationstechnische Einteilungen von oben her und andererseits die kulturell-affektiven Identitätsmuster, die Suche nach der eigenen Herkunft innerhalb der Bevölkerung. Diese decken sich keineswegs. Während der erstere eine gewisse Schleifung der nationalen Grenzen unter dem Banner eines vereinten Europas anstrebt, will der letztere eher innerhalb dieser Grenzen seine eigenen kulturellen Markierungen setzen. Wie immer birgt diese Entwicklung Chancen und Gefahren: Chancen, wenn es gelingt, den Nationalismus durch die Schaffung von grenzüberschreitenden politischen und wirtschaftlichen Räumen endgültig zu überwinden, ohne dabei das affektive Bedürfnis der Bevölkerung an einer eigenen Identität – durch Geschichte und Erfahrungen gebildet – zu vernachlässigen und zu verletzen. Gefahre jedoch, wenn eben dies der Fall ist, denn das Auseinanderdriften von politischen Planungseliten und großen Teilen der Bevölkerung kann zu Explosionen führen, die gefährlich werden, wenn keine legitime Ordnungsmacht nach dem Abbau des Nationalstaates übrig bleibt.

Anmerkungen

1 Huizingas Behauptung, die Niederlande seien durch diesen Vertrag völlig unabhängig vom Reich geworden, stimmt so nicht. Vgl. J. Huizinga: Duitschlands invloed op de Nederlandsche beschaving. In: Verzamelde Werken, Haarlem 1948 II, S. 311.
2 Vgl. Huizinga, ebd., S. 311 u. 316. Zu der komplizierten Geschichte Gelderlands siehe: J.C. Boogman: Onorthodoxe beschouwingen over Gelderland: de problematiek van het geheel en de delen. In: Den Schaorpoal, Doetinchem 1992, Staring Instituut, S. 1–11.
3 Vgl. Ernest Zahn: Das unbekannte Holland. Rebellen, Regenten und Reformatoren. München 1993, S. 119.
4 J. Huizinga: Nederlands Geestermerk, VW VII, S. 311 ff.

Die Niederländer, die Deutschen

Ihre Geschichte und ihre politische Kultur*

ERNEST ZAHN

Wer es unternimmt, einem deutschen Publikum Ereignisse der niederländischen Geschichte und Eigentümlichkeiten der niederländischen Gesellschaft nahezubringen, dem bietet sich auch schon die Methode an: Man kann alles Charakteristische kaum deutlicher hervorheben als im Kontrast zu dem, was für das deutsche Nachbarland bezeichnend ist. Die Aufgabe wird dadurch aber nicht leichter. Je nach Auswahl, Bewertung und Präsentation der Erscheinungen kann das Bild sehr unterschiedlich ausfallen. Hinzu kommen die subjektiven und emotionalen Dispositionen der Wahrnehmung. So kommt es sehr auf die Ausgewogenheit der Darstellung, auf Akzente und Nuancen an.

Vom Werden der Sprache und der Kultur

Allein schon anhand der Entstehungsgeschichte der beiden Sprachen, ihrer Eigentümlichkeiten und der damit verbundenen Sprechweisen der Menschen läßt sich die Verschiedenheit deutscher und niederländischer Kulturgeschichte aufzeigen. Niederländisch ist nicht – wie viele Deutsche noch immer glauben – „ursprünglich ein deutscher Dialekt" gewesen. Tatsächlich hat es sich als selbständige Kultursprache früher als Schriftdeutsch entwickelt. Als die niederländische Bibelübersetzung zustandekam, gab es die niederländische Sprache schon; Luther hingegen mußte zum Sprachschöpfer werden. Niederländisch ist nicht als Amtsprache, nicht als überregionales Medium im Unterricht, nicht als Sprache der Autorität im Bereich des Gehobenen, Erhabenen und Offiziellen, nicht als Literatursprache mit dem Abglanz hohen Geistes entstanden. Niederländisch ist „wild gewachsen" (Verdam Stoett), als Umgangs-,

* Dieser Beitrag ist eine Bearbeitung des Festvortrages, den der Autor am 8. April 1986 anläßlich der Niederländischen Tage in Saarbrücken gehalten hat; sie erschien in der Reihe „Saarbrücker Universitätsreden", herausgegeben von der Universität des Saarlandes. Die Quellenangaben zu diesem Beitrag finden sich im Buch des Verfassers: Das unbekannte Holland. Regenten, Rebellen und Reformatoren. 3. erweiterte Auflage, München 1993.

Handels- und Alltagssprache des Volkes, als Sprache von Kaufleuten, Seeleuten, Bauern, Fischern und Pfarrern. Dieser Sprache haben sich die Dichter des 17. Jahrhunderts bedient. Niederländisch schafft im zwischenmenschlichen Verkehr eine Atmosphäre, die anders, im allgemeinen wohl weniger formell ist als dort, wo geistige Eliten und Oberklassen sprachliche Traditionen und damit auch Muster des sozialen Verhaltens prägten. Die niederländische Kultur läßt sich als eine nuancierte Kultur der informellen Beziehungen und damit des menschlichen Alltagslebens charakterisieren.

Ein Vergleich der Entstehungsgeschichte von Deutsch und Niederländisch ließe sich mit einem Streifzug durch die Geschichte der Vorstellungsbilder verbinden, die sich Deutsche von den Niederländern und Niederländer von den Deutschen gemacht haben. Das deutsche Holländerbild hat eine lange, interessante und amüsante Geschichte. Sie fängt an bei den deutschen Geistern, die im 17. Jahrhundert in den Niederlanden weilten und die dortige Blüte der Wissenschaft und Kunst, insbesondere auch der Dichtkunst, nicht genug bewundern konnten. Dann führt sie zu den Klassikern und Romantikern, bei denen das Bild auf einmal eine merkwürdige Verwandlung erfährt. Die Grundlage der Untersuchung dieser Entwicklung stammt von dem Amsterdamer Literaturhistoriker Herman Meyer. Jetzt wird der Holländer in der deutschen Literatur zur Verkörperung der Figur des Philisters – bei Brentano, Eichendorff, ja schon bei Kant, Goethe und Herder, trotz deren Bewunderung niederländischer Gelehrsamkeit und niederländischer Geschichte. Herder sprach den Niederländern die Befähigung zur Poesie ab und fand die Sprache durch das Französische verdorben. Bis ins 20. Jahrhundert, bis zu Thomas Mann und Hermann Hesse, erscheint die Landschaft Hollands als das Milieu des Philisters: Tulpenbeete, Gartenhäuschen, Windmühlen, Holzpantoffeln, Käse, chinesisches Porzellan und die Schleppkähne auf den Kanälen, eine Welt ohne schneebedeckte Berge, rauschende Flüsse, Eichen- und Tannenwälder (die stürmische See, die die Deiche und Binnengewässer bedroht, wird ausgeklammert). In der Literatur des „Jungen Deutschland" wird das Holländerbild zur satirischen Groteske, ja es nimmt mitunter dämonische Züge an: Wilhelm Hauffs Holländermichel kauft lebendige Herzen, und Heinrich Heine läßt einen holländischen Kaufmann bei der Fahrt der Friesen zur Toteninsel Seelen verschachern. Bei den Volkstumsmystikern und Pangermanisten wird das Bild zum Spottbild, amüsant noch bei Ludolf Wienbarg, doch von unübertrefflicher Arroganz beim Grafen Keyserling.

Die frühe und die verspätete Nation

Die niederländische Nation hat sich im 16. und 17. Jahrhundert geformt, unter dem Einfluß des Humanismus und der Reformation, die deutsche ist ein Produkt des 18. und 19. Jahrhunderts, sie erfuhr die Wirkungen des Absolutismus und der Romantik. Der Philosoph Helmuth Plessner, der während des Krieges in Holland untergetaucht war und von Freunden versteckt gehalten wurde, beschrieb die Deutschen als eine verspätete Nation. Er meinte mit diesem Ausdruck nicht nur die späte politische Einigung Deutschlands von 1871, sondern vor allem das Nichtteilnehmen an der politischen Aufklärung des 17. Jahrhunderts, die späte Liberalisierung, das zu späte Eindringen liberaler Gesinnungen in die politischen und gesellschaftlichen Institutionen. „Das versäumte 17. Jahrhundert können wir nicht mehr nachholen." Plessner beschrieb auch die Geistesgeschichte, „die nicht die Einflüsse freikirchlicher Frömmigkeit" erfuhr. Zur Revolution fehlte die politische Kraft, doch durch „die Radikalität des Gedankens ergab sich eine politische Wirkung", zu einer Zeit, da technischer Fortschritt und Industrialisierung beschleunigt auftraten und der Imperialismus seinem Höhepunkt entgegenstrebte.

Die Niederländer können eine frühe Nation genannt werden. Die Frage, wann die Nation genau entstand, wird unter den Historikern zwar immer noch diskutiert, doch die Antwort hängt weitgehend von der Auffassung des Begriffes ab, von der Bedeutung, die man bestimmten historischen Ereignissen beimißt. Sicher ist das Verhältnis der Niederländer zu ihrer Geschichte ein völlig anderes als das der Deutschen zu der ihrigen. Dieselbe Epoche in der europäischen Geschichte, die für die Niederländer den Höhepunkt bildete, ist für Deutschland ein Tiefpunkt, die „Urkatastrophe" seiner neuzeitlichen Geschichte (Michael Stürmer). Jene Glanzzeit, die die Holländer die Goldene Epoche (de Gouden Eeuw) nennen, die Schlußphase des 80jährigen Freiheitskampfes, fällt genau mit dem 30jährigen Krieg zusammen. Während die Niederlande zu Reichtum und Weltgeltung gelangen, zu nationalem Selbstbewußtsein, zur Konsolidierung ihrer staatlichen Unabhängigkeit und zu einer Entfaltung der Wissenschaft und des künstlerischen Schaffens, die ihresgleichen sucht, fällt Mitteleuropa den schlimmsten Verwüstungen und Raubzügen anheim. Am Ende dieser schrecklichen Zeit ist Deutschlands Bevölkerung um ein Drittel zurückgegangen, das Reich zusammengebrochen, das Land verarmt, die wirtschaftliche, staatliche und nationale Entwicklung auf lange Zeit hinaus gelähmt.

Das Verhältnis der Deutschen zu ihrer Geschichte blieb fortan durch die Erinnerung an das alte Reich bestimmt. Es wurde mythisiert und verklärt, lebte nostalgisch fort als „hohe Zeit" in Liedern und Legenden. Die deutsche Geschichte nahm einen „tragischen Charakter" (Hans Kohn) an. Für die Niederlande dagegen ist die Trennung von ihren mittelalterlichen Wurzeln – wie Plessner in seiner Abschiedsvorlesung an der Universität Groningen betonte – für die Formung ihres Geistes entscheidend geworden. Reformation, Humanismus, die aufblühende Wissenschaft und Kunst, Seefahrt und Überseehandel im Zeichen der Entdeckungsreisen – all diese Ereignisse erhielten in den Niederlanden die Aureole großer Vergangenheit. Die Niederländer wurden – nicht nur geographisch gesprochen – eine westliche Nation, die Deutschen nicht. In seinem Vortrag „Ein Volk der Dichter und Denker?" schreibt Plessner: „Mehr als zweihundert Jahre intensiver Entwicklung des modernen Staates und moderner Wissenschaft bei den älteren Nationen standen im Zeichen des Abstiegs deutscher Macht und wachsender Entfremdung von westlichem Geist."

Ungleichartiges vaterländisches Erbe

Die Geschichte der niederländischen Nation beginnt mit einem Aufstand. Er war keine Revolution, sondern eine Revolte, eine Erhebung erbitterter Stände gegen ihren König, dem Eidbruch vorgeworfen wurde. Die Kündigungsakte der Generalstaaten von 1581 ist das historische Dokument einer großen Gehorsamsverweigerung, einer religiös begründeten Provokation. Nicht die Identifikation mit der Macht, sondern die Identifikation mit dem Widerstand gegen sie steht also am Anfang der nationalen Geschichte. Heutige Kritiker der Macht, vorausgesetzt, sie wollten sich auf große Namen stützen, könnten sich allemal auf den Vater des Vaterlandes, auf Wilhelm von Oranien und seinen Sohn Maurits berufen. Beide waren sie Anführer eines rebellischen Volkes in Zeiten der Not. Und auch Erasmus kommt in den Sinn, der keineswegs milde, sondern militante Humanist, der den Krieg und dessen Anzettler schon so drastisch verurteilte, daß ihn kein heutiger Gegner des Wettrüstens übertreffen kann.

Widerstand und Widerrede, Protest und Aufstand haben also in den Niederlanden vaterländische Tradition. Hundert Jahre bevor in Frankreich mit den Jakobinern und den Girondisten die Geschichte der bürgerlichen Linken beginnt, wird in den Niederlanden die Religion zur Instanz politischer Opposition. Sie blieb ein Organ der Gesellschaftskritik bis heute. Huizinga hat gesagt, daß die Prädikanten der calvinistischen Kirche im 17. Jahrhundert die lauten Verkünder von Meinungen waren, die schon beinahe so etwas wie eine öffentliche Meinung darstellten. Mit der Predigt drang schon eine Art Mitsprache des Volkes zu den Regenten auf ihren gepolsterten Amtssesseln. Die Stimme wurde nicht überhört. Wesentlich ist, daß die Kritik nie umstürzlerisch, nie revolutionär, sondern stets reformatorisch war. Der reformatorische Radikalismus ist ein Radikalismus eigener Art; man sollte ihn nicht als Extremismus mißverstehen.

Die niederländische Kulturgeschichte ist in einem genauso spezifischen Sinn Glaubensgeschichte wie die deutsche in einem spezifischen Sinn Geistesgeschichte ist, allerdings mit einem wesentlichen Unterschied: Die niederländische Glaubensgeschichte stellt durch und durch politische Geschichte dar, während die Geisteskultur des deutschen Bildungsbürgertums ja gerade unpolitisch blieb. Bei den Glaubensstreitigkeiten und Protestbewegungen der Reformationszeit ging es nie nur um den Glauben, nie nur um Kirchen und deren Lehren. Soziologisch gesehen ist die niederländische Religionsgeschichte die Geschichte der sozialen Beziehungen und Institutionen verschiedener, im doppelten Sinn eigensinniger Volksgruppen, die Wege finden mußten, ihr staatliches Neben- und Miteinanderleben zu organisieren und zu gestalten. Und das ist bis weit ins 20. Jahrhundert so geblieben.

Kirchen und Parteien als geistiges Zuhause

Zu den alten Glaubensbekenntnissen sollten im 19. und 20. Jahrhundert neue, verweltlichte hinzukommen, politische und soziale Bekenntnisse zu einem „Gesellschaftsbild", wie man heute sagt. Auch der Sozialismus, der Liberalismus und der Humanismus wurden bekenntnisartige Orientierungen, geistige und politische Strömungen in einer *konfessionalisierten* Parteienlandschaft. Der Altmeister der niederländischen Soziologie, Jakob Kruyt, selber Sozialist, hat den kirchenartigen Charakter der alten sozialistischen Partei nachgewiesen, ihre Funktion als geistige Heimat, als „weltanschauliches Zuhause" und „Pseudokirche" in der ganzen Konstellation der Gesinnungsgruppen. Ein Vorläufer der Partei, ein sozialistischer Bund, war von einem aus der Kirche ausgetretenen Pfarrer gegründet worden, den man den „Apostel der Arbeiter" nannte. Er hieß Domela Nieuwenhuis und wurde bei Marxisten durch einen interessanten Briefwechsel mit Karl Marx bekannt, der ihn „das holländische Pfäfflein" nannte. Marx selbst – nebenbei sei es erwähnt – war oft in den Niederlanden, denn seine Verwandten lebten dort. Lion Philips, der Stammvater des Philipskonzerns – wenige wissen es – war ein Onkel von Marx, ein Schwager der Mutter, die aus Nimwegen stammte; nach dem Tod von Marxens Eltern war er deren Nachlaßverwalter. Die Cousine Nanette Philips war eine Zeitlang Sekretärin der Ersten Internationalen – dann hat sie den Pfarrer von Zaltbommel geheiratet.

Die Geschichte des niederländischen Sozialismus ist ein Teil der gesamten konfessionellen Geschichte des Landes. Das bleibt so bis ins 20. Jahrhundert. In den dreißiger Jahren stoßen protestantische Pfarrer zur sozialdemokratischen Partei. Der einflußreiche Theologe W. Banning entwirft nach dem Zweiten Weltkrieg das neue Programm (1959). Die Neue Linke und die militanten Progressiven der späten sechziger Jahre sind fast lauter abtrünnige Konfessionelle, die zur neomarxistischen Emanzipationslehre konvertierten. Theologen aller Bekenntnisse übernehmen die Lehren der „Frankfurter Schule". Der volkstümlichste Prediger in dem halben Jahrhundert zwischen 1925 und 1975, der Pfarrer J.J. Buskes, hat den Sozialismus evangelisiert und seine Gläubigen aufgefordert, die Stimme Gottes in der Arbeiterbewegung zu hören. In sozialen Strukturen, so sagt er, legt die Sünde sich fest. Wie sehr auch der Liberalismus sein bekenntnisartiges Gedankengut zu bewahren und sich dadurch vom christlichen Block und den Sozialisten abzugrenzen suchte, zeigt sich noch heute im Bestreben der liberalen Partei, in den sogenannten „immateriellen Programmpunkten" wie Sterbehilfe, Abtreibung oder Medienpolitik eine eigene „liberale Signatur" zum Ausdruck zu bringen.

Der Bekenntnischarakter aller geschichtlichen und politischen Programme läßt die Selbstdarstellung der betreffenden Gruppen zum Zeugnis, zur „Protestation" werden, wie der alte Begriff auf dem Reichstag zu Speyer 1529 lautete. Politische Arbeit wird Mission, die Polemik erhält eine höhere Weihe. Toleranz bedeutet keinen Verzicht auf Streit, sondern vielmehr dessen Regelung. Das Vorhandensein von Gegensätzen wird vorausgesetzt, und je besser die Regelungen für die Austragung der Konflikte sind, desto schärfer und härter ist dann oft die Polemik. Niederländische Innenpolitik wird auf diese Weise immer wieder zum zähen, mühsamen, kleinlichen Feilschen, zu einem Ringen um Konsensus, das auf die Nerven gehen kann und den ausländischen Beobachter recht sonderbar anmutet. Heuchelei, Hypokrisie und Besserwisserei sind die Untugenden einer vom Konfessionalismus und Missionarismus geprägten politischen Landschaft. Der eigene Vorteil wird gesucht, indem man auf seinem Recht beharrt und unter Berufung auf die heilige Gerechtigkeit Ansprüche stellt. Doch dies braucht man den Niederländern nicht zu sagen. Sie sind selbst die besten Beschreiber ihrer Situation, tun es mit Ironie, „relativierend", wie der gängige Ausdruck lautet.

Uneinige Brüder im gewollten Streit

Bismarck hat einmal während des sogenannten Kulturkampfes im deutschen Reichstag gesagt, daß er es als eine der ungeheuerlichsten Erscheinungen betrachte, wenn sich in einer politischen Versammlung eine konfessionelle Fraktion bilde. Genau das geschah fortwährend in den Niederlanden. Der Konfessionalismus prägte den Parlamentarismus, die Parteien, die Innenpolitik und die Machtverhältnisse. Erst im 20. Jahrhundert, als der Staat zu einem riesigen Verwaltungsapparat geworden war und eine moderne Wirtschafts-, Finanz- und Sozialpolitik zu führen hatte, wurde das Verhältnis zwischen ihm und den Parteien komplizierter. Der Grundsatz jedoch, daß die Parteien als repräsentative Instanzen souveräner Gesinnungsgruppen zu betrachten sind, blieb aufrecht. Das Parlament hatte dadurch eine relativ starke Stellung.

Die Niederländer fühlten sich nie als ein einig Volk von Brüdern, als Brüder aber wohl. Als Volk uneiniger Brüder streiten sie sich beständig, mit viel Ritual, in Parteivorständen, Bischofskollegien, Fußballvereinen und Schlichtungskommissionen, und wenn sie sich so recht gestritten haben, scheint dies auch dann das Gewissen zu befriedigen, wenn nichts dabei herausgekommen ist. Man hat dann eben das Gefühl, den eigenen Standpunkt vertreten und Zeugnis abgelegt zu haben – ein Satz, den man immer wieder hört. Wie auch immer man über diese Erscheinungen denken mag, die Niederländer haben auf diese Weise etwas zustandegebracht, was bis heute hält, auch wenn man bisweilen den gegenteiligen Eindruck bekommen kann. Der intolerante Streit um die wahre Gesinnung, Weltanschauung, Ideologie oder Gesellschaftsordnung mit dem Anspruch auf Hegemonie wurde umgesetzt in den toleranten Streit gleichwertiger Bekenntnisse mit dem Anspruch auf Autonomie. Die Niederländer haben nie versucht, den Streit abzuschaffen und sich dazu philosophisch eine ideale Ordnung auszudenken. Sie haben Muster der Auseinandersetzung herausgebildet, Regeln, die natürlich auch immer wieder verletzt werden wie bei einem Fußballspiel, doch die Sache bleibt ein Spiel. Das Spiel ist inzwischen sehr viel rauher und oft auch ordinär geworden, doch es gibt Grenzen, die niemand überschreiten darf. Jeder muß wissen, wie weit er gehen darf.

Ein wichtiger Begriff, den der Führer der orthodoxen Calvinisten, Abraham Kuyper (er war von 1901 bis 1905 Ministerpräsident) schon im 19. Jahrhundert prägte, lautete „Souveränität im eigenen Kreis". Mit dem eigenen Kreis ist die weltanschauliche Gemeinde gemeint, wie sie sich ursprünglich um Kirchen und Sekten, später dann auch um weltliche Parteien und Bünde scharte. Früh schon wurden die Kirchen zur „res publica" über dem Staat. Sie wurden die für Grundsatzfragen zuständigen Instanzen, die sich in dem ideologischen Apartheidsystem einigen mußten, damit der neutrale Staat seine exekutiven Aufgaben erfüllen konnte. Hierin liegt das institutionelle Moment der Toleranz. Die Toleranz gilt es nicht nur als psychologische Erscheinung zu begreifen, sondern als ein Merkmal in der strukturellen Organisation der Gesellschaft. Ein staatsrechtliches Problem entstand bei der Bestimmung der Kriterien für die Anerkennung einer „vollwertigen" Gesinnungsgruppe, nicht zuletzt im Hinblick auf die im 20. Jahrhundert wichtiger werdenden staatlichen Subventionsregelungen, deren System die ideologische Apartheid widerspiegelte. Nicht alle „Strömungen im Lande" (wie ein anderer wichtiger Begriff lautet) finden als „vollwertige" Gesinnungsgruppen Anerkennung, zum Beispiel bei der Zuerkennung des Rechts auf eine eigene Rundfunk- und Fernsehgesellschaft.

Stagnation im 19. Jahrhundert

Das Ausland ist mit der Entstehung und Blütezeit der niederländischen Nation vertrauter als mit deren weiterer Entwicklung zu einer modernen Gesellschaft eigener Art. Das ist verständlich, denn im 17. Jahrhundert spielten die Niederländer eben eine Weltrolle, und ihre klassische Epoche war zugleich ein Glanzstück europäischer Geschichte. Nach Friedrich Schiller hätte der niederländische Freiheitskampf das 16. Jahrhundert „zum glänzendsten der Welt" gemacht. In der zweiten Hälfte des 18. Jahrhunderts folgte dann aber eine Stagnation, die bis weit ins 19. Jahrhundert hinein anhielt. Hier kann man bei den Niederländern von einer Verspätung sprechen, allerdings in einem anderen Sinn.

Eine Nation waren sie längst, doch das alte Handelsvolk wurde eine späte Industriegesellschaft. Bis etwa 1870 dauerte das Stadium des Frühkapitalismus. Den fortschrittlich denkenden Unternehmertyp gab es noch nicht. Neue Erfindungen kamen meist aus dem Ausland. Mit ausländischem Geld wurden die ersten Eisenbahnen gebaut. Der niederländische Wirtschaftshistoriker H.J. Brugmans zeigte, daß die Niederländer bis ins letzte Drittel des 19. Jahrhunderts keine Klassengesellschaft, sondern eine Ständegesellschaft bildeten. Eine industrielle Geldbourgeoisie, wie sie sich im Deutschland der Gründerjahre, im Frankreich der „belle époque", im Amerika von John D. Rockefeller entwickelte, haben die Niederländer nicht hervorgebracht. Als einzige Kultur Europas blieb die niederländische von der Romantik unbeeinflußt, Flandern im heutigen Belgien nicht mitgerechnet. Das 19. Jahrhundert sieht in den Niederlanden, kultursoziologisch gesprochen, ganz anders aus als in vielen allgemeinen Darstellungen der europäischen Geistesgeschichte.

Die Niederländer gewöhnten sich im 19. Jahrhundert daran, in der Welt eine kleinere Rolle zu spielen. Sie erkannten die Vorteile einer solchen und nutzten sie. Sie besaßen immerhin ein Kolonialreich, eine der größten Handelsflotten der Welt, ohne eine Großmacht sein zu müssen. Sie brauchten sich nicht mit Machtpolitik abzugeben. Die großen Ereignisse der Politik waren alle innenpolitischer Art. Auch die Normalisierung des Verhältnisses zu Belgien nach desssen Abtrennung 1830 war nur die außenpolitische Fortsetzung der Regelung einer alten innenpolitischen Frage, und man darf wohl sagen, daß diese Abtrennung für Flandern eine ungleich größere politische und kulturelle Bedeutung hatte als für die nördlichen Niederlande, die fortan allein Niederlande hießen.

Trotz der so lange währenden kulturellen Stagnation wurden im 19. Jahrhundert die Grundlagen zu einer modernen Gesellschaft eigener Art geschaffen. Wie geschah dies? Niederländische Kinder lernen im Geschichtsunterricht, daß sich die Nation dreimal aus einer Vorherrschaft befreit hat. Das erste Mal war es, wie schon gesagt, die Lösung von der Römischen Kirche, die mit Spanien im Bunde war. Das zweite Mal ging es um die Beseitigung der Vormachtstellung der Calvinisten, einer Hegemonie, die durch die Synode von Dordrecht (1619) sanktioniert worden war. Die Calvinisten waren damals darauf aus, aus den Niederlanden einen puritanisch-theokratischen Staat zu machen, keine andere Religion neben sich zu dulden. Das ist ihnen nicht gelungen. 1853 wurde die katholische Kirche mit ihrem Klerus und ihren Klöstern wieder zugelassen.

Die dritte Vorherrschaft war die der Patrizier, der reichen Kaufleute, des Großbürgertums, das die Niederlande bis zur Mitte des 19. Jahrhunderts regierte. Diese Patrizier bildeten auch eine Gesinnungsgruppe. Sie bekannten sich zu einem freisinnig-humanistischen Christentum und setzten dieses den orthodoxen Calvinisten und dem Klerikalismus entgegen. Später gingen viele Liberale auch über das Christentum hinaus, so daß der Humanismus, zu dem sie sich bekannten, ausdrücklich auch mit anderen Religionen, vor allem mit dem Judentum vereinbar wurde. Juden, die sich nicht vom Sozialismus angezogen fühlten, assoziierten sich mit dem Humanismus, der dadurch ebenfalls eine sektiererische Tendenz annahm. Im Jahre 1880 reklamierten Humanisten bei einer Denkmalenthüllung in Den Haag den jüdischen Philosophen Spinoza als „Evangelisten der mündigen Menschheit".

Auch gegen die Patrizier kam es im vorigen Jahrhundert zu einem Aufstand. Natürlich war das ein völlig gewaltloses Ereignis. Es hatte den Charakter eines Kirchenkonflikts, doch das Ergebnis war, daß die Patrizier oder Liberalen – wie sie auch genannt wurden – ihre Regierungsmacht verloren. Das Ereignis bekam große Bedeutung für die politische Organisation der modernen niederländischen Gesellschaft.

Die konfessionelle Apartheid und ihr Ende

Die Niederländer haben damals als einzige europäische Nation ihre Großbourgeoisie entmachtet. Das tat nicht die Arbeiterklasse – die damals ja erst langsam aufkam –, sondern das Kleinbürgertum, eine orthodoxe, konservative Gruppierung von kleinen Beamten, Fischersleuten, Schiffern und Bauern. Sie selber nannten sich „die kleinen Leute" und organisierten sich unter der Führung eines militanten Pfarrers, der gegen die Patrizier schon ganz wie ein richtiger Sozialist wetterte. Wörtlich sagte dieser Einpeitscher des Glaubens, Abraham Kuyper, vor mehr als hundert Jahren: „Die oligarchische Herrschaft der finanziellen und intellektuellen Privilegiertenklasse ist zu Ende. Das unterdrückte Volk verlangt von den Patriziern Rechenschaft." Ein bekannter Marxist kommentierte später: „Kann man es deutlicher sagen?" Doch nicht auf Marx, auf Calvin berief man sich. Der Schriftsteller Menno ter Braak wies später darauf hin, daß bei beiden „dasselbe disziplinierende Element" die Bürger zur Aktion motivierte. Hier mag man sich auch den Unterschied zwischen dem niederländischen Calvinismus und dem deutschen Luthertum vergegenwärtigen. Luther lehrte den Gehorsam gegen die von Gott eingesetzte Obrigkeit.

Die strengen niederländischen Calvinisten verbündeten sich 1887 mit den Katholiken, die sich noch immer unterdrückt fühlten, und bildeten ein Jahr später eine klerikale Linksregierung, wie man heute sagen würde. Der Weg führte nicht in eine offene Gesellschaft. Die orthodoxen calvinistischen Kleinbürger gründeten eine eigene Kirche, eine eigene politische Partei, eine eigene Universität und zahlreiche weitere eigene Organisationen. Das gleiche taten die Katholiken. Und auch die Sozialisten und die

Freisinnigen gingen daran, wenn auch nicht immer in gleichen Formen, eigene Organisationen ins Leben zu rufen. Und so entstand in den folgenden Jahrzehnten jenes charakteristische Nebeneinander geschlossener weltanschaulicher Gruppen, für das wir den Namen „Versäulung" haben, ein institutionelles Apartheidssystem, aber eben nicht im südafrikanischen Sinn, sondern auf der Basis der Gleichberechtigung und Toleranz aller Gesinnungsgruppen.

Alle diese Gruppen, kirchliche und nicht-kirchliche, bauten ihre eigene Lebenswelt, ihre Subkulturen, wie der moderne Begriff lautet. Nicht nur entstanden politische Parteien, Schulen, Wohlfahrtseinrichtungen und Krankenhäuser auf weltanschaulicher Grundlage, sondern auch Gewerkschaften, Arbeitgeberverbände, Sparkassen, Sportvereine, Zeitungen, Radio- und Fernsehanstalten, Organisationen also, bei denen ein Fremder sich fragen mag, was sie denn wohl mit der Weltanschauung zu tun haben könnten. In der Öffentlichkeit und in den Medien artikulierten alle ihre verschiedenen Meinungen und stellten sich dar. So erhielt das ursprünglich religiöse Bekenntnis eine politische Qualität und Funktion. Als verweltlichtes Bekennertum wurde es eine niederländische Spielart engagierter Selbstdarstellung, später auch jener Gruppen, die sich von ihrer „Säule" losgesagt hatten.

Im Jahr 1954 erreichte das System seinen Höhepunkt. Damals verbot ein bischöflicher Hirtenbrief den Katholiken unter Androhung der Verweigerung der Sakramente die Mitgliedschaft bei der Sozialistischen Partei und das Abhören des sozialistischen Radios; hier – in der eigenen weltanschaulichen Gruppe – gab es freilich keine Toleranz. Das „Aufbrechen" der Apartheid, das schon seit den dreißiger Jahren von progressiven Gruppen vergeblich propagiert worden war, kam erst in den sechziger Jahren. Jetzt wurde es durch neue Kräfte möglich, nämlich im Protest einer neuen Generation, bei der sich die Abkehr von der „versäulten Gesellschaft" mit dem Aufstand gegen die „civitas diaboli" der modernen Welt verband. Der Gesellschaftsprotest der 68er-Generation hat in den Niederlanden eine besondere Qualität. Er zielte auf einen spezifischen Zustand. Das Wort Systemveränderung war kein abstrakter ideologischer Begriff von Theoretikern, es hatte einen konkreten Sinn, den das Volk verstand: Es bezog sich auf die versäulte Gesellschaft, auf die konfessionelle Apartheid der Niederlande. Dieses System stürzte ein. Insofern hat die Systemveränderung stattgefunden, doch sie hatte schon begonnen, bevor die Progressiven sie auf ihre Fahne geschrieben hatten.

Noch etwas zeigte sich. Die radikalen „68er", die den aus dem Ausland importierten Neomarxismus als Ideologie angenommen hatten und artikulierten, beanspruchten dafür genausoviel Toleranz wie alle anderen Gesinnungsgruppen bisher. Sie wurde ihnen natürlich gewährt. Die Grundsätze der Toleranz, die für die „Versäulung" gegolten hatten, blieben intakt. Sie erklären weitgehend den Erfolg der Neuen Linken und zeigen einen wesentlichen Unterschied zu anderen Ländern, in denen sich das Bürgertum repressiv verhielt. Die Niederlande sind das einzige Land der westlichen Welt, in dem der Protest der „68er Generation" Erfolg hatte und die Rebellen – im Kabinett Den Uyl 1973–77 – Regierungsverantwortung erhielten. In Deutschland bekam das Bürgertum Angst, in den Niederlanden nicht. Die Niederländer haben gelernt, Opposition zu integrieren, müssen dafür freilich auch immer wieder Kompromisse schließen.

Vom Bürgertum der beiden Nationen

Charakteristisch für niederländische Herrschaftsverhältnisse ist nicht die Monarchie, sondern die Oligarchie. Ratsherren, Magistrate, Amtsinhaber, Würdenträger: das sind die repräsentativen Träger der Macht, wie sie die Maler porträtiert haben, meistens in Gruppenbildern ohne Dame. Sie walteten in Kammern und Kollegien, und der kollegiale Stil ihres Regierens hat die Formen niederländischer Verwaltung nachhaltig beeinflußt. Man merkt das heute noch in der Wirtschaft, in den großen Konzernen, wobei man beim internationalen Vergleich von Geschäftsorganisationen und Führungsformen aufschlußreiche Beobachtungen machen kann.

Oligarchisch blieben die niederländischen Herrschaftsverhältnisse auch, nachdem das Land ein Königreich geworden war. König Willem I. (1815–1840), der den Beinamen „der Kaufmann-König" trug, führte seine Geschäfte ganz wie ein patrizischer Kaufmann. Während echte, typisch monarchistische Staatswesen und ihre Beamtenhierarchien Rangunterschiede betonten und in der Verwaltung, im Berufsleben, ja im öffentlichen Umgang der Menschen in Kleinstädten und Dörfern subalterne Verhaltensmuster prägten (die Romane eines Theodor Fontane, Joseph Roth oder Nicolai Gogol beschreiben es deutlicher als soziologische Traktate), haben die körperschaftlichen Strukturen der Niederlande informelle und nicht-autoritäre Verhaltensweisen ausgebildet. Nicht die Subalternität, sondern die Kollegialität hat die Muster der Arbeit und der Zusammenarbeit geformt. Die Vorbilder kamen aber nicht nur von oben, von den Patriziern. Auch die Kirchen, Sekten, Gilden und Gemeinden und nicht zuletzt die Deichgenossenschaften setzten Maßstäbe. In den Deichgenossenschaften – sie sind Muster ursprünglicher Demokratie – hatte jeder Mitspracherecht, denn auf jeden kam es an.

Im 19. Jahrhundert wurden die Patrizier auch Liberale genannt. Die Begriffe Liberale und Liberalismus meinen hier völlig andere Erscheinungen als in Deutschland. Die deutschen Liberalen, über die sich 1844 der preußische Gouverneur der Rheinprovinz noch beschwerte, weil diese sogenannten Gebildeten, wie er die Lehrer, Advokaten, Ärzte und Kaufleute nannte, Pressefreiheit, Meinungsfreiheit und Volksvertretung wollten, waren nicht an der Macht und kapitulierten später vor dem preußischen Militarismus. Die niederländischen Liberalen dagegen waren die Patrizier, und sie galten als die konservativen Vertreter der Macht. Obschon die Niederlande unter ihrer Führung 1848 eine neue Verfassung bekommen hatten und auch die Katholikenemanzipation zustandegekommen war, mußten gerade sie ihre Macht abgeben.

Es ist wichtig, sich den Zusammenhang zwischen politischer und geistiger Macht zu Bewußtsein zu bringen. Der preußische Gouverneur der Rheinprovinz meinte mit den „sogenannten Gebildeten" die Mittelschicht. In den Niederlanden dagegen bezog sich der Ausdruck auf die Oberschicht. Die intellektuelle Bildung war in den Niederlanden ein Privileg der Macht, als solches im Bewußtsein des konservativen calvinistischen Kleinbürgertums suspekt. In Deutschland tat sich die Mittelschicht durch Bildung hervor, und wo diese Bildung politisch wirksam wurde, war sie der Oberschicht ein Dorn im Auge. Ein Merkmal der niederländischen Mittelschicht war nicht eine Geisteskultur im deutschen, d. h. im literarisch-philosophischen Sinn, sondern die Glaubenskultur. Und diese ist durch und durch das Werk von Laien, das Ergebnis eines religiös aktiven Volkes und seiner Kirchengemeinden. Die niederländische Religionsgeschichte ist keine Kirchenfürstengeschichte und keine Geschichte einer akademischen Theologenelite. Die Bibel blieb die Autorität der Laien – dazu trug auch Erasmus bei, der über die Gelehrten seinen Spott gegossen hatte.

Zwei Bildungsbegriffe und ihre Bedeutung

Der niederländische Bildungsbegriff ist ein anderer als der deutsche. Die Vorstellung von einem gebildeten Menschen ist in beiden Ländern nicht die gleiche. Daß es einen spezifisch deutschen Bildungsbegriff gibt, bedarf wohl keiner Erläuterung. Viel ist schon über das „Bildungsbürgertum" geschrieben worden. Max Weber hat schon betont, daß zum deutschen

Begriff die religiöse, gesinnungsmäßige Bildung nicht notwendig gehört. Belesenheit ist wichtiger als Frömmigkeit. In den Niederlanden ist eine vom Religiösen und Moralischen getrennte einseitig literarisch-ästhetische Geisteskultur unter der Regie der Philosophie niemals aufgekommen. Die Bildung geriet damit nicht unter die Autorität intellektueller Eliten. Sie stellt sich nicht selbstgefällig dar, nimmt keine Pose ein. Das „Künstlertum des Gedankens" (Plessner) macht keinen Eindruck. Die großen, abgelesenen Reden, die in Deutschland imponieren, an deren Text gefeilt wird, um die großen Gedanken „herauszuarbeiten" und zu vertiefen wie die Linien gegossener Figuren in der Goldschmiedekunst, sind eher verpönt. Niederländer schätzen auch bei festlichen Anlässen den kultivierten Plauderton. Sie erzählen gern, und manch einer zeigt sich dabei als Meister des kleinen Gesprächs. Große Worte gehören in die Kirche. Sittenprediger dürfen Wortgewaltige sein. Ihr erbaulicher, ermahnender Ton, nicht die intellektuelle Beredsamkeit weltlicher Geistesmacht, hat auf die Diktion öffentlicher Reden abgefärbt, nicht zuletzt auf die Wahlreden von Politikern, von denen ja so viele bis auf den heutigen Tag Gottesmänner gewesen sind. Gelehrte haben nie versucht, sich als Autorität darzustellen. Sie genießen Ansehen, man schätzt ihr Wissen, doch in Sachen Lebensweisheit und Lebensführung gelten sie nicht als zuständig. Man himmelt sie nicht an, weil sich der Himmel bei ihnen nicht auftut. Man schwärmt nicht wie der Famulus in Goethes Faust: „Mit Euch, Herr Doktor, zu spazieren, ist ehrenwert und ist Gewinn".

Das alles hat freilich auch Nachteile. Immer wieder hört man in den Niederlanden die Menschen darüber klagen, daß große intellektuelle Leistungen wenig Anerkennung finden, gewählte Ausdrucksweisen sogar bewußt vermieden werden, daß die Mittelmäßigkeit dominiere. Es gibt in den Niederlanden keine „high-brow culture", keine Intellektuellenelite, die sich in Kulturbeilagen von Zeitungen profilieren und im „Kaffeehausintellektualismus" (Max Weber) ihre Bewunderer finden würde. Niederländisches Geistesleben hat immer nur Moralisten, niemals Ästheten hervorgebracht. Kulturkritik ist auf das Durchschnittspublikum zugeschnitten, darf nicht esoterisch sein. Rundfunk und Fernsehen sind seit ihrem Aufkommen in der Hand von Amateuren. Komplizierte Themen und Zeitfragen werden auf oft unerträgliche Weise banalisiert, in der Meinung, der Sachverhalt würde damit „auf das, worum es im Grunde geht" zurückgebracht. Wer brillant ist, hat einen schweren Stand.

Es gibt in den Niederlanden nur einen konfessionellen, keinen weltlichen Konservatismus, und damit auch keine geistigen Denkmäler eines solchen. Die geistige Landschaft bleibt auch nach massiven Kirchenaustritten geprägt von Kirchen, die schon immer alle Wandlungen des Zeitgeistes in ihre versäulten Zeitschriften übernahmen und ihnen ihre Signatur gaben. Damit hängt auch die späte Entwicklung der Geistes- und Sozialwissenschaften zusammen. Bis in die dreißiger Jahre des 20. Jahrhunderts dominierten an den Universitäten die klassischen Wissenschaften: Jurisprudenz, Medizin, Naturwissenschaft, Theologie, klassische Altertumskunde und Philologie. Der niederländische Kulturhistoriker Johan Huizinga hat sehr darüber geklagt. Den Sozialwissenschaften fehlt die Tradition, die Teilnahme an der Erarbeitung ihrer Grundlagen in der theoretischen Auseinandersetzung etwa mit dem Marxismus, der Lehre Freuds, dem Darwinismus oder der klassischen liberalen Ökonomie. Es fehlt die Verankerung in einer eigenen klassischen Fachliteratur und deren großen Vorbildern. Man merkt dies auch am Fehlen einer gepflegten Fachsprache und dem Angewiesensein auf die englischsprachige Literatur.

Im Gegensatz zu einem Kleinstaat wie der Schweiz, deren Autoren sich nach den besten Vorbildern der drei großen Sprachkulturen zu richten haben, müssen niederländisch schreibende Autoren sich nach den Kriterien ihres lokalen Publikums richten, das freilich nicht weniger anspruchsvoll ist. Kann die deutsche Sprache verlocken zur esoterischen Verstiegenheit und zum „Künstlertum des Gedankens", so die niederländische zur Banalisierung. Dieser Verlockung erlag die „Emanzipationsbewegung" bei ihrem Vorhaben, platte Rede aufzuwerten und die Sprache zu „demokratisieren". Daß gepflegte, gewählte Ausdrucksweise oft verpönt ist, als elitär oder altmodisch wahrgenommen und darum manchmal bewußt vermieden wird, darüber sind in den Niederlanden schon viele Betrachtungen angestellt worden.

Die „unruhigen Jahre" und die Ernüchterung

Was man in der Bundesrepublik Gesellschaftspolitik nennt, hieß in den siebziger Jahren in den Niederlanden Gesellschaftsreformation (maatschappijhervorming) und klang in manchen Ohren ernst und feierlich wie Kirchenglocken oder ein Orgelton. Auch das Wort Erneuerung hat einen latent ethischen Akzent behalten. Es erweckt Vorstellungen von der sittlichen Läuterung der Nation und gibt der Anpassung von Institutionen einen ernsten, nicht nur pragmatischen Sinn. Daß es notwenig sei, die Gesellschaft fundamental zu verändern und es dazu nicht bei Diskussionen zu belassen, sondern zu handeln, davon waren nicht nur die Progressiven aller Parteien, sondern auch viele besorgte, brave und im Hintergrund bleibende Bürger überzeugt. Die Öffentlichkeit war in hohem Maße für Fragen wie Umweltschutz, Stadtsanierung, Minderheiten, Entwicklungshilfe sensibilisiert. In keinem Land – Japan ausgenommen – hat der erste Bericht des „Club of Rome" eine so große Wirkung ausgelöst wie in den Niederlanden.

Der konservative Teil des Bürgertums erschrak nicht, als die aufgewachsene Nachkriegsgeneration gegen die Welt der Väter zu rebellieren begann. Er war eher zu schnell geneigt, Draufgängern die Zügel schießen zu lassen. Im Jahr der Hochschulrevolte, 1969, stand ein sehr großer Teil der Öffentlichkeit und der Medien auf der Seite der Studierenden. Die Organisation der Massenmedien machte es möglich, daß die neuen Reformatoren sogleich ihr politisches Forum fanden, zu Wort kamen und ins Bild. Etwas grundsätzlich Neues war dies nicht. Längst ist man an die Verkündung extremer Meinungen gewöhnt. Immer schon verstand sich die Gesellschaft als eine Koexistenz von Alternativkulturen. Nonkonformismus stellt sich in einem solchen Klima anders dar als in einer nichttoleranten Öffentlichkeit, wo er sich einem autoritär geforderten Konformismus widersetzt. Die Niederländer haben mit dem Nonkonformismus leben gelernt, und die Toleranz zwingt die betreffenden Gruppen, sich an Spielregeln zu halten. Auswüchse stimmen eher nachdenklich als daß sie zur Gereiztheit führen.

Es ist nicht schwer, in den stürmischen Ereignissen der sechziger und siebziger Jahre die Kontinuität des reformatorischen Geistes zu erkennen. Mehrere Führer der Protestbewegungen haben damals von sich selber gesagt, daß sie aus streng religiösen Familien kommen. Der jetzige Außenminister Hans van Mierlo, Gründer der linksliberalen Partei Demokraten '66, sagte noch 1994 vor den Wahlen: „Meine streng katholische Erziehung ist nicht weg, sie ist ein Teil von mir, das reiche Leben der Kirche der Glanz meiner Jugenderinnerungen". In einem langen Interview sprach er wie in einer Beichte über sein Innenleben. Das kam an – er gewann die Wahlen. Die sozialistischen Linken kamen meist aus streng reformierten Familien. Ein säkularisierter Konfessionalismus wandte sich den sozialen und ökologischen Problemen der Gegenwart zu. Das Apartheidssystem war aufgebrochen, doch der calvinistische Eifer, von dem die Niederländer selber sagen, daß er ihnen allen eigen ist, war nicht verschwunden. Das zeigte sich vor allem bei der Verwerfung der bürgerlichen Sexualmoral, die in den puritanischen Niederlanden stets streng befolgt und von der Glaubensgemeinschaft kontrolliert worden war. Hier äußerte sich der neue Freiheitssinn in der Austreibung der Prüderie, gleichsam einer Purifikation mit umgekehrten Vorzeichen, zelebriert von einer exhibitionistischen literarischen Linken, die das Bekenntnis zur „Mündigkeit" im Libidokult ausdrückte. Ein deutscher Journalist, Günter Vieten, schrieb damals, daß dabei die Schwelle der Anstößigkeit nahezu völlig beseitigt wurde und das Gesundheitsministerium den platten Ausdruck in die Volksaufklärung einführte. Wichtig ist die Erkenntnis, daß die Revolte der Katholiken gegen Rom, die 1966 in der ganzen Welt Schlagzeilen machte, mit der „sexuellen Revolution", d. h. dem zunehmenden Gebrauch der Pille (ab 1963) parallel lief und, wie Untersuchungen ergaben, auch zusammenhing.

Beim heutigen Rückblick gilt es nicht nur, die Politik im engeren Sinn und die aufsehenerregenden Ereignisse in der Katholischen Kirche zu sehen, sondern auch die Veränderungen in den anderen Institutionen: die Universitätsrevolte, die das revolutionärste Hochschulgesetz Europas gebracht hat; die spontanen Struktur- bzw. Statutenänderungen in Gewerkschaften, Fernsehanstalten, Zeitungsredaktionen, Stiftungen und anderen Organisationen. Die Regierung hatte für den Reformkurs ein sozial-kulturelles Planungsbüro geschaffen. Das Kultusministerium sollte als übergeordnetes Ressort die Weichen stellen und die einzelnen Politikbereiche – Einkommenspolitik, Bildungspolitik, Entwicklungspolitik und Außenpolitik – koordinieren. Es war wirklich eine Kulturrevolution, was die Niederländer in jenen Jahren erlebten.

Nationale Zukunft und Europäische Union

Heute ist das Wort „maatschappijhervorming" aus dem Sprachgebrauch der Niederländer verschwunden. Wer es noch verwendet, tut es meist ironisch. Ein ehemaliger Minister, der den damaligen Reformkurs, der keiner war, mitbestimmte, setzt das Wort in Anführungsstriche. Es bezieht sich auf eine vergangene Zeit und zeugt damit von der Fähigkeit der Niederländer, sich an neue Realitäten anzupassen, wenn die Welt sich geändert hat. „No-nonsense-Politik" wurde die Politik der „Ära Lubbers" (1982–1994) genannt, die die Wirtschaft wieder in Ordnung bringen mußte. Lubbers selber war Wirtschaftsminister im Kabinett Den Uyl (1973–1977) gewesen, das die Ausgaben für den Sozialstaat in der Krisenzeit weiter erhöhte und dazu dank der hohen Einkünfte aus dem Erdgasgeschäft imstande war.

Der Wohlfahrtsstaat wurde die weltliche Kathedrale der Niederländer, die alle Konfessionen und Gesinnungen in sich aufgenommen hat. Sie machte die Nation zu einer einzigen großen Risikogemeinschaft. Jede

Regierung fügte dem Bau neue Erker und Türmchen hinzu. Die Sanierung fiel schwer – als Zorn der Gerechten kann der Verteilungsstreit an den kleinsten Ungleichheiten in der Entwicklung von Renten und Subventionen entbrennen –, aber man schaffte es. Die Marktwirtschaft ist wieder Trumpf. Doch die Vorstellung, daß man Wirtschaft und Gesellschaft wie die Landschaft und den Lauf des Wassers regulieren kann, ist im Land der Deiche und Kanäle lebendig. Der Umgang mit dem Wasser, mit Wind und Wellen, lieferte auch der Alltagssprache und dem Verständnis gesellschaftlicher Prozesse seine Bilder, Begriffe und Symbole. Ein Wort, das es im Niederländischen nicht gibt, ist das Wort „bodenständig". Fester Boden, auf dem man stehen kann, war eben meist nicht da, statt dessen Sumpfgebiete, träge Flüße, Sammelbecken von Wassermassen. Indes kennt die Sprache der Seeleute und Bootsleute feste Ausdrücke, die dem standhaften Verhalten auf dem Wasser, dem Sichüberwasserhalten und Kurshalten in Wind und Wellen einen übertragenen Sinn geben. Hier werden Wendigkeit und Anpassungsfähigkeit zur Tugend.

Nun engagiert man sich für Europa, hat sich freilich schon lange dafür entschieden, schon mit der Gründung der Gemeinschaft aus dem Bedürfnis nach Sicherheit. Von Anfang an war das Verhältnis zur EG mit der deutschen Frage verbunden, d. h. mit dem Bestreben, die Wiederentstehung einer deutschen Großmacht, die die europäische Politik bestimmt, zu verhindern. Das ist durch die Entstehung der Union nicht mehr zu befürchten. Die Wiederanknüpfung der Wirtschaftsbeziehungen mit Deutschland nach dem Krieg ging der europäischen Gemeinschaft um gut ein Jahrzehnt voraus und ebnete den Weg zur Normalisierung des politischen Verhältnisses. Der Sozialökonomische Beirat der Regierung nennt die EU den Pfeiler der nationalen Wirtschaftpolitik und den Vertrag von Maastricht seine Gestaltung.

Immer weniger empfinden die Niederländer Europa als Ausland. 48% von ihnen verbrachten 1992 ihre Ferien außerhalb der Landesgrenzen. Die Seeleute von einst haben den Transportsektor zu Lande erobert und bewegen sich auf Europas Straßen wie einst auf den Weltmeeren, wo sie auch noch sind. Sie begreifen ihr Land als eine europäische Region, ohne deswegen vor einer Antastung der nationalen Kultur Angst zu haben. Diese ändert sich allerdings in auffallender Weise und mit beschleunigtem Tempo. In kaum einem anderen europäischen Land ist Englisch so selbstverständlich als Sprache der Wissenschaft, Wirtschaft, Technik und internationalen Kommunikation akzeptiert. Die Zahl der ausländischen Hochschuldozenten steigt ständig, Prüfungen können in englischer Sprache abgelegt werden, englische Dissertationen zu schreiben wird empfohlen, ja bevorzugt; die Kenntnis der weltweiten „lingua franca" ist längst ein notwendiger Bestandteil der elementaren Schulbildung geworden. Die niederländische Sprache – der die Bindung an große Dokumente nationaler Literatur fehlt – wandelt sich schneller als die anderen westlichen Sprachen, die großen europäischen Literatursprachen. Doch steht fest, daß die niederländische Kultur nicht aufgehört hat, niederländisch zu sein. Sie ist auch nicht weniger niederländisch geworden als sie es war. Sie hat sich gewandelt und sie wandelt sich weiter. Im globalen Zusammenhang gesehen, sind die Niederländer auf dem Weg zur zweisprachigen Nation. Die deutsche Sprache wird auch verstanden und gesprochen, doch man wird sie wegen ihres komplizierten Flexionssystems nie fehlerfrei sprechen lernen und als Gebrauchssprache benutzen.

Über die Zukunft der Nationen Spekulationen anzustellen, ist müßig. Das Wort Nation entzieht sich einer verbindlichen Definition; es ist kein Begriff der soziologischen Theorie. Nationen sind sehr ungleichartige Produkte der Geschichte, deren Merkmale empirisch aufgezeigt werden müssen. Die niederländische Nation ist eine andere als die deutsche. Ihren historischen Hintergründen und ihren Wandlungserscheinungen in der Gegenwart nachzugehen, sie zu erkennen und miteinander zu vergleichen, kann nicht nur das gegenseitige Verständnis fördern. Es kann mit der notwendigen Distanz zur eigenen Kultur die eigene Welt mit anderen Augen sehen lernen, und das ist doch ein Ziel, das wir uns stellen müssen, um im europäischen Interessenpluralismus Solidarität aufbringen zu können.

Das gegenwärtige Verhältnis zwischen Deutschland und den Niederlanden ist besser als sein Ruf. Oft schon wurde gesagt, daß es noch nie so gut war wie heute. Es ist im Grunde problemlos, es gibt keine fundamentalen politischen Gegensätze, keine Interessenkonflikte. Die von Zeit zu Zeit auflebenden „Animositäten" und deren Wiedergabe in den Medien sind eher ein Thema für sich, vielleicht Ausdruck einer Art von „incompatibilité d'humeurs", deren wirkliche Bedeutung in einem anderen Beitrag zu diesem Band untersucht wird.

Literatur im Bann des historischen Traumas[*]

Bernd Müller

Einleitung

Das Thema Deutschland in niederländischer Literatur steht seit 1945 im Zeichen der traumatischen Erfahrung des Zweiten Weltkriegs. Es ist also nicht verwunderlich, daß das Thema Deutschland nach dem Krieg erst einmal eine Abrechnung mit den Verbrechen der Nazi-Herrschaft während der Besatzungszeit war. Aber schon kurze Zeit nach einer heftigen literarischen Reaktion auf den Krieg entstehen Romane, die die niederländische Opfer- und Heldenrolle relativieren und mit Differenzierungen auf die „Befreiungsliteratur" reagieren. Einer moralisierenden Tendenz in den fünfziger Jahren folgt ein Trend zur differenzierten Sicht, die eine Darstellung der Deutschen nicht nur als Kriegsverbrecher, Besatzer, Mittäter und Mitläufer, sondern auch als Opfer, Regimegegner und Widerstandskämpfer zuläßt. Eine solche weitgehende Differenzierung zeigt sich zuerst in Romanen Harry Mulischs, setzt sich aber in den sechziger Jahren auch weiter durch. Seit Mitte der siebziger Jahre tritt ein Deutschlandbild in den Vordergrund, das maßgeblich von einer mythologisierenden Faszination des Schreckens geprägt wird. Besonders im Werk Louis Ferrons werden Deutschland, die Deutschen und die deutsche Kulturgeschichte zur Methapher des Bösen. Der Versuch, die niederländische Kollaboration mit den deutschen Besatzern zu thematisieren, wird Anfang der achtziger Jahre zu einem Ausrutscher in eine „Rechtfertigungsliteratur". In diesem Jahrzehnt erscheinen auch auffallend viele Romane, die sich mit dem Gedenken an die Opfer des deutschen Terrors 1940/45 auseinandersetzen. Die meisten vermeiden dabei eine kollektive Schuldzuweisung an „die" Deutschen. Erst in den neunziger Jahren entstehen literarische Werke, die sich aus dem Bann des historischen Traumas lösen können und die mit den gegenseitigen Vorbehalten und Klischees ins Gericht gehen.

---

[*] vgl.: Bernd Müller: Sporen naar Duitsland. Het Duitslandbeeld in Nederlandse romans 1945–1990, Aachen 1993.

Bernd Müller

Im Bann der Befreiung

Deutschland und die Deutschen spielen in den ersten fünfzehn Jahren nach der Befreiung fast ausschließlich eine Rolle als Besatzer der Niederlande. In sehr heftigen ersten literarischen Reaktionen auf die deutsche Besatzung verschafft sich nach dem Krieg ohnmächtig die Wut Luft. *Der Stiefel im Nacken* heißt dann auch ein 1945 erschienener Roman von Maurits Dekker, der die Greueltaten des deutschen Aggressors noch einmal auflistet: der Überfall ohne Kriegserklärung, das Bombardement auf Rotterdam nach der niederländischen Kapitulation, der tägliche Terror gegen die Bevölkerung, das systematische Aushungern der Nordprovinzen im Winter 1945 und der Mord an den niederländischen Juden. Dem deutschen Terror wird hier eine stark idealisierte Beschreibung der niederländischen Gesellschaft als Idylle gegenübergestellt. Die Eindringlinge trampeln durch ein Land, in dem Solidarität, Gerechtigkeitssinn und Heldentum die Regel sind. Die Opfer des Nazi-Terrors und die Helden des antifaschistischen Widerstands werden besonders nachdrücklich als Identifikationsfiguren angeboten. Das gilt auch für die folgende Ballade des Lyrikers und Widerstandskämpfers Jan Campert, der 1943 im Konzentrationslager Neuengamme ermordet wurde. Die im *Lied der achtzehn Toten* so nachdrücklich beschworene Mischung aus Martyrium und Heldentum prägt bis heute die Atmosphäre und die inhaltliche Gestaltung von Gedenkveranstaltungen.

Das Lied der achtzehn Toten.

Die Zelle mißt zwei Meter nur,
Ist kaum zwei Meter breit,
Doch kleiner noch ist das Stück Grund,
Das irgends mir bereit,
Das namenlos mich birgt sodann
Und die hier bei mir stehn,
Denn keiner von uns achtzehn Mann
wird je den Abend sehn.

O Lieblichkeit von Luft und Land,
Von Hollands freiem Meer –
Für mich, vom Feinde überrannt,
Gab's keine Ruhe mehr.

Was kann ein Mann, der treugesinnt,
Noch tun in solcher Zeit?
Er küßt sein Weib, er küßt sein Kind.
und kämpft den eitlen Streit.

Ich wußte wohl, was ich begann,
Wie mühevoll es war.
Ein Herz, daß es nicht lassen kann,
Scheut niemals die Gefahr;
Es weiß, wie einst in diesem Land
Die Freiheit ward geehrt,
Bis eine schnöde Schinderhand
Es anders hat begehrt.

Bis er, der Eide bricht und prahlt,
Verbrecherisch verfuhr,
In Holland eindrang mit Gewalt,
Verheerte seine Flur,
Bis er, der auf die Ehre pocht
Und den germanischen Trieb,
Ein Land bezwang und unterjocht
Und plündert wie ein Dieb.

Der Rattenfänger von Berlin
Pfeift seine Melodie;
So wahr ich bald gestorben bin,
Und meine Liebste nie
Mehr sehn, das Brot nicht brechen kann
Und bei ihr ruhn danach,
Verwerf ich, was der Fallenmann
Verspricht, was er versprach.

Gedenkt bei diesen Worten der
Gefährten meiner Not
Und ihrer Nächsten noch viel mehr
Im Gram um ihren Tod,
Gedenkt, so wie auch wir gedacht
An unser Volk und Land:
Es kommt ein Tag nach jeder Nacht,
Löst jede Wolkenwand.

Ich seh, im hohen Fenster bleicht
Das erste Morgenlicht.
Mein Gott, mach mir das Sterben leicht –
Und wo es mir gebricht,
Wie jedem es gebrechen kann,
Schenk deine Gnade mir
Auf daß ich scheide wie ein Mann
Vor den Gewehren hier. [1]

Neben solchem Pathos und der kollektiven Identifikation mit dem Widerstand und mit den Opfern gab es kurz nach dem Krieg aber auch schon
andere Töne. Es sind Texte, die sich von einer emotionalen Beschreibung
des niederländischen Opfergangs und von der einseitigen Überbewer-
tung des Widerstands lösen. Sie verabschieden sich damit auch vom allzu
simplen Schwarz-weiß-Schema, das den deutschen Verbrecher dem niederländischen Opfer und Helden gegenüberstellt. Sehr früh und für einen
neunzehnjährigen Debütanten auf ungehörige Weise geschieht das in der
1944 geschriebenen Novelle *Der Untergang der Familie Boslowitsch* von
Gerard Kornelis van het Reve:

„Es ist Krieg", sagte meine Mutter, „der Rundfunk hat es eben gesagt." –
„Was haben sie genau gesagt?" fragte ich. „Tja, das kann ich nicht alles
wiederholen, da hättest du selbst zuhören müssen", antwortete sie. Tante
Jeanne saß, ein schwarzes Samtbarett auf dem Kopf, im Sessel und zuckte
mit den Augenlidern. Das Radio schwieg gerade, und ungeduldig warteten
wir auf den Anfang der Acht-Uhr-Sendung. Diese wurde gewöhnlich
durch Hahnengekrähe angekündigt.
„Ich bin neugierig, ob sie auch heute Kikeriki machen", sagte mein
Vater, der auf dem Flur wartete.
Ich hoffte brennend, daß alle Gerüchte, die durch das Viertel eilten,
stimmten. Wirklich Krieg, fabelhaft, sagte ich mir im stillen. Die Uhr
des Senders begann jenes kaum hörbare Geräusch zu machen, das den
Schlägen vorausgeht. Sie fielen nach dem sechzehntönigen Vorspiel, lang-
sam und klar. Daraufhin krähte der Hahn. „Ein Skandal", sagte mein
Vater.
Ich erschrak, denn jetzt konnte alles noch verdorben werden. Vielleicht
war das der Beweis, daß der Krieg überhaupt noch nicht ausgebrochen
war. Ich fühlte mich erst beruhigt, als der Ansager die Überschreitung der
niederländischen Grenze durch deutsche Truppen bekanntgab. Zufrieden
ging ich an diesem Morgen ins Gymnasium, während Tante Jeanne immer
noch stumm vor sich hinstarrte. [2]

Das Leid und der Opfergang der niederländischen Bevölkerung wird in dieser Beschreibung ironisch gebrochen. Das geschieht mit dem antifaschistischen Widerstand in Werken von Simon Vestdijk und Willem Frederik Hermans. In seinem Roman *Pastorale 1943* stellt Vestdijk die angeblichen Helden als einen unkoordinierten Haufen tolpatschiger Amateure dar. So setzt z. B. in einer Episode des Romans eine der Hauptfiguren alles daran, eine bestimmte Fähre zu erreichen, um pünktlich in sein Versteck zurückkommen zu können. Die spannende Beschreibung wirkt absurd, weil der Leser bereits weiß, daß die Deutschen im Versteck warten, um ihn zu verhaften. Lächerliche Amateure sind die Widerstandskämpfer auch in der Prosa Willem Frederik Hermans. Das gilt für den 1949 erschienenen Roman *Die Tränen der Akazien* und vor allem für den 1956 erschienenen Roman *Die Dunkelkammer des Damocles*. Im zweiten Roman wird bis zum Schluß nicht klar, ob Osewoud, der Held der Geschichte, nun ein Widerstandskämpfer oder ein Kollaborateur ist.

Durch die ironische Brechung des im historischen Kontext offiziell propagierten kollektiven Heldentums relativiert sich implizit auch ein stereotypes Deutschlandbild. Denn wo der Unterschied zwischen Widerstand und Kollaboration, zwischen Opfer und Täter verwischt, da ist eine Schwarz-Weiß-Malerei der durchweg bösen Deutschen gegenüber den durch und durch guten Niederländern nicht mehr möglich.

Parallel zu dieser skeptisch-kritischen Tendenz erscheinen in den fünfziger Jahren Bücher, in denen die Opfer des deutschen Faschismus als gemeinschaftliche Identifikationsfiguren angeboten werden. Im Werk Marga Mincos bekommt der Rückblick auf den deutschen Terror eine moralisierende Tendenz. Die Romane *Das Bitterkraut* aus dem Jahre 1956 und *Ein leeres Haus* (1966) arbeiten implizit mit Gegensatzpaaren, die nur wenig Spielraum für Differenzierungen zulassen. Der Mord an den (niederländischen) Juden wird hier zu einem Martyrium stilisiert, das als kollektives Identifikationsangebot an den Leser vermittelt wird. Dem kollektiven Opfer steht eine kollektive Täterschaft gegenüber, so daß hier das simple „Freund"-„Feind"-Bild noch um die Schemata „gut"-„böse" und „Opfer"-„Täter" erweitert wird. Auch ohne Deutschland und die Deutschen explizit zu benennen, prägen die Bücher im niederländischen Kontext ein Deutschlandbild, in dem das Merkmal „deutsch" direkt mit dem Holocaust assoziiert wird.

Einen moralischen Anspruch anderer Art hat das erzählerische Werk J. B. Charles'. Bei den Erzählungen *Verfolge die Spur zurück* von 1953 handelt es sich um eine Art Anklageschrift. In 23 Episoden wird eine Spur aufgenommen, die jeweils zurück in die dunkle und ausnahmslos nationalsozialistische Vergangenheit einer Person führt. Das Deutschlandbild wird dabei zum Feindbild. Ein Bild, das übrigens im zweiten Episodenroman des Autors *Von der kleinen kalten Front* teilweise ironisch gebrochen wird. Die Polemiken von J. B. Charles vermitteln dennoch insgesamt ein Deutschlandbild, das den geschichtswissenschaftlichen Thesen einer deutschen Kollektivschuld an den Verbrechen des Dritten Reiches und der Kontinuität des Nationalsozialismus in Deutschland entspricht. Letztere These bezieht sich vor allem auf personelle Kontinuität in der Bundesrepublik Deutschland. Charles' Berichterstattung *Von der kleinen kalten Front* kommt zum großen Teil aus Berlin.

Die folgende Polemik Godfried Bomans aus dem Jahr 1963 ist in einem Tenor gehalten, der noch mehr als Charles eine niederländische moralische Überlegenheit „den Deutschen" gegenüber herausstreicht:

Jeder, der deutsche Freunde hat, (...) weiß auch, daß sie plötzlich in eine eigenartige Verzückung fallen können, eine nicht klar begründete Begeisterung, plötzlich brennen alle Sicherungen durch, was mit dem Begriff der „Exaltation" noch am besten zu fassen ist. Hier treffen wir plötzlich eine Schwachstelle in der deutschen Seele, hinter der es hohl klingt. Nun, was steckt in diesem Hohlraum? Wer gebückt in ihn eindringt, trifft zunächst noch gute Freunde: Old Shatterhand und Winnetou. Aber das Lächeln des Wiedererkennens gefriert, je weiter man vordringt. Es sind nur Vorläufer für andere Leute, die Sie aus jüngerer Vergangenheit wiedererkennen werden. Sie tragen auch Büchsen, aber keine silbernen, und sie haben auch Fäuste, aber nicht, um zu betäuben. Und wenn Sie nicht mehr weiterkönnen, finden Sie hinten einen Mann mit einem kleinen Schnurrbart, der mit dem Rücken zur Wand seiner unerschütterlichen Rechthaberei Ihnen gerade in die Augen sieht. Es riecht hier auch nicht mehr nach Prärie. Es riecht hier nach Gas. [3]

Befreit von der Befreiung

Nach diesem Pauschalurteil über die Deutschen erscheint die differenzierte Darstellung von Deutschland und seinen Bewohnern in den Büchern von Harry Mulisch wie ein Tabubruch. Der Roman *Das steinerne Brautbett* stellt vor dem Hintergrund der Erfahrungen des Zweiten Weltkriegs die Frage nach individueller Schuld und Verantwortung. Der Bordschütze eines amerikanischen Bombers kehrt 1956 – als Befreier und Kriegsverbrecher zugleich – in das von ihm selbst zerstörte Dresden zurück. Ihm werden zwei deutsche Figuren gegenübergestellt. Hella Viebahn repräsentiert die deutschen Opfer des Nationalsozialismus, die DDR und den deutschen Antifaschismus. Schneiderhahn ist der „häßliche Deutsche", der als Westdeutscher auch gleich als potentieller Kriegsverbrecher gilt. In dieser Figurenkonstellation stellen sich zunächst scheinbar naheliegende Assoziationen als trügerisch heraus. Der vermeintliche amerikanische „Befreier" erweist sich als der Kriegsverbrecher, während sich bei dem Westdeutschen Schneiderhahn herausstellt, daß er ein ehemaliger Widerstandskämpfer ist. Die Kernszene des Romans ist eine Rückblende in der Form eines homerischen Sanges. Die Hauptperson Corinth und seine Kameraden fliegen nach dem Bombardement die Stadt noch einmal an. Ihr Gemetzel an der in die Elbe geflüchteten Dresdener Zivilbevölkerung erleben die übermütigen Jungen als Abenteuer. Für Corinth wird es im Verlauf der Handlung zum sexuellen Erlebnis.

Und nachdem fünf Minuten geflogen sie haben in edel geschweiftem Bogen über der Stadt – und sie sind wieder über dem stillen, dem dunkelen Feld, wo die Bäume sich beugen unter dem Sturm und der fromme Landmann, kniend auf seinem Acker, emporschaut – und gesagt haben: „Wir wollen Schinken und Eier nun essen, es war das letzte Mal, wir waren beamtet, es ist vorbei, was jetzt noch?" da spricht der der arglistige Frank die Worte: „Ich wette, daß die Hälfte ein Bad in der Elbe nimmt." Und der nimmer fehlende Alan nennt seinen Plan mit den Worten: „So laßt uns mal zugucken, Jungs! Susanna im Bade!" Und lachend spricht der Länderstürmer: „Los!" Und er schwenkt und taucht zu dem Flusse hinunter: Und während das Wasser gewaltig Motorengelärme zurückwirft, folgt die Festung der Luft sanfter Wendung des Stroms und Wendung nach Wendung hin zu der rauchenden Stadt, die brennen soll sieben der Tage und Nächte auch sieben. Und arbeitslos lauert nun der Erderschütterer über die Schulter des Landüberstürmers, schreit lachend die Worte:

*„Guck! Guck!" Und im schändlichen Wasser sieht unter dem neblichten,
bebenden Schein jetzt der Flammen der blaugeäugte Corinth sie: Köpfe,
Schädel, Testen, reglos. Und dann lacht er in seiner Kuppel das Lachen des
Siegers und schreit: „Soll ich ihnen mal eine Serenade geben?" Und alle
lachen, alle die Flieger, Jim, Alan, Frank, Patrick und Archie, und dann
jagt er die Kugeln vor sich hinunter ins Wasser, wo die Köpfe plantschen,
taumeln und springen, auffliegen, versinken und lacht, alle die Flieger, alle
lachen in der Nacht, und singen:*

> *„Adieu, mein kleiner Gardeoffizier, Adieu,*
> *Adieu, und vergiß mich nicht.*
> *Und vergiß mich nicht."* [4]

In *Das steinerne Brautbett* werden spezifisch deutsche historische Zusammenhänge sehr genau herausgearbeitet. Darüber hinaus werden auch
gängige stereotype Deutschlandbilder thematisiert und teilweise revi-
diert. Die Fragen nach Schuld und Verantwortung werden individuell
gestellt und beantwortet. Der Roman ist das erste Buch einer Trilogie
über Deutschland, in der Deutschlandbilder mit der Aussage entwickelt
werden, daß jeder Mensch persönlich die Verantwortung für das trägt, was
er getan hat und was er in der Gegenwart tut. Mulischs zweiter Deutsch-
landroman, *Strafsache 40/61* ist eine literarische Reisebeschreibung, die
den Ich-Erzähler 1961 zum Eichmann-Prozeß nach Jerusalem, nach Berlin und nach Auschwitz führt. Das dritte Buch über Deutschland ist das
1972 erschienene deutsche Anti-Geschichtsbuch *Die Zukunft der Vergangenheit.* Der Roman handelt von dem vergeblichen Bemühen, einen
Roman zu schreiben, in dem Deutschland den Zweiten Weltkrieg gewonnen hat. Die Welt dieser Erzählung ist als eine fiktive „Gegengeschichte"
entworfen, so wie sich die Nazis die Zukunft vorgestellt haben. Bei seinen Recherchen für den Roman fährt der Ich-Erzähler, Harry Mulisch,
im Winter nach Deutschland:

*Bei Oberhausen begann der Nebel. Es war Winter. Die Tannen standen
voller Rauhreif im Nebel. Hier und da brannten die Sonnenstrahlen einen
Fleck in den weißen Wahn einer negativen Welt. Nach kurzer Zeit erschienen die rauchenden Schornsteine, Raffinerien, Hochöfen. Die Landschaft wurde grauer. Die Autobahnen füllten sich mit Kanonenkugeln auf
Rädern, manchmal vorn ein Chauffeur mit Mütze, ein parfümierter Herr
im Fonds, der mit übergeschlagenen Beinen Akten las, hin und wieder
einen Blick auf die Fabriken links und rechts werfend, in denen Arbeiter
bis zum Hals in Eisen und Stahl standen. Am Boden der Nebel der Erde,*

am Himmel der Dunst der Menschen. In der Nähe, hinter den Fabriken, der Rhein.

Der Nebel ist in der Atmosphäre das meteorologische Pendant zur Legende, die unhistorische Vergangenheit. Deshalb ist Nebel deutsch und deshalb ist der Rhein – jedenfalls bis zum 30. April 1945 – für die Deutschen nicht ein Fluß in seinem natürlichen Bett, wie für die Schweizer, sondern eine Legende. In den Niederlanden mit ihrem klaren merkantilen Wetter unter unablässig grauem Himmel, der nicht blendet, sondern wie in einem Maleratelier leuchtet, ohne daß man wüßte, woher das Licht kommt, in diesen Niederlanden ist die selbstgemachte Erde entzaubert, sichtbar, und dort ist der Rhein ein Teil des Wasserhaushalts, ein Gebrauchsgegenstand, eine Straße, über die Frachtgut verschifft wird mit der Absicht, es teurer zu verkaufen als man es selbst eingekauft hat. Dafür deicht man ihn ein und baut an seiner Mündung den größten Hafen der Welt. Hier ist er die Sache der Kaufleute und Ingenieure, nicht der Sänger. Bei uns befindet sich die Legende abstrakt im Höheren hinter den Regenwolken, und einen legendären Fluß findet man nicht im Raum, sondern höchstens in der Zeit, im verborgenen deutschen Blutstrom von Wilhelm von Oranien bis Königin Juliana.

Aber in Deutschland liegen die Wolken auf der Erde, und da war es der gottgegebene Boden, der zur Legende wurde. Der Rhein, ein deutscher Fluß, konkret und abstrakt zugleich, eine Aorta, durch die mythischnationale Lebenskraft strömt. Wagner ließ sogar einen Akt einer Oper im Rhein unter Wasser spielen, wodurch der Fluß so etwas wie das Bild der nationalen Seele wurde. Von Schaffhausen bis Lobith muß er mit dem verglichen werden, was der Jordan für die Juden und der Ganges für die Hindus ist. Vergeistigt sinken sie ins heilige Wasser, das dulden, leiden und zwischen den Hügeln mit den Ruinen der Raubritterburgen gelegentlich sogar scheinen konnte. Einfachen Schiffern sang die Lorelei das Hemd vom Leibe (bei Clemens von Brentano), und sogar die besten Sänger wie Hölderlin und Heine stimmten ein: Ich weiß nicht, was soll es bedeuten ... aber nur bis zum 30. April 1945, als Hitler in der Tiefe des blutdurchtränkten Bodens von Berlin die Bedeutung endlich begriff und Gift nahm. Von da an begann die Verschmutzung der Legende mit den Abfallstoffen der Industrie, mit thermischen Störungen aus Frankreich. Tote Fische treiben flußabwärts. Hitler hatte den Krieg verloren. Der Rhein war auch in Deutschland dabei, eine Naturerscheinung zu werden. Und wieviel Gift er nun auch immer führen mag, so vergiftet wie damals, als er noch glasklar war, kann er nie wieder werden. [5]

Die drei Romane der Deutschlandtrilogie Harry Mulischs sind aus dem 1952 geschriebenen Romankonzept *Begnadigung für die Toten* entstanden. Das Deutschlandbild dieser Trilogie hat zwei Ebenen. Auf einer analytisch tiefschürfenden Ebene werden Theorien über Deutschland entwickelt, die sich vor allem mit Studien der „Frankfurter Schule" vergleichen lassen. Geschichtsphilosophisch spielt aber auch eine als typisch deutsch dargestellte „Zerstörung der Vernunft" eine Rolle, die geradewegs in die Barbarei führt. Theorien über eine solche deutsche Sonderentwicklung finden wir u. a. bei Georg Lukàcs und Karl Dietrich Bracher wieder.

Auf einer eher suggestiv-emotionalen Ebene des Deutschlandbildes wird vor allem in den beiden späteren Werken ein Teil der Differenziertheit wieder zurückgenommen. Stereotyp wird mit Hilfe in die Texte eingestreuter Fragmente eines „Nazi-Jargons" die Assoziation deutscher Sprache mit nationalsozialistischer Gewaltherrschaft nahegelegt.

Eine alternative Sichtweise Deutschlands und der Deutschen, wie sie bereits in *Das steinerne Brautbett* von Harry Mulisch zum Ausdruck kommt, erscheint seit den sechziger Jahren in zwei Varianten. Jaap Hartens Roman *Die tätowierte Lorelei* beschreibt 1968 die Vorgeschichte und die Geschichte des „Dritten Reichs" aus der Perspektive des homosexuellen Kneipenmilieus in Berlin. Aus der Sicht deutscher Opfer des Nationalsozialismus wird hier in erzählter Form ein Stück deutscher Alltagsgeschichte wiedergegeben. Der dreiteilige Roman schließt in seinem ersten Zeitabschnitt an ein Stimmungsbild an, wie es Christopher Isherwood in seinem Roman *Goodbye to Berlin* zeichnet. Der zweite Teil beschreibt das Leben der Menschen, die im „Dritten Reich" zu Parias der Gesellschaft erklärt und verfolgt werden. Im dritten Teil des Romans wird das Schicksal dieser Außenseiter und Ausgestoßenen vom Anfang des Zweiten Weltkriegs bis zur Befreiung der Überlebenden aus dem Konzentrationslager geschildert. In *Die Tätowierte Lorelei* steht ein anderes Deutschland im Mittelpunkt, das nicht mit den Wölfen geheult hat, sondern von ihnen verfolgt wurde. Diese deutschen Opfer der Nazi-Diktatur leisteten im Roman allerdings keinen aktiven Widerstand.

Das deutsche Dienstmädchen *Nathalie* aus Hamburg-Altona geht in Ger Verrips gleichnamigem biographischen Roman nach Amsterdam. In der Erzählung aus dem Jahr 1972 wird die niederländische und deutsche Kultur- und Sozialgeschichte zwischen 1914 und 1974 immer wieder gegenübergestellt. Spezifisch deutsche und niederländische Sozialisation und kulturelle Eigenarten werden in den Alltagskonflikten der Hauptfigur deutlich herausgearbeitet. Dabei bietet der Roman in seinem Deutschlandbild Anlaß und Material zum Abbau von Vorurteilen. Wie in Jaap Hartens Roman über die Lorelei wird auch hier die Geschichte der „kleinen Leute" erzählt, die ganz anders sind als gängige stereotype Deutschlandbilder das unterstellen.

Im Bann des historischen Traumas

Seit etwa dem Anfang der siebziger Jahre zeigt sich eine Tendenz in der niederländischen Literatur über Deutschland, in der vom Thema derart abstrahiert wird, daß es sich zu einer in sich geschlossenen und vom beschriebenen historischen Kontext weit entfernten mythologisierenden Aussage verselbständigt. Das gilt besonders für die Erzählungen Armandos, die in ihrer Form an die Polemiken von J. B. Charles erinnern. Nur, was bei Charles noch kriminalistischer Spürsinn war, wird in dieser Prosa zu einer wie Armando es nennt „Feindbeobachtung". Beobachtet werden sogenannte „Schauplätze", die durch die deutsche Vergangenheit belastet sind. Dieser Vergangenheit geht das erzählende Ich jeweils nach. Das wichtigste Ziel dieser „Feindbeobachtung" ist die ehemalige Reichshauptstadt Berlin. Hier erinnern ihn Gebäude, Ruinen, Plätze, Mauer und Menschen an die nationalsozialistische Herrschaft, an Unterdrückung, Folter, Krieg und Verrat. Armandos „Feindbeobachtung" richtet sich auf menschliche Ziele und historische Gebäude in einer gleichgültigen Umgebung. Dies fasziniert ihn und schreckt ihn zugleich. *Die Wärme der Abneigung*, eine Sammlung kurzer Prosa Armandos, zeigt das Ergebnis solcher Observationen.

Berlin ist (...) keine schöne Stadt, wohl aber eine fesselnde Stadt. Fesselnd durch die oft unerträgliche Spannung zwischen einer scheinbar unbekümmerten Gegenwart und einer beklemmenden Vergangenheit. Es ist eine Stadt voller Orte und Spuren. Oft überwachsene Spuren von einem schaurigen Reich und wahrlich, die vielen Zeugen leben noch. Wir können uns diese Tatsache nicht feierlich genug vor Augen halten. Zeugen, die bis zum Ende an dieses Reich geglaubt haben, Zeugen, die anfänglich begeistert waren, aber später schwer enttäuscht, auch, weil es so schlecht ging; Zeugen, die damals zu jung waren, um anders denken zu können, und jetzt fassungslos zurückblicken; Zeugen, die gelitten haben; Zeugen, die nur einfach gelebt haben, so recht und so schlecht wie es ging, und jetzt aus Bequemlichkeit in der Vergangenheit leben. Denn, das wissen wir alle, die Vergangenheit ist etwas sehr Schönes, wenn sie tüchtig gesiebt ist, von der Zeit und vom Gedächtnis. Und das Schlimme ist, daß die Zahl der Jüngeren, die von nichts wissen oder von nichts wissen können oder wollen, erschreckend zunimmt.

Ein großer Teil dieser noch lebenden Zeugen schlurft heute etwas lustlos weiter, aber seinerzeit waren sie jung und fröhlich, denn sie wurden angenehm beschäftigt, und sie hatten die Welt in der Tasche, dachten sie. Diese Zeugen interessieren mich maßlos. Daher begebe ich mich gern in Lokale, wo Ältere gemütlich zusammenkommen. All diese geheimnisvollen Gespräche um mich herum, dieses Wissenswerte, diese Sachkenntnis: viel, viel zuviel wird mir nie zu Ohren kommen. Ich fange Gesprächsfetzen auf: „im Krieg ...“ und dann verebbt das Gespräch wieder. [6]

Armandos Ich-Erzähler erinnern an Archäologen auf der Suche nach dem „Bösen an sich“, die sich weit über das Objekt ihrer Forschungen erheben. So entsteht eine Erzählhaltung, bei der die überlegene Position des Erzählers in den Vordergrund tritt. Das Deutschlandbild in Armandos Erzählungen erhält auf diese Weise einen paternalistischen Unterton, der die Gefahr mit sich bringt, daß stereotype und überhebliche Anteile des Textes selbstkritische und selbstironische Sequenzen übertünchen. Mit Armandos Polemiken, die eine niederländische Tageszeitung in den achtziger Jahren wöchentlich als Kolumne abdruckte, werden bestehende Vorurteile eher bestätigt als relativiert.

Der Haarlemer Schriftsteller Louis Ferron hat dem Thema Deutschland bisher sein ganzes Werk gewidmet. In diesem Werk nimmt eine Romantrilogie über die deutsche Geschichte eine Schlüsselposition ein. Hier wird eine reaktionäre deutsche Kultur und Kulturtradition dargestellt, die von der deutschen Romantik geradewegs zum Nationalsozialismus führt. Ein Weg, der im literarischen Raum auf drei historischen Zeitebenen beschrieben wird: Der Untergang der Wittelsbacher Monarchie in Bayern im 1974 erschienenen Roman *Narrendämmerung*, die konterrevolutionäre Brutstätte des Nationalsozialismus in Bayern Anfang der zwanziger Jahre in *Das Stieropfer* und ein nationalsozialistischer Mikrokosmos in dem als Sanatorium getarnten Konzentrationslager Fichtenwald in dem 1976 erschienenen Roman *Der Schädelbohrer vom Fichtenwald*. In diesem Buch laufen alle Fäden aus Ferrons bisherigem Werk zusammen. Der Text ist ein literarisches Stimmungsbild, das sich insgesamt um einen Punkt dreht. Dieser Dreh- und Angelpunkt ist ein auch die Form des Romans bestimmendes Theaterstück, das mit einem Blutbad endet. Das Bild des Blutbades faßt den Charakter des Schauplatzes als nationalsozialistischer Mikrokosmos und als Konzentrationslager pointiert zusammen. Wie alle bisher erschienenen Romane Ferrons ist auch dieser wie ein literarisches Puzzle gestaltet. Es ist ein Mosaik aus Zitaten der deutschen Geistes-, Kunst-, Musik-, Literatur- und allgemeinen Geschichte. Die Zitate haben die Funktion, einen literarischen Raum zu gestalten, der konsequent eine nationalsozialistische Ästhetik von innen heraus wiedergibt. Die wenigen Sequenzen, die den Nationalsozialismus explizit in Frage stellen, die groteske Erzählhaltung und die implizite ironische Brechung werden von einer wahren Sintflut literarischer Puzzlesteine zugeschüttet. Das Bild von Deutschland löst sich dabei sprichwörtlich in einer schier unendlichen Zahl kleiner Hinweise auf den Nationalsozialismus auf. Das Deutschlandbild wird so zu einem kaum faßbaren Stimmungsbild, das sich von seinem historischen Hintergrund löst und vage alles, was deutsch ist, mit Nationalsozialismus und dem Holocaust assoziiert.

Wie Deutschland seit den siebziger Jahren in der niederländischen Literatur als unwirkliche mystische Welt dargestellt wird, zeigt ein Ausschnitt aus der 1978 erschienenen Reisebeschreibung *Und die alte Verwirrtheit kommt wieder. Deutschland 1970* von Cees Noteboom:

Um genau neun Minuten nach sechs Uhr abends falle ich ohne nähere Kriegserklärung in Deutschland ein. Die Schilder ändern ihre Farbe, die Buchstaben ihre Form, ich werde ein Ausländer, und während ich weiterfahre, wird es dunkel. Es ist wenig Verkehr, Gelegenheit genug, zu meditieren. Die deutsche Landschaft gleitet vorbei, und ich dringe in ein viel größeres Ganzes ein als dasjenige, aus dem ich gerade komme. Die Autobahn ist so etwas wie eine Bahn um die Erde. Wenn man irgendwo hin will, muß man den Kurs ändern. Schafft man es nicht die Raketenmotoren, rechtzeitig in Betrieb zu nehmen, dann wäre man dazu verdammt, auf ewig in einer Bahn um Deutschland zu kreisen, ohne jemals in Köln, Würzburg, Wertheim, Nürnberg, München oder wie die Krater auch heißen, landen zu können. Ein schimmelndes Skelett im Ewigen Mercedes.

Wer öfter nach Deutschland kommt, muß die Gefühle kennen, die mich langsam aber sicher beschleichen. Aus dem Autoradio klingt Musik für Lasterfahrer, dieselbe Art Musik, die beim Start und beim Landeanflug in Flugzeugen gespielt wird, und die dazu dient, durch ihre betäubende Wirkung die Angst vor dem Übernatürlichen zu beschwören. An der Autobahn liegen keine Städte. Da liegen nur Schilder, die Städte bedeuten sollen.[7]

In diese Reihe von Büchern, deren Deutschlandbild von einer mystischen Faszination oder sogar von einer „Wärme der Abneigung" (Armando) getragen wird, gehört auch Wim Kayzers Roman *Unanständige Erinnerungen* aus dem Jahr 1988. Das Buch handelt von der Aktualität und Allgegenwärtigkeit des Nazi-Terrors im Gedächtnis der Opfer und im Kopf der jungen Hauptperson Kayzer, die einen Naziverbrecher namens Friedländer jagt. Hier wird ein Gegensatzpaar „deutsch" – „niederländisch" aufgebaut, das eine „gute" niederländische Kulturgeschichte einer deutschen Kulturgeschichte des „Bösen" gegenüberstellt. Die deutsche antikulturelle und antisemitische Tradition reicht dabei, dem Roman zufolge, von Heinrich von Kleist bis zu Rainer Werner Fassbinder. Das Deutschlandbild des Romans *Unanständige Erinnerungen* konstruiert in den späten achtziger Jahren eine Vergangenheitsbewältigung, die dazu dient, eine spezifisch niederländische antifaschistische Identität auf Kosten einer ebenso pauschalen, anachronistischen wie historisch falschen deutschen Gegenidentität aufzubauen.

Wie tief eine solche Gegenidentität bei manchen Niederländern verwurzelt ist, zeigt eine Polemik, die in der Tageszeitung De Volkskrant erschien, als 1989 die deutsche Beteiligung an der libyschen Giftgasfabrik bekannt wurde. Zur gleichen Zeit wurden die letzten deutschen Kriegsverbrecher aus dem Zweiten Weltkrieg begnadigt, die im Kuppelgefängnis in Breda eingesessen hatten:

L a ß   s t e h n ! Das idiotischste Gebäude der Welt ist, neben der chinesischen Mauer, die Mauer durch Berlin. Beängstigend. Nicht die Mauer, sondern daß es Leute gibt, die glauben, daß ein Zaun um deinen Grund und Boden etwas nützen würde. Die Russen werden die Mauer abreißen. Sie paßt ihnen nicht mehr in den Kram. Sie haben herausgefunden, daß das 20. Jahrhundert schon fast vorbei ist. Und ausgerechnet jetzt fange ich an, an der Mauer Gefallen zu finden. Weiterbauen will ich sie, um soviel Deutschland wie möglich herum. Und dann ein Kuppeldach darüber. Denn wenn die Deutschen unbedingt Giftgas herstellen wollen, dann bitte nur für den Eigenbedarf. [8]

Diese Polemik zeigt, wie dünn die Haut ist, die über die Wunden aus dem Zweiten Weltkrieg gewachsen ist. Sie zeigt aber auch, mit welcher Agressivität das teilweise verdrängte, teilweise mythologisierte und teilweise als kulturelles Allgemeingut vererbte historische Trauma aufbrechen kann.

Die Kollaboration während des Zweiten Weltkriegs ist in den Niederlanden ein Tabu, das in der Literatur erst 1982 gebrochen wird. Die literarische Biographie des Malers *Montyn* von Dirk Ayelt Kooiman schildert die spannende Flucht des Jungen Jan Montyn während der deutschen Besatzungszeit aus dem kleinbürgerlich-verkrampften und calvinistischen Elternhaus in deutsche Wehrsportlager. Von da aus führt sein Weg direkt in die Wehrmacht und an die zusammenbrechende deutsche Ostfront. Deutschland und der Zweite Weltkrieg werden hier aus der Sicht des Kollaborateurs beschrieben, ohne daß Jan Montyn als solcher bezeichnet wird. Er ist die Identifikationsfigur eines Abenteuerromans. Jan gerät scheinbar von selbst, schicksalhaft immer weiter auf die Seite der Deutschen. In diesem Zusammenhang wird seine Entscheidung zur Kollaboration als Entscheidung gegen die Zwangsarbeit heruntergespielt. Das Schicksal und mißliche Umstände gelten dabei unausgesprochen als Entschuldigungen. Mit dieser fatalistischen Haltung kann der Roman mit der sogenannten „Rechtfertigungsliteratur" aus den fünfziger Jahren der Bundesrepublik verglichen werden. Der Versuch, durch die Thematisierung niederländischer Kollaboration auch die verkrusteten Schemata einer positiven niederländischen Identität gegenüber einer negativen deutschen Gegenidentität aufzubrechen, stellt sich im Fall Montyn als Fehlstart heraus.

Die Romane von Hellema mahnen in den achtziger Jahren an das Gedenken des Zweiten Weltkriegs. Der autobiographische Episodenroman *Langsamer Tanz als Versöhnungsritual* muß in bezug auf den deutschen Terror im Zweiten Weltkrieg als eine direkte Reaktion und als literarische Verarbeitung der traumatischen Erfahrung interpretiert werden. Er erschien aber erst im Jahre 1982, vierzig Jahre nachdem der Autor von der Gestapo gefaßt und in deutsche Konzentrationslager verschleppt wurde. Der Zeitabstand macht deutlich, wie weit der Begriff „Nachkriegsliteratur" zumindest für das Thema Deutschland in der niederländischen Literatur gefaßt werden muß. Aus verschiedenen Perspektiven schildert ein Ich-Erzähler in vierzehn Episoden, wie er im Krieg und nach dem Krieg mit Deutschen zusammentrifft. Entsprechend dem Motto „Die Mörder sind unter uns" stößt der Erzähler bei seinen deutschen Geschäftspartnern immer wieder auf deren Nazi-Vergangenheit. Diese Vergangenheit steht wiederum jeweils in einem direkten Zusammenhang mit der Geschichte des Erzählers als Opfer des Nationalsozialismus. Der Krieg, Gewaltherrschaft und individuelle Gewalt werden in den Erzählungen aber als allgemeinmenschliche Phänomene dargestellt. Besonders eindringlich sind in diesem Zusammenhang autobiographisch geprägte Episoden, die das Überleben in deutschen Konzentrationslagern und die Befreiung daraus beschreiben. Das dominante Versöhnungsmotiv wird inhaltlich teilweise wieder zurückgenommen, indem der Text auch an ein grundsätzliches – und damit stereotypes – Mißtrauen allen Deutschen gegenüber appelliert. Dem erzählenden Ich begegnen immer wieder Deutsche, die auf irgendeine Art mit seiner Vergangenheit als Opfer des nationalsozialistischen Deutschlands in Verbindung stehen. Das heißt, die Figuren, die im Roman das Merkmal deutsch tragen, haben immer auch etwas mit dem Nationalsozialismus oder mit militärischer Aggression zu tun.

Der Polnische Knoten von J. Ritzerfeld dreht sich um Schauplätze, die auf den nicht enden wollenden Zweiten Weltkrieg verweisen. In drei Erzählsträngen begeben sich ein Dichter, ein Dramaturg und ein Pianist unabhängig voneinander und auf verschiedenen Zeitebenen nach Polen und in die Tschechoslowakei um zu trauern. Für sie bedeutet die Zeit, in der die Geschichte spielt, der 10. Mai 1980: „Fünfunddreißig Jahre Frieden, vierzig Jahre Krieg." Dieser Roman ist ein literarisches Denkmal für die Opfer des Holocaust, dessen Deutschlandbild die Fragen nach Schuld und Verantwortung differenziert erörtert.

Heute bin ich viermal aus dem Zug gestiegen, ohne aufgescheucht zu werden, in einer Gruppe weggetrieben zu werden, in die Reihe zurück-

geprügelt zu werden. Gegen zehn Uhr heute morgen war ich als einziger lebender Schatten mitten in einer 450 ha großen Fläche Lager.

Die Zeichen des Todes erheben sich in Reihen aus der Erde, steinern, hölzern. Tod bis zum Horizont. Wo die explodierten, eingestürzten Feueröfen keine Zeichen mehr sind, sondern der Tod selbst. Das nach dem Krieg dort hineingebaute künstlerische Denkmal sagt lediglich: „Hier wars!" Den drei beinahe zugewachsenen Geleisen entlang gehe ich in Richtung Todesangst. Es weht kein Wind, es fällt kein Regen, es liegt kein Schnee, der Boden ist nicht gefroren. Eine kalte Herbstsonne, die dem Auge Frieden schenkt, hängt an den hunderten Rasenflächen zwischen den Baracken.

Ich war nicht voller Entsetzen, sondern voller Rührung. Ich kam nicht dahin, um mich vor den Mördern zu grausen. Ich kam dahin, um um die Toten zu trauern. Vor dem Eingang zu einem der vier Millionengräber ging ich in die Knie, um einen Stein aufzuheben. Es ist gut aus den für das Gefühl unfaßbaren Millionenzahlen einen einzigen Stein, der nur einen einzigen dir und mir bekannten Namen trägt, in die Hand zu nehmen und zu gedenken.[9]

Der Roman ist selbst ein literarischer Gedenkstein, der voller Trauer um die Toten jede pauschale Verurteilung vermeidet.

Befreit vom historischen Trauma

Erst in den neunziger Jahren wird der Bann des historischen Traumas durchbrochen. Die Reisebeschreibungen von Noteboom *Berliner Notizen*[10] zeigen unvoreingenommenes Interesse an Deutschland, und am deutschen Einigungsprozeß. Mit dem Roman *Die Zwillinge* von Tessa de Loo[11] wird die Metadiskussion über das Deutschlandbild, die gegenseitigen Vorurteile und Feindbilder, zum zentralen Thema in der Literatur. Indem dieser Roman die deutch-niederländische Sprachlosigkeit zum zentralen Thema einer Familientragödie macht, geht er weiter als alle seine Vorläufer. Das sind die Bücher von Simon Vestdijk, Marga Minco über Widerstand und niederländische Opfer und die von Harry Mulisch, Jaap Harten und Ger Verrips über deutsche Täter, Opfer und Widerstand im Zweiten Weltkrieg. Spät, aber gerade noch nicht zu spät gelingt den Zwillingen eine Verständigung über den Menschen im Gegenüber, der hinter den Vorurteilen, Feindbildern und Klischees steht. Die deutsche Schwester wirbt dabei immer wieder um Verständnis, das ihr allerdings

erst posthum zuteil wird. Die Metapher der Überwindung dieser schier
unübersehbaren und in ihrer sicheren Einfalt ja auch angenehmen Mauer
aus stereotypen Bildern öffnet dem Leser auch über die Lektüre hinaus
einen befreiten Blick auf die deutschen Nachbarn. Der Roman fordert
den niederländischen Leser auf sich um Verständnis zu bemühen bevor
es zu spät ist.

Schluß

In seiner chronologisch-linearen Entwicklung durchläuft das Deutschlandbild in niederländischen Romanen drei Phasen: In der Nachkriegszeit befindet es sich noch *„im Bann der Befreiung"* (1945–1958). In einer
zweiten Phase ist es *„befreit von der Befreiung"* (1959–1973), wird dann
aber teilweise zu einem tradierten Alptraum. Damit gerät das Deutschlandbild in einen mythologisierenden *„Bann des historischen Traumas"*
(1974–1990). Seit Anfang der neunziger Jahre hat sich die niederländische
Literatur schließlich *„Befreit vom historischen Trauma"*. Qualitativ wird
hier ein Bogen gespannt von einem eher stereotypen über einen differenzierten wieder zu einem stereotypen Tenor, der sich schließlich zum
positiven differenzierten Deutschlandbild wendet. Dabei entsprechen die
beiden ersten Phasen der allgemeinen Entwicklung der deutsch-niederländischen Beziehungen. Auf politischer und wirtschaftlicher Ebene haben sie sich mit leichten Verzögerungen im politisch-psychologischen Bereich kontinuierlich verbessert. In der dritten Phase laufen die Entwicklungen weit auseinander. Neben differenzierten Bildern von Deutschland
und den Deutschen erscheinen mehr Stereotypen denn je. In der Prosa
von 1974 bis 1990 stecken sie in der mythologisierenden Überlieferung
eines historischen Traumas, das zur Legende transzendiert wird und oft
in einer „Faszination des Bösen" verhaftet ist. Hier werden im literarischen Raum – losgelöst vom ursprünglichen historischen Zusammenhang – Konnotationen nahegelegt, die alles, was deutsch ist, mit Gewalt
und Faschismus assoziieren. Parallel zur politisch-psychologischen Sichtweise Deutschlands in den Niederlanden erscheinen seit 1990 Bücher, die
sich aus dem Bann des historischen Traumas gelöst haben. Dabei steht die
unvoreingenommene literarische Berichterstattung vom deutschen Einigungsprozeß (Cees Noteboom) und der auf Verständigung ausgerichte-
te Austausch von spezifisch niederländischer und deutscher Lebensge-
schichte (Tessa de Loo) im Mittelpunkt. Diese Entwicklung bietet einen
Ausblick, den der Publizist W.L. Brugsma so beschreibt: „Es ist das an-

genehme Gefühl, das man hat, wenn man sich von einem historischen Trauma trennen kann."[12]

Anmerkungen

1 Jan Campert: Das Lied der achtzehn Toten (Het Lied der achttien Doden. Übersetzung: Johannes Piron). In: Europäisches Übersetzer-Kollegium, Straelen (Hrsg.): Unbekannte Nähe. Moderne niederländische Lyrik bis 1980. Straelen 1985, S. 18–21.

2 Gerard Kornelis van het Reve: Der Untergang der Familie Boslowitsch (De Ondergang der Familie Boslowitsch. Übersetzung Johannes Piron). In: Pieter Grashoff (Hrsg.): Niederländische Erzähler der Gegenwart. Eine Anthologie. Stuttgart 1966, S. 210 f.

3 Godfried Bomans: Es riecht hier nach Gas (Het ruikt hier naar Gas. Übersetzung Bernd Müller). In: Van de hak op de tak. Amsterdam/Brussel 1984, S. 25 f.

4 Harry Mulisch: Das steinerne Brautbett (Het stenen Bruidsbed. Übersetzung Johannes Piron). Hamburg 1960, S. 124–125.

5 ders.: Die Zukunft der Vergangenheit (De Toekomst van Gisteren. Übersetzung Bernd Müller). In: Klaus Bittermann, Eingriffe. Jahrbuch für gesellschaftskritische Umtriebe. Berlin 1988, S. 33–34.

6 Armando: Die Wärme der Abneigung. Frankfurt a. M. 1987, S. 73 f.

7 Cees Noteboom: Und die alte Verwirrtheit kommt wieder. Deutschland 1970.

8 De Volkskrant. Samstag, 21.1.1989

9 J. Ritzerfeld: Der Polnische Knoten (De Poolse vlecht, Übersetzung Bernd Müller). Amsterdam 1983, S. 88 f.

10 Cees Noteboom: Berlijnse notities. Amsterdam 1990.

11 Tessa de Loo: De tweeling. Amsterdam 1994.

12 In seinem Vorwort zu Friso Wielengas Standardwerk über die niederländisch-deutschen Beziehungen 1945–1955 „West-Duitsland: partner uit noodzaak". Utrecht 1989, S. X.

Literatur

Armando: Die Wärme der Abneigung. Frankfurt/M. 1987.
J. B. Charles: Volg het spoor terug. Amsterdam 1953.
ders.: Van het kleine koude front. Amsterdam 1963.
Willy Corsari: Die van ons. Amsterdam 1945.
Maurits Dekker: De laars op de nek. Leiden 1945.
Louis Ferron: Gekkenschemer. Amsterdam 1974.
ders.: Het stierenoffer. Amsterdam 1975.
ders.: De keisnijder van Fichtenwald. Amsterdam 1976.
Jaap Harten: De getatoeëerde Lorelei. Amsterdam 1968.
Hellema: Langzame dans als verzoeningsrite. Amsterdam 1982.
ders.: Enige reizen dienden niet ter zake. Amsterdam 1983.
Willem Frederik Hermans: Die Tränen der Akazien. Darmstadt 1968.
ders.: De donkere kamer van Damocles. Amsterdam 1956.
Dirk Ayelt Kooiman: Montyn. Amsterdam 1982.
Tessa de Loo: De tweeling. Amsterdam 1994.
Marga Minco: Bitteres Kraut. Hamburg 1984.
Harry Mulisch: Das Attentat. München 1986.

ders.: Das steinerne Brautbett. Hamburg 1960. (Erscheint im September 1995 in neuer Übersetzung bei Suhrkamp).

ders.: Strafsache 40/61. Eine Reportage über den Eichmann-Prozeß. Berlin 1987.

ders.: Die Zukunft von gestern. Wenn Deutschland den Krieg gewonnen hätte. Berlin 1995.

Cees Noteboom: Berliner Notizen. Frankfurt/M. 1990.

J. Ritzerfeld: Der polnische Knoten. Mannheim 1989.

Ger Verrips: Nathalie. Amsterdam/Brüssel 1974.

Simon Vesterdijk: Pastorale 1943. Rotterdam/'S Gravenhage 1948.

Theun de Vries: Das Mädchen mit dem roten Haar. Roman aus der Widerstandsbewegung 1942-1945. Berlin 1960.

ders: Das Mädchen mit dem roten Haar. Roman aus der Widerstandsbewegung 1942-1945. Darmstadt 1961 (Zweite Auflage: Wien 1962).

Die häßlichen Deutschen?

Niederländische Deutschlandbilder seit 1945

Friso Wielenga

Einleitung

„Die deutsche Demokratie ist in den Niederlanden schon seit Jahren
bedroht. Recht und links, schlau und dumm, arm und reich, jung und
alt: wir lassen uns noch lieber das Nikolausfest abnehmen als den Gedanken, daß die deutsche Demokratie in Gefahr ist."[1] Ironisierend kritisierte
Redakteur Karel Poll vom liberalen *NRC Handelsblad* 1978 die niederländischen Reaktionen auf die innenpolitischen Turbulenzen der siebziger Jahre, als durch den Radikalenerlaß und die Antiterrormaßnahmen
das liberale politische Klima in der Bundesrepublik unter Druck geraten
war. Fünfzehn Jahre später, im Frühsommer 1993, beteiligten sich mehr
als 1 Million Niederländer an einer Postkartenaktion, in der sie nach dem
ausländerfeindlichen Brandanschlag in Solingen Bundeskanzler Helmut
Kohl wissen ließen, über die Attentate auf Ausländer „wütend" zu sein.
Wenn es derartige Ansichten und Empfindlichkeiten so lange nach
Kriegsende noch gab, dann wundert es nicht, daß man für die fünfziger
Jahre nicht lange nach negativen Pauschalurteilen über die Deutschen
und ihre politische Kultur zu suchen braucht. „Deutschland, das sind
die Deutschen ... Sie sind noch genau so selbstsicher wie damals. Sie
werden noch immer von allen Anderen schlecht behandelt. Sie haben es
noch immer nicht gewußt. Und noch immer tragen nicht sie, sondern
die anderen die Schuld. Kurz: Es sind noch immer richtige Deutsche",
so die protestantische Tageszeitung *Trouw* im März 1950.[2] „Härte zeigen
und weitermachen", hieß es 1952 in der katholischen *Volkskrant* über die
deutsche Geisteshaltung, und das, so wurde weiter ausgeführt, sei „eine
Geisteshaltung, die unangetastet von Krieg und Niederlage jetzt wieder öffentlich und schamlos zum Ausdruck komme".[3] Der niederländische Botschafter in Bonn, A.Th. Lamping, sah 1954 in Deutschland eine
mangelnde Bereitschaft zum Kompromiß, ein mangelndes Verständnis
für Minderheiten, einen persönlichen Haß zwischen politischen Gegnern
und einen fehlenden Blick für Proportionen.[4]
In den Begriffen Wachsamkeit und Sensibilität, nicht selten mit einer
unangebrachten moralischen Überlegenheit ausgetragen, wäre die nie-

derländische Haltung gegenüber den Deutschen und ihrer politischen Kultur oberflächlich gesehen zusammenzufassen. Diese Aufzählung ließe sich denn auch beliebig fortführen, und es wäre einfach, auf Grund solcher Beobachtungen die Schlußfolgerung zu ziehen, daß die Deutschen im Urteil der Niederländer ein egozentrisches, larmoyantes und hinsichtlich ihrer politischen Kultur kaum lernfähiges Volk gewesen seien. An dieser Stelle soll jedoch nicht das Bild bestätigt werden, daß das niederländische Wahrnehmungsmuster von den Deutschen und der deutschen Demokratie seit 1945 so eindimensional und von Stereotypen gekennzeichnet gewesen ist, wie es in den Niederlanden und in Deutschland selbst oft dargestellt wird.[5] Hier wird zu zeigen sein, daß bei genauerem Hinschauen der niederländische Blick über die östliche Landesgrenze viel differenzierter und nuancierter gewesen ist, als es die Schlagzeilen immer wieder anzudeuten scheinen. Dazu wird zunächst eine Reihe von Umfrageergebnissen aus der gesamten Nachkriegszeit präsentiert, die bereits zu einer ersten Relativierung der vereinfachten Sichtweise führt. Anschließend wird im zweiten Teil anhand von Pressekommentaren und Äußerungen aus Politik und Diplomatie eine qualitative Analyse von Beobachtungen über die deutsche Frage vorgenommen. Dabei wird zu zeigen sein, daß in den Jahrzehnten nach 1945 zwar immer eine gewisse Ambivalenz zur deutschen Einheit festzustellen war, daß jedoch im Zuge der Adenauerschen Politik der Westintegration das Vertrauen in die westlich orientierte Bundesrepublik bereits schnell wuchs und daß vor diesem Hintergrund die Vereinigung von 1990 durchaus positiv beurteilt wurde. Diese Haltung zur deutschen Einheit ist nur im breiteren Rahmen der Perzeption der Entwicklung der deutschen politischen Kultur zu erklären. Nur weil die Bundesrepublik allmählich als normale westliche Demokratie perzipiert wurde, konnte das vereinigte Deutschland 1990 von den meisten Beobachtern als verläßlicher Partner begrüßt werden. Sicher, es gab im Zuge der Vereinigung auch Kritik und Unbehagen, aber die Schlußfolgerung ist gerechtfertigt, daß die Bundesrepublik Ende der achtziger Jahre schon längst nicht mehr mit den Augen von gestern betrachtet wurde. Es hat sicherlich lange gedauert, bis in den Niederlanden die (west)deutsche Demokratie als stabil und gefestigt galt. Diese Entwicklung wird im dritten Teil präsentiert. Am Ende wird dann die Frage zu beantworten sein, welche Phasen die niederländischen Wahrnehmungsmuster gegenüber Deutschland seit 1945 aufzeichnen und inwiefern ein halbes Jahrhundert nach Kriegsende von einem normalen und ausgewogenen niederländischen Blick über die Ostgrenze gesprochen werden kann.

Deutschlandbilder im Spiegel der Demoskopie

Wer nach den Bildern forscht, die die Niederländer von Deutschland und den Deutschen haben, wird mit verschiedenen Problemfeldern konfrontiert, die in drei Vorbemerkungen zusammengefaßt werden können.

Erstens ist in methodischer Hinsicht zu bedenken, daß schriftliche Quellen, wie in diesem Zusammenhang etwa die Berichterstattung niederländischer Diplomaten und Journalisten, nur Schlußfolgerungen über Kreise erlauben, die sich – sei es auch mit unterschiedlichem Blickwinkel – aus beruflichen Gründen mit Deutschland beschäftigt haben. Die Urteile dieser heterogen zusammengesetzten außenpolitischen Elite können das gesellschaftliche Klima teilweise widerspiegeln und gleichzeitig beeinflussen, sie sind jedoch nicht ohne weiteres mit der öffentlichen Meinung gleichzusetzen.[6] Dazu ist man auf Umfrageergebnisse angewiesen: Sie scheinen oft exakter zu sein als die vielschichtigere Wirklichkeit, doch sie können auch unterschiedlich interpretiert werden. Ihre Aussagekraft darf also nicht überbewertet werden, aber als Indiz für eine Grundstimmung oder deren Entwicklung leisten sie sicherlich eine nützliche Hilfe. Dies gilt umso mehr, wenn sie, wie zum niederländischen Deutschlandbild seit 1945, in großer Menge vorliegen.

Zweitens ist festzustellen, daß es *die* öffentliche Meinung über Deutschland und die Deutschen nicht gibt, und daß immer von einer Vielzahl öffentlicher Meinun*gen* gesprochen werden muß. Genausowenig wie *den* Niederländer oder *den* Deutschen gab es für die Periode 1945–1995 *das* niederländische Deutschlandbild. Wo Pauschalurteile auftauchen, muß stets nachgefragt werden, wer genau mit dem Urteil gemeint ist und von wem die Aussage stammt. Immer ist der persönliche, soziale, ideologische, regionale, generations- und bildungsspezifische Hintergrund des Beobachters in die Beschreibung miteinzubeziehen. Erst dann kann eine differenzierte Analyse des niederländischen Deutschlandbildes vorgenommen werden.[7]

Auch wenn es also *das* niederländische Deutschlandbild nicht gibt, Tatsache ist, daß sehr oft über *die* Deutschen gesprochen wird, genauso wie das in allgemeinen Aussagen über andere Völker der Fall ist. So stellt sich drittens die Frage nach der Bedeutung derartig pauschaler Aussagen. „Nationalcharakter werden erfunden, weil man sie benötigt", schreibt Hermann von der Dunk und weist damit auf den Dualismus des Begriffes „Nationalcharakter" hin.[8] Es gibt sicherlich historische und kulturelle Unterschiede, die Völker voneinander trennen. Problematisch wird es aber, wenn dieses Anderssein in dem statischen und scheinbar objektiven

Begriff des „Nationalcharakters" umgedeutet wird, weil die Wirklichkeit wesentlich differenzierter ist. Andererseits scheint an einem Nationalcharakter auch immer etwas dran zu sein, und so benutzt man Nationaleigenschaften, ja man braucht sie, um die komplexe Außenwelt einordnen zu können und sich ein Bild von ihr zu formen. Derartige Bilder sind immer von Stereotypen durchzogen und zeichnen sich darüber hinaus durch eine große Kontinuität aus. [9]

Vor diesem Hintergrund ist es wichtig festzustellen, daß negative Klischees im niederländischen Deutschlandbild der Nachkriegszeit nicht nur auf Erfahrungen der Besatzungszeit 1940–1945 zurückgeführt werden können. Sicherlich ist es so, daß viele negative Pauschalurteile und Stereotypen über *die* Deutschen durch die Besatzungszeit bestätigt wurden und eine emotionale Dimension bekommen haben, aber wesentliche Merkmale des niederländischen Wahrnehmungsmusters sind älteren Datums. Spätestens seit der Gründung des Zweiten Deutschen Kaiserreiches 1871 haben Mißtrauen und Wachsamkeit gegenüber den so viel größeren Nachbarn den Blick über die Ostgrenze wesentlich geschärft und im kleinen Nachbarland eine Neigung zur Abgrenzung gegenüber Deutschland und den Deutschen zur Folge gehabt. Allerdings war man sich auf niederländischer Seite auch stets darüber im Klaren, daß die wirtschaftlichen Beziehungen zu Deutschland außerordentlich wichtig für das eigene Land waren und intensive Kontakte geradezu notwendig machten. [10] Diese Ambivalenz von einerseits Neigung zur Distanz und Abgrenzung und andererseits dem Bewußtsein, daß intensive Beziehungen von nationalem Interesse sind, bestimmt seit dem 19. Jahrhundert in hohem Maße die niederländischen Wahrnehmungsmuster im Hinblick auf Deutschland. Zusammenfassend läßt sich sagen, daß bei den niederländischen Vorstellungen über den deutschen Nachbarn sehr viele Faktoren in einem komplexen sozialpsychologischen und historischen Zusammenhang ineinanderspielen. Eine Tatsache, die es immer zu bedenken gilt, wenn im folgenden niederländische Deutschlandbilder im scheinbar präzisen und unverzerrten Spiegel der Demoskopie präsentiert werden.

Im Februar 1947 wurde der Bevölkerung fünf westlicher Staaten die Frage vorgelegt: „Was meinen Sie, wird Deutschland ein friedfertiges, demokratisches Volk werden, oder aber ein Land, daß wieder einen Krieg anfangen wird?"

Bemerkenswert ist der Unterschied zwischen den Antworten in den Niederlanden und Frankreich einerseits und denen in den anderen Ländern andererseits. Deutlich wird, daß es in den Niederlanden und in Frankreich ein verhältnismäßig negativeres Bild der Deutschen gab.

Tabelle 1: *Kriegerische oder friedfertige Deutsche (1947)*

	kriegerisch	friedfertig	keine Meinung
Niederlande	63%	14%	23%
Frankreich	63%	10%	27%
Großbritannien	43%	23%	34%
USA	58%	22%	20%
Kanada	58%	20%	22%

Quelle: Polls-Archiv, Baschwitz-Institut Amsterdam; NIPO-Bericht Nr. 81, 5.2.1947

Auffällig ist weiter die verhältnismäßig geringe Zahl der Briten, die die Deutschen als kriegerisch beurteilten.

In dieser Umfrage von Anfang 1947 wurde auch die Frage nach der Gesinnung gestellt: „Wie stehen Sie zum deutschen Volk, freundlich oder unfreundlich?"

Tabelle 2: *Im internationalen Vergleich: freundlich oder unfreundlich dem deutschen Volk gegenüber (1947)*

	freundlich	unfreundlich	keine Meinung
Niederlande	29%	53%	18%
Frankreich	3%	56%	41%
Großbritannien	42%	36%	22%
USA	45%	28%	27%
Kanada	41%	28%	31%
Dänemark	40%	32%	28%

Quelle: Polls-Archiv, Baschwitz-Institut, Amsterdam; NIPO-Bericht Nr. 81, 5.2.1947; für Dänemark, *Die Tat*, 17.6.1947

Auffällig ist erneut die im Vergleich zu den anderen Ländern große Zahl der „Unfreundlichen" in den Niederlanden und in Frankreich. Hier bezeichneten sich mehr als 50% der Befragten als den Deutschen „unfreundlich" gesonnen, während dieser Prozentsatz in den anderen Ländern deutlich unter 40% lag. Auch hinsichtlich derjenigen, die sich als „freundlich" bezeichneten, sind die Unterschiede zwischen den befragten Völkern recht deutlich. Während bei den Briten, Amerikanern, Kanadiern und Dänen etwa zwischen 40 und 45% der Befragten meinten, sie seien den Deutschen „freundlich" gesonnen, betrug dieser Prozentsatz bei den Niederländern 29% und bei den Franzosen nur 3%.

In den Niederlanden ist auch in den Jahren nach 1947 der Bevölkerung die gleiche Frage noch verschiedene Male gestellt worden. Die Ergebnisse zeigen eine deutliche Entwicklung auf:

Es fällt hier das seit 1948 rasch positiver werdende Deutschlandbild besonders ins Auge: Schon Anfang 1950 war die Zahl der „Freundlichen"

Tabelle 3: Freundlich oder unfreundlich dem deutschen Volk gegenüber (1947–1971)

	freundlich	unfreundlich	keine Meinung
Jan. 1947	29%	53%	18%
Jan. 1948	27%	50%	23%
Jan. 1950	36%	36%	28%
Dez. 1952	41%	30%	28%
Nov. 1953	54%	17%	29%
Juli 1965	68%	20%	12%
Febr. 1971	86%	12%	2%

Quelle: Zo zijn wij. De eerste 25 jaar NIPO-onderzoek, Amsterdam/Brüssel 1970, S. 141.
1971: NIPO-Bericht, Nr. 1407, 26.2.1971

und die der „Unfreundlichen" gleich groß. Die Zahl der „Freundlichen" stieg schnell weiter an: Ab Ende 1953 gab es eine Mehrheit der Befragten, die aussagten, sie stünden den Deutschen freundlich gegenüber, und diese Mehrheit war 1971 mit 86% sogar überwältigend groß geworden. Bemerkenswert ist auch die starke Verringerung derjenigen, die seit den fünfziger Jahren „keine Meinung" über die Deutschen hatten. Für 1971 sind die Ergebnisse auch nach Generationen aufgeschlüsselt. Daraus geht hervor, daß die älteren Befragten weniger freundlich waren; ein Ergebnis, das sicherlich mit Erinnerungen an die Besatzungszeit in Zusammenhang gebracht werden muß.

Tabelle 4: Freundlich oder unfreundlich dem deutschen Volk gegenüber – nach Alter (1971)

Alter	freundlich	unfreundlich	keine Meinung
18–24	96%	2%	2%
25–44	90%	9%	1%
45–64	83%	15%	2%
65–	75%	21%	4%

Quelle: NIPO-Bericht, Nr. 1407, 26.2.1971

Auch wenn die Frage „Wie stehen Sie zum deutschen Volk, freundlich oder unfreundlich?" recht unpräzise ist, die Antworten zeigen schon einen deutlichen Trend auf und relativieren das Bild der „anti-deutschen" Niederlande. Bestätigt wird dies durch eine andere Reihe von Umfragen. 1965, 1968 und 1969 wurde die Bevölkerung gefragt: „Welches Land ist ihrer Meinung nach der beste Freund der Niederlande?" Zwar rangierten Belgien und die Vereinigten Staaten drei Mal an erster und zweiter Stelle ganz oben mit 35, 30 und 28% bzw. 25, 20 und 26%, aber die Bundesrepublik und Großbritannien teilten sich den dritten Platz mit jeweils durchschnittlich etwa 8%. Alle andere Länder blieben in diesen Jahren durchschnittlich deutlich unter 5%.[11] 1983 wurde diese Frage allgemeiner gestellt, und es konnten mehrere Länder angekreuzt werden („Welche Länder sind Ihrer Meinung nach Freunde der Niederlande?"). 70% der Befragten nannten die Bundesrepublik, die damit nach Belgien (84%), den Vereinigten Staaten (77%) und Großbritannien (75%) an vierter Stelle und deutlich vor Frankreich (64%), Dänemark (63%) und vielen anderen Ländern lag.[12]

Für die frühen sechziger Jahre liegt eine ausführliche „Holland-Studie" von M. Koch und C. Lakaschus 1963 mit teils positiven, teils negativen Ergebnissen vor. Durchaus vergleichbar mit dem oben angedeuteten relativ guten Abschneiden Deutschlands war die Antwort auf die Frage: „Welche Nation ist Ihnen am sympathischsten?"

Tabelle 5: Sympathischste Nation (1962/1963)

Österreicher	12%	Franzosen	10%
Engländer	11%	Schweizer	7%
Amerikaner	11%	Schweden	4%
Deutsche	10%	Italiener	2%
Belgier	10%	Weiß nicht	16%

Quelle: M. Koch und C. Lakaschus: Das Deutschenbild der Niederländer. (Quick, Holland-Studie 1964), S. 37

Während die Deutschen bei dieser Frage gut abschnitten, sah es sehr viel schlechter bei der Frage nach der „unsympathischsten Nation" aus, denn hier standen die Deutschen ganz einsam an der Spitze. In den Worten von Koch und Lakaschus: „Das Problem in Holland besteht für die Deutschen nicht darin, daß sie zuwenig Freunde, sondern vor allem darin, daß sie zuviele Feinde haben."[13]

Tabelle 6: Unsympathischste Nation (1962/1963)

Deutsche	31%	Ungarn	4%
Engländer	9%	Schweizer	3%
Italiener	9%	Österreicher	1%
Belgier	6%	Schweden	1%
Amerikaner	5%	Weiß nicht	27%
Franzosen	4%		

Quelle: Koch, Lakaschus: Deutschenbild, S. 38

Aufgeteilt nach Altersgruppen ist bei der Frage nach der „sympathischsten Nation" kein sehr deutlicher Unterschied festzustellen, wenn auch die Über-vierzig-Jährigen geringfügig unter dem Durchschnitt von 10%

lagen. Dagegen waren die Bis-dreißig-Jährigen bei der Frage nach der „unsympathischsten Nation" mit 24% deutlich unter dem Durchschnitt, und die Älteren zwischen 50 und 60 Jahren mit knapp 40% deutlich überrepräsentiert. Problematisch war vor allem, daß es sich bei denjenigen, die Deutschland die „unsympathischste Nation" nannten, eher um „den tonangebenden Teil" der Bevölkerung handelte, wie Koch und Lakaschus feststellten: „Es sind die höhergestellten, die älteren, diejenigen, die in den Großstädten, in den kulturellen Zentren wohnen. Es sind die Meinungsbilder, die „opinionleaders", die überwiegend in den Provinzen Nord- und Südholland leben und eher reformiert sind. Umgekehrt handelte es sich bei den sogenannten „Deutschfreunden" eher um Katholiken, jünger als 30 Jahre, aus den unteren Schichten, aus den Kleinstädten und aus dem Grenzgebiet. Das Problem für die Deutschen ist also nicht nur, daß sie zu viele „Feinde" haben, sondern auch, so Koch und Lakaschus, daß sie die „die falschen Freunde" haben. Das heißt, bei den Freunden handelte es sich Anfang der sechziger Jahre nicht um die einflußreichen Eliten, die das Meinungsklima bestimmten, sondern um Leute aus der politisch-kulturellen Peripherie.[14]

Abgesehen von allgemeinen Fragen zum Deutschlandbild wurde in der „Holland-Studie" auch nach der Meinung über die politische Kultur geforscht. Die Anwort auf die Frage „Halten Sie die Bundesrepublik Deutschland für ein demokratisches Land?" zeigt, daß Anfang der sechziger Jahre bereits eine deutliche Mehrheit Vertrauen zur deutschen Nachkriegsdemokratie gewonnen hatte: 61% antworteten mit „ja", nur 12% mit „nein", während 27% „weiß nicht" angaben.[15]

1979 wurde der Bevölkerung eine ähnliche Fragenreihe vorgelegt, die bei den Ergebnissen der sogenannten Clingendael-Umfrage 1992/1993 für so viel Wirbel sorgen würde. Meinten 1992 47% der Jugendlichen von 15 bis 19, Deutschland wolle die Welt erobern, und 46%, Deutschland sei kriegerisch, sah dies 1979 bei der Gesamtbevölkerung ganz anders aus.[16]

Ein sehr positives Deutschlandbild läßt sich aus dieser Umfrage zwar nicht ableiten, aber die Bundesrepublik schnitt durchaus besser ab als die Vereinigten Staaten, und nur relativ wenige unterstellten der Bundesrepublik Eroberungswillen oder eine kriegerische Einstellung. Daß fast ein Fünftel der Befragten der Meinung war, in der Bundesrepublik gebe es politische Häftlinge, ist wahrscheinlich dadurch zu erklären, daß die deutsche Terrorbekämpfung der siebziger Jahre in den Niederlanden durchaus kritisch verfolgt wurde und daß die damit zusammenhängenden innenpolitischen Turbulenzen 1979 noch nachwirkten.

Ein im Vergleich zu den Vereinigten Staaten erneut positiveres Bild

Tabelle 7: Niederländer über die USA, die Niederlande und die Bundesrepublik (1979)

	USA	Niederlande	Bundesrepublik
will die Welt erobern	28,8%	0,7%	5,1%
ist unzuverlässig	10,1%	4,8%	10,9%
ist fortschrittlich	46,7%	51,9%	50,5%
es gibt politische Häftlinge	13,4%	5,1%	19,4%
Menschen leben in Unfreiheit	3,4%	1,0%	6,0%
ist kriegerisch	11,6%	0,8%	8,5%
ist friedfertig	22,0%	68,0%	23,7%

Quelle: Ch. J. Vaneker und Ph. P. Everts: Buitenlandse politiek in de Nederlandse publieke opinie. Clingendael, Den Haag, 1984, S. 114

Tabelle 8: Außenpolitik USA, Bundesrepublik und Sowjetunion (1983)

	USA	Bundesrepublik	Sowjetunion
positiv	29%	51%	5%
negativ	28%	6%	63%
keine Meinung	43%	43%	32%

Quelle: Vaneker, Everts: Politiek, S. 158

ergab sich 1983, als die Bevölkerung nach ihrer Meinung über die Außenpolitik der Vereinigten Staaten, der Bundesrepublik und der Sowjetunion gefragt wurde.

Nicht nur im Vergleich zu den Vereinigten Staaten schnitt die Außenpolitik der Bundesrepublik 1983 positiv ab. Die Antwort auf die Frage „Welche Länder betreiben Ihrer Meinung nach eine gute bzw. eine schlechte Außenpolitik?" ergab folgendes Bild mit der Bundesrepublik an dritter Stelle nach den neutralen Staaten Schweden und Schweiz (Tabelle 9).

Dieses verhältnismäßig positive Deutschlandbild zeigte sich auch in der Beurteilung der allgemeinen Regierungspolitik der Vereinigten Staaten, der Bundesrepublik und der Sowjetunion. Mit Abstand schnitt die Bundesregierung 1983 am besten ab (Tabelle 10):

Zeigen die Tabellen 7 bis 10, daß die Politik der Bundesrepublik am Ende der siebziger und Anfang der achtziger Jahre deutlich positiver betrachtet wurde als die der Vereinigten Staaten – ein Ergebnis, das sicherlich mit der anfänglich kritischen Meinungsbildung über die Reagan-Ära zusammenhängt – auch im Hinblick auf die Art und Weise, wie die Menschen in diesen Staaten leben und miteinander umgehen, zeigte sich bei den befragten Niederländern ein verhältnismäßig positives Deutschlandbild:

Tabelle 9: Außenpolitik im internationalen Vergleich (1983)

	gute Außenpolitik	schlechte Außenpolitik
Schweden	26%	2%
Schweiz	25%	2%
Bundesrepublik Deutschland	23%	3%
USA	21%	23%
Dänemark	16%	1%
Großbritannien	14%	7%
Österreich	13%	2%
Frankreich	12%	9%
Belgien	12%	3%

Quelle: Vaneker, Everts: Politiek S. 165

Tabelle 10: Regierungspolitik allgemein in den USA, der Bundesrepublik und der Sowjetunion (1983)

	USA	Bundesrepublik	Sowjetunion
positiv	19%	37%	5%
negativ	35%	8%	66%
keine Meinung	46%	55%	29%

Quelle: Vaneker, Everts: Politiek, S. 158

In der gleichen Umfrage wurde auch die ganz allgemeine Frage gestellt: „Sind Sie proamerikanisch/-französisch/-britisch/-deutsch, antiamerikanisch/usw., oder neutral?"

Zwar fällt auf, daß Deutschland und die Deutschen schlechter dastehen als die anderen genannten Staaten und Völker, die Unterschiede halten sich jedoch, abgesehen von der deutlich „probritischen" Haltung der Befragten, deutlich in Grenzen. Im gleichen Jahr antworteten insgesamt 52% der Befragten, daß sie eine positive Haltung gegenüber Deutschland hätten, bzw. diesen Staat bewunderten. Für die Vereinigten Staaten, Frankreich und Großbritannien waren die Prozentsätze 64, 49, und 50. [17] Etwas anders formuliert lautete die Frage: „Unten sind Länder innerhalb und außerhalb Europas aufgelistet. Sind auch Länder dabei, die sie bewun-

Tabelle 11: Leben und Verhalten der Menschen (1983)

	USA	Bundesrepublik	Sowjetunion
positiv	31%	51%	14%
negativ	21%	6%	29%
keine Meinung	48%	43%	57%

Quelle: Vaneker, Everts: Politiek, S. 158

Tabelle 12: Pro- oder antiamerikanisch, -französisch, -britisch, -deutsch.

	amerik.	franz.	brit.	deutsch
pro	28%	25,3%	37%	23%
anti	10%	5,9%	5%	10%
neutral	58%	64,1%	55%	64%
keine Meinung oder Angabe	3%	4,7%	3%	3%

Quelle: Vaneker, Everts: Politiek, S. 166

dern, zu denen Sie im allgemeinen eine positive Haltung einnehmen? Sind Länder dabei, gegenüber denen Sie eine Abneigung haben?"

Tabelle 13: Bewunderung und Abneigung gegenüber verschiedenen Ländern (1983)

	Bewunderung	Abneigung
Schweiz	35%	1%
Schweden	28%	1%
Österreich	28%	1%
Bundesrepublik Deutschland	24%	4%
Belgien	23%	1%
Frankreich	21%	2%
Dänemark	21%	–
USA	21%	15%
Japan	19%	9%
Großbritannien	18%	4%
Spanien	11%	6%

Quelle: Vaneker, Everts: Politiek, S. 158

Wenn auch die Unterschiede im Hinblick auf Bewunderung nicht gerade groß sind, ist bemerkenswert, daß die Bundesrepublik nach den neutralen europäischen Staaten die meiste Bewunderung hervorruft und sozusagen das „Mittelfeld" anführt. Von einer deutlich ausgeprägten Abneigung gegenüber Deutschland kann keine Rede sein, nur den Vereinigten Staaten und Japan gegenüber ist dies der Fall.

Faßt man die Umfrageergebnisse der späten siebziger und frühen achtziger Jahre zusammen, so ist festzustellen, daß nicht von einem negativen Deutschlandbild gesprochen werden kann und daß die Bundesrepublik im positiven Sinne durchaus vergleichbar mit den anderen westeuropäischen Staaten abschneidet. Wenn in diesen Jahren von einem Staat gesagt werden kann, daß er negative Gefühle hervorruft, dann sind es die Vereinigten Staaten.

Dieser Befund bezüglich des niederländischen Deutschlandbildes ist auch Ende der achtziger Jahre festzustellen. 1987 wurde den Befragten eine Länderliste gezeigt, wobei die Frage gestellt wurde, zu welchem Land man Vertrauen hat und für welches Land die Niederlande ein echter Bundesgenosse sein sollten.

Tabelle 14: Vertrauen und Bundesgenosse im Vergleich (1987)

	Vertrauen	Bundesgenosse	(Rang)
Schweiz	40%	21%	(8)
Schweden	38%	23%	(7)
Bundesrepublik Deutschland	33%	46%	(2)
Belgien	29%	48%	(1)
USA	28%	37%	(3)
Dänemark	26%	25%	(6)
Frankreich	22%	31%	(5)
Großbritannien	22%	34%	(4)

Quelle: NIPO 1987, in: Der niederländische Beirat für Frieden und Sicherheit (Hrsg.): Deutschland als Partner. Den Haag 1994, S. 78

Genau wie 1983 bei der Frage nach Bewunderung rangierte die Bundesrepublik 1987 im Hinblick auf Vertrauen an gehobener Stelle nach den neutralen Staaten, als erwünschter Bundesgenosse sogar an zweiter Stelle nach Belgien und mit einem bemerkenswerten Unterschied zu den Vereinigten Staaten, Großbritannien und Frankreich. Über einen längeren Zeitraum (1976–1993) betrachtet wird deutlich, daß die Ergebnisse von 1987 in der „Vertrauensfrage" überdurchschnittlich gut waren, aber daß die Deutschen im Vergleich zu anderen Völkern auch in dieser Periode sicher nicht schlecht abschnitten (Tabelle 15).

Tabelle 15: Vertrauen von Niederländern zu verschiedenen Völkern (1976–1993)[a]

	1976		1980		1986		1990		1993	
Niederländer	2,99	(1)	3,07	(1)	2,83	(1)	3,46	(1)	3,36	(1)
Belgier	2,53	(2)	2,92	(2)	2,77	(2)	3,36	(2)	3,30	(2)
Amerikaner	2,34	(4)	2,87	(3)	2,32	(5)	3,07	(3)	3,01	(3)
(West-)Deutsche	2,44	(3)	2,56	(5)	2,54	(3)	2,95	(5)	2,86	(5)
Briten	2,30	(5)	2,76	(4)	2,51	(4)	3,07	(3)	2,99	(4)
Franzosen	2,00	(6)	2,36	(6)	2,26	(6)	2,96	(4)	2,85	(6)
Spanier	–	–	2,20	(7)	1.98	(7)	2,69	(6)	2,69	(7)
Italiener	1,67	(7)	1,86	(8)	1,88	(8)	2,60	(7)	2,41	(8)

[a] Die Zahlen sind Durchschnittswerte; ‚viel Vertrauen' (=4), ‚etwas Vertrauen' (=3), ‚nicht viel Vertrauen' (=2); ‚kein Vertrauen' (=1).
Quelle: Eurobarometer, Beirat (Hrsg.): Deutschland, S. 81 (Auswahl)

Am meisten vertrauten die Niederländer sich selbst und den Belgiern, am wenigsten den Italienern und Spaniern. Die Deutschen standen zwei Mal an dritter Stelle (1976) und drei Mal an fünfter Stelle (1980, 1990, 1993) und schnitten damit kurz hinter den Briten, aber stets vor den Franzosen ab.

1989 führte das Allensbacher Institut für Demoskopie eine Umfrage über die Deutschen in sechs europäischen Ländern durch. „Einmal abgesehen von Ihrer Meinung: Glauben Sie, daß die meisten Leute in ... (jeweiliges Land) die Deutschen mögen, oder mögen Sie die nicht besonders?", lautete die erste Frage (Tabelle 16).

Tabelle 16: Sympathie für die Deutschen im internationalen Meinungs-klima (1989)

Die meisten Leute in ...	mögen die Deutschen	mögen sie nicht
Spanien	43%	24%
Frankreich	38%	37%
Schweden	36%	44%
Niederlande	30%	54%
Italien	26%	53%
Großbritannien	23%	44%

Quelle: Allensbacher Archiv, Internationale Umfrage 1989

Nur in Spanien meinten deutlich mehr Befragte, daß im eigenen Land von einem guten Meinungsklima den Deutschen gegenüber gesprochen werden könne. In den Niederlanden hatten 54% der Befragten den Eindruck, daß die eigene Bevölkerung die Deutschen nicht besonders möge, während 30% der Meinung waren, daß die Niederländer den Deutschen sympathisch gegenüber stünden. Aus diesen Daten geht hervor, daß die Niederländer ebenso wie die Italiener und in geringerem Maßen auch die Briten meinten, daß in ihrem Land ein deutlich ungünstiges Klima den Deutschen gegenüber vorherrsche. Anders formuliert: In den Niederlanden meinten mehr Befragte als sonstwo, daß die eigene Bevölkerung negativ auf die Deutschen reagiere.[18] Interessanterweise sah das Bild ganz anders aus, als die Befragten über ihre persönliche Einstellung aussagten: „Einmal ganz allgemein gefragt: Mögen Sie eigentlich die Deutschen, oder mögen Sie sie nicht besonders?" (Tabelle 17).

Auffällig ist, daß die Niederländer zwar meinten, daß das Meinungsklima in ihrem Land den Deutschen gegenüber ungünstig sei (Tabelle 16), daß es in Wirklichkeit jedoch ein viel günstigeres Bild gab und die Niederländer zusammen mit den Schweden nach dieser Umfrage sogar das positivste Deutschenbild aufwiesen.

Tabelle 17: Sympathiewerte gegenüber den Deutschen im internationalen Vergleich (1989)

	mag die Deutschen	mag sie nicht besonders
Niederlande	56%	27%
Schweden	56%	24%
Frankreich	52%	26%
Spanien	47%	20%
Großbritannien	39%	25%
Italien	34%	35%

Quelle: Allensbacher Archiv, Internationale Umfragen 1989

Vergleichbar positive Ergebnisse vermittelte das Allensbacher Institut für Demoskopie in der Frage nach Nähe und Distanz zu Deutschland in den sechs genannten Ländern. „Man sagt ja von einem Menschen, daß er einem nah oder fern steht. Das kann man auch auf Länder übertragen. Könnten Sie mir sagen, wie nahe oder fern sich ... (Ländername) und die Bundesrepublik heute stehen?" (Skalenstufen von 1 (= nahe) bis 10 (= weit voneinander entfernt).

Tabelle 18: Empfindung von Nähe und Distanz (1989)

	Nähe (Skalenstufen 1–4)	Distanz (Skalenstufen 7–10)
Niederlande	44%	15%
Frankreich	39%	18%
Schweden	36%	15%
Großbritannien	26%	22%
Spanien	25%	23%
Italien	15%	51%

Quelle: Allensbacher Archiv, Internationale Umfrage 1989

Aus diesen Ergebnissen geht sogar hervor, daß die Niederländer im Vergleich zu den anderen befragten Völkern die größte Nähe und die geringste Distanz Deutschland gegenüber empfinden. Hinzuzufügen ist übrigens, daß Empfindung von Nähe nicht zwangsläufig zu positiven Bildern führt. Wie am Ende dieses Beitrags noch anzusprechen ist, kann gerade im niederländisch-deutschen Kontext diese Nähe mit einer niederländischen Neigung zur Abgrenzung den Deutschen gegenüber in Verbindung gebracht werden.

Eine wichtige Frage in Zusammenhang mit der Meinungsbildung über Deutschland ist, inwiefern die Nazi-Vergangenheit noch das heutige Bild (mit)bestimmt. In der internationalen Umfrage aus dem Jahre 1989 wurde dies vom Allensbacher Institut folgendermaßen formuliert: „Es gibt verschiedene Ansichten dazu, wie stark das Bild von Deutschland noch heute durch die Nazi-Vergangenheit geprägt ist. Die einen sagen ‚Der Holocaust und die Nazi-Vergangenheit prägen auch heute noch mehr als alles andere das Bild der Deutschen'. Die anderen sagen: ‚Es ist richtig, im Fernsehen sieht man immer wieder Filme, die in der Nazi-Zeit spielen. Aber das Bild von Deutschland wird davon nicht mehr geprägt'. Wie denken Sie?"

Tabelle 19: Schatten der Vergangenheit im Deutschlandbild (1989)

	Die Nazi-Vergangenheit	
	prägt das Bild	prägt das Bild nicht mehr
Frankreich	20%	68%
Spanien	24%	56%
Schweden	29%	58%
Großbritannien	35%	50%
Niederlande	35%	48%
Italien	43%	41%

Quelle: Allensbacher Archiv, Internationale Umfrage 1989

Zwar meinten 48% der niederländischen Befragten, daß die Nazi-Vergangenheit das Deutschlandbild nicht mehr präge, doch spielt diese Vergangenheit bei 35% der Befragten im heutigen niederländischen Deutschlandbild ebenso wie im britischen Deutschlandbild noch eine relativ starke Rolle: Nur in Italien war dies noch stärker der Fall.

Schließlich stellt sich die Frage nach der Haltung der Niederländer in bezug auf die deutsche Vereinigung. Im November 1989 und im Februar 1990 führte Eurobarometer in den 12 EG-Staaten dazu eine Umfrage durch (Tabelle 20).

Aus dieser Tabelle geht hervor, daß es im November 1989 in den südlichen Mitgliedstaaten der Europäischen Gemeinschaft, in Frankreich und in Irland überdurchschnittlich viele Befürworter der deutschen Vereinigung gab. Die Niederlande lagen mit 76% Befürwortern nur knapp unter dem Durchschnitt, aber waren deutlich positiver eingestellt als die anderen Beneluxstaaten und Dänemark. Im Februar 1990 war die Zustimmung in allen Ländern geringer geworden, in den Niederlanden jedoch überdurchschnittlich. Im Vergleich zu den anderen kleinen Nachbarländern fielen die Niederländer in ihrer Zustimmung aber nicht aus dem Rahmen, sondern befanden sich eher an gehobener Stelle.

Wenn man mehrere in den Niederlanden durchgeführte Umfragen zur deutschen Einheit aus der Periode zwischen März 1989 und Oktober 1990 zusammenstellt, entsteht folgendes Bild:

Tabelle 20: Haltung zur deutschen Vereinigung im internationalen Vergleich (November 1989 und Februar 1990)

	Für		Gegen		Keine Meinung	
	11/89	2/90	11/89	2/90	11/89	2/90
Spanien	84%	81%	7%	5%	9%	13%
Portugal	83%	74%	7%	5%	10%	21%
Griechenland	83%	74%	3%	11%	15%	15%
Irland	81%	75%	7%	8%	13%	18%
Italien	80%	77%	10%	11%	10%	12%
Frankreich	80%	66%	9%	15%	10%	19%
Deutschland	78%	77%	14%	11%	8%	11%
Niederlande	76%	59%	12%	21%	12%	20%
Großbritannien	71%	64%	17%	18%	12%	17%
Belgien	71%	61%	15%	19%	14%	19%
Luxemburg	63%	52%	28%	25%	9%	23%
Dänemark	59%	56%	22%	26%	19%	18%
EG 12 (Durchschnitt)	78%	71%	12%	13%	11%	16%

Quelle: Eurobarometer

Tabelle 21: Haltung zur deutschen Vereinigung (März 1989 bis Oktober 1990)

Quelle	Monat/Jahr	dafür	dagegen	weiß nicht keine Meinung
NIPO[a]	03/89	57%	14%	22%
Flash/Euro-Barometer	11/89	76%	12%	12%
Intomart	13.11.89	60%	18%	22%
Interview	29.11.89	54%	27%	19%
NIPO[b]	02/90	51%	24%	5%
Interview	15.02/90	52%	23%	25%
Intomart	02/90	50%	25%	25%
NIPO	03/90	66%	24%	10%
NIPO	04/90	64%	22%	14%
Intomart	07/90	67%	9%	25%
Flash/Euro-barometer	10/90	70%	16%	14%
Eurobarometer	11/90	70%	16%	15%

[a] ,gleichgültig': 7%

[b] ,gleichgültig': 20%

Quelle: Beirat (Hrsg.): Deutschland, S. 86

Auch wenn es erhebliche Fluktuationen zwischen den Ergebnissen gab, zeigte sich fast dauernd eine deutliche absolute Mehrheit (bis 76%) für die Vereinigung. Der Prozentsatz der Gegner fluktuierte von 9 bis 27% und der Unentschiedenen bzw. Gleichgültigen von 5 bis 25%. Sucht man nach einem roten Faden in den Antworten, dann kann von einer eindeutigen konsistenten Struktur nicht die Rede sein, höchstens von einem gewissen Trend, der darauf hinweist, daß von Ende November 1989 bis Februar 1990 die Zahl der Befürworter geringer war als vor und nach diesem Zeitraum. Die Erklärung liegt möglicherweise darin, daß bis zur Präsentation des 10-Punkte-Plans von Helmut Kohl am 28. November 1989 die Frage nach der deutschen Vereinigung trotz des Mauerfalls eher noch als theoretisch und als noch nicht aktuell empfunden wurde. Als die deutsche Vereinigung sich Anfang 1990 tatsächlich reell abzeichnete, wuchs das Unbehagen und verringerte sich die Zustimmung, stieg jedoch wieder ab März auf 70% im Oktober an. Die Zahl der Gegner und der Unentschiedenen bzw. Gleichgültigen verringerte sich, entweder weil man sich damit abfand, daß die Vereinigung nicht mehr aufzuhalten war,[19] oder weil man nach anfänglicher Skepsis feststellte, daß Deutschland sich nicht im nationalistischen Rausch, sondern nach demokratischen Spielregeln vereinigte.

Die sogenannte Clingendael-Umfrage hat bekanntlich ein negatives Deutschlandbild unter jugendlichen Niederländern aufgezeigt. Interessanterweise galt das nicht ohne weiteres für die Haltung Jugendlicher im Hinblick auf die deutsche Vereinigung, wie eine Umfrage vom Ende November 1989 deutlich macht.

Tabelle 22: Einstellung zur Vereinigung nach Alter (November 1989)

Alter	dafür	dagegen	weiß nicht keine Meinung
18–24 Jahre	65%	25%	10%
25–34 Jahre	57%	21%	22%
35–44 Jahre	55%	26%	19%
45–54 Jahre	52%	31%	17%
55–64 Jahre	47%	31%	22%
65–	44%	37%	19%
Gesamt	54%	27%	19%

Quelle: Algemeen Dagblad, 1.12.1989

Der Tabelle läßt sich sehr deutlich entnehmen, daß die Anzahl der Befürworter mit steigendem Alter der Befragten abnahm, während umgekehrt die Zahl der Gegner gerade unter den älteren Generationen größer war. Nicht völlig in Übereinstimmung mit dieser Umfrage vom Ende November 1989 war die Altersverteilung bei der Interview-Umfrage von Mitte Februar 1990. Zwar waren erneut unter den Älteren die meisten Gegner zu finden – diesmal vor allem in der Altersgruppe der 55–64jährigen (42%) –, doch die meisten Befürworter waren nun zwischen 35 und

44 Jahre alt (64%). Im Gegensatz zur Umfrage vom November 1989 lag die Gruppe der 18–24jährigen unter dem Durchschnitt: lediglich 47% sprachen sich für die deutsche Vereinigung aus. [20]

Faßt man die präsentierten Umfrageergebnisse aus dem Zeitraum 1947–1990 zusammen, dann besteht sicher Anlaß zur Revision des Klischees der antideutschen Niederlande. Sowohl das Klischee wie auch dessen Revision springen in der Allensbacher Umfrage aus dem Jahre 1989 ins Auge (Tabelle 16 und 17). Gefragt nach dem allgemeinen Meinungsklima Deutschland und den Deutschen gegenüber meinte eine deutliche Mehrheit (54%), dies sei negativ, aber der persönliche Blick über die Ostgrenze war für eine vergleichbare Mehrheit (56%) positiv. Bestätigt wurde diese Einstellung in der Frage nach Nähe und Distanz aus dem gleichen Jahr (Tabelle 18). Auch wenn Empfindung von Nähe mit einer Neigung zur Abgrenzung verbunden werden kann, bleibt bemerkenswert, daß die Niederländer mehr Nähe und weniger Distanz gegenüber Deutschland und den Deutschen empfanden als die anderen befragten Völker. Daß auf jeden Fall von einer Entwicklung in positive Richtung gesprochen werden kann und daß diese auch schon länger vorgegeben war, zeigt die Antwort auf die zwar unpräzise Frage „Wie stehen Sie zum deutschen Volk, freundlich oder unfreundlich?" (1947–1971; Tabelle 3): Bis 1971 war die Zahl der „Freundlichen" auf 86% angestiegen.

Wenn auch die anderen Umfragen dieses sehr positive allgemeine Bild nicht bestätigen, aus verschiedenen anderen Tabellen (12 bis 15) geht hervor, daß im internationalen Vergleich Deutschland und die Deutschen meistens nicht schlechter und manchmal sogar besser abschnitten als andere westliche Länder. Nur einmal, in einer Umfrage aus 1962/63, springt ein sehr negatives Deutschlandbild ins Auge (Tabelle 6), während auch die Schatten der deutschen Vergangenheit in den Niederlanden ein wenig stärker als in anderen Länder nachwirken (Tabelle 19). Bemerkenswert ist schließlich die deutlich positive Beurteilung der deutschen Außenpolitik in den frühen achtziger Jahren (Tabelle 8 und 9), sowie die durchaus positive Meinung zur deutschen Vereinigung 1989/90 (Tabelle 20, 21 und 22). Auch im Vergleich zu anderen EG-Nachbarstaaten Deutschlands fiel die niederländische Haltung zur deutschen Einheit nicht negativ aus, im November 1989 sogar eher positiv. Sind die Niederlande antideutsch oder sogar deutschfeindlich? Im Spiegel der Demoskopie läßt sich diese Frage auf jeden Fall für die achtziger Jahre nicht mehr bejahen.

Zwischen Mittellage und Partnerschaft. Ansichten über Deutschland in Europa.

Inwieweit läßt sich nun diese auf Grund von demoskopischen Daten gezogene Schlußfolgerung durch eine qualitative Analyse der Meinungsbildung in Politik und Presse untermauern? Dazu sollen zunächst die niederländischen Ansichten zur deutschen Frage im Zeitraum 1949–1990 dargestellt werden. Anschließend ist dann auf die Frage einzugehen, wie die Entwicklung der deutschen Nachkriegsdemokratie beurteilt wurde.

In der niederländischen Politik gegenüber der Bundesrepublik gibt es für die gesamte Periode 1949–1989 einen roten Faden, und der heißt Integration, Einbettung des westdeutschen Staates in die westliche Zusammenarbeit. Sowohl für diejenigen, die in der frühen Nachkriegszeit noch auf eine mögliche neue deutsche Gefahr fixiert waren, als auch für diejenigen, die ab 1947/48 im Kalten Krieg primär Angst vor der Sowjetunion hatten, bot diese Integrationspolitik seit der Gründung der Bundesrepublik die passende Antwort. Denn es würde einer in den Westen eingebundenen und deshalb auch von der westlichen Zusammenarbeit abhängigen Bundesrepublik an Spielraum für erneute machtpolitische Abenteuer fehlen. Zugleich bedeutete Integration die als notwendig empfundene westliche Verstärkung gegen die Sowjetunion. Darüber hinaus bot eine westdeutsche Integration dem Westen die Gelegenheit, den Wiederaufbau Deutschlands ohne Risiken fortzusetzen und dabei selbst von dem westdeutschen Potential zu profitieren. Wichtig war auch, daß auf diese Weise eine politisch-ideologische Interessengemeinschaft entstand, die die Grundlage der Demokratie in dem jungen westdeutschen Staat dauerhaft stärken konnte. Außerdem konnte die Einbindung der Bundesrepublik eine deutsch-russische Annäherung auf Kosten des Westens oder eine Neutralisierung Deutschlands verhindern. Dahinter stand nicht nur die Sorge, daß eine gute deutsch-russische Beziehung zu einer Wiederholung der früheren deutschen Mittellage zwischen Ost und West führen würde, sondern auch die Befürchtung, daß die Sowjetunion ein neutrales Deutschland in seinen Machtbereich ziehen könnte. Ein unbewaffnetes, neutrales Deutschland würde ein Machtvakuum im Herzen Europas schaffen, von dem eine destabilisierende Wirkung ausginge, während die Bewaffnung eines neutralen Deutschlands, so ein internes Memorandum des Außenministeriums vom Dezember 1951, „dem instabilen, politisch unreifen, aber potentiell mächtigen Deutschland in Europa sicher auf die Dauer eine nahezu entscheidende Stimme geben würde". Kurz: Als Ausweg aus dem Dilemma zwischen *Schutz vor* Deutschland und *Sicherheit mit* demselben Deutschland vor der Sowjetunion entschloß sich Den Haag für eine *positive* Integration der Bundesrepublik in die westliche Zusammenarbeit. Positiv in dem Sinne, daß der westdeutsche Staat als gleichberechtigter Partner des Westens aufgenommen und eine Mitgliedschaft zweiter Klasse vermieden werden sollte. Diese hätte nämlich antiwestliche Stimmungen in der Bundesrepublik fördern und der Zuverlässigkeit des zukünftigen Bündnispartners abträglich sein können.

Bei der Westintegration stellte sich vor allem die Frage, ob die Bundesrepublik sich zu einem verläßlichen und berechenbaren Partner entwickeln würde und ob tatsächlich mit den Deutschen eine dauerhafte Partnerschaft aufzubauen sein würde. Darüber hinaus ging es um die Frage nach der Demokratiefähigkeit des neuen Staates und seiner Bevölkerung. In diesen Punkten wurde in den frühen fünziger Jahren sowohl in der Presse als auch auf diplomatischer und politischer Ebene mit großer Skepsis reagiert.

Im Rahmen dieses Beitrages genügt es, die niederländische Meinungsbildung über die deutsche Außenpolitik nur insoweit zu behandeln, wie sie mit dem zentralen Thema, der politischen Kultur der Bundesrepublik, zu tun hat.[21] Aus niederländischer Sicht war die deutsche Sehnsucht nach Wiedervereinigung die eigentliche politische Triebfeder der übergroßen Mehrheit in der Bundesrepublik, und deswegen wurde den Deutschen eine große Neigung zur Neutralität unterstellt. Dies führte zu einer dauerhaften Wachsamkeit der niederländischen Beobachter. „Die Deutsche Einheit?", so fragte sich die katholische Tageszeitung *de Volkskrant* im Dezember 1950, „Natürlich, im Notfall mit dem Teufel. Die Sehnsucht nach Gesamtdeutschland macht sie (die Deutschen, FW) realitätsblind und taub für alle Warnungen".[22] Auch die Unterzeichnung der Deutschland- und EVG-Verträge im Mai 1952 setzte der Angst vor einem erneut „unruhigen" Deutschland kein Ende. Im September 1952 wurde in einem im Außenministerium erstellten Papier auf die Gefahr hingewiesen, daß die Bundesrepublik künftig eine Zusammenarbeit mit der Sowjetunion ansteuern könnte: „Auch Stresemann hat in den zwanziger Jahren Deutschland in die westeuropäische Zusammenarbeit der Locarno-Verträge geführt, aber kurze Zeit später hat Deutschland dem Westen den Rücken gekehrt und ist seinen eigenen Weg in Mittel- und Osteuropa gegangen".[23]

„Rapallo", „Alleingang", „Neutralismus", es waren diese Begriffe, die immer wieder in der Berichterstattung der niederländischen Diplomaten in Bonn, im Außenministerium selbst, in der Presse und auf der höchsten

politischen Ebene auftauchten. Zugespitzt formuliert war nur Bundeskanzler Konrad Adenauer ein Lichtblick für die besorgten Niederländer.
„Die einzige Garantie jetzt in Deutschland ist die Position Adenauers", behauptete der niederländische Botschafter in Bonn, de Booy, im
August 1951, und er fuhr fort: „Diese Garantie bedeutet etwas, weil
Adenauer auch das Gute wohl anstrebt, doch es ist sehr die Frage, ob
die Leute, die nach Adenauer kommen, den selben Weg einschlagen."
Im Gegensatz zu seinem sozialdemokratischen Gegenspieler Kurt Schumacher wurde Adenauer gar zur Personifizierung eines für den Westen
zuverlässigen Deutschlands, ja zum Rettungsanker gegen Tendenzen in
Richtung Neutralismus. Nicht verwunderlich war es deshalb, daß sowohl
auf Regierungsebene als auch in politischen Kreisen vielfach gefordert
wurde, Adenauer dürfe vom Westen nicht im Stich gelassen werden.
Konkret bedeutete das, daß der Bundeskanzler für sein primäres Anlie-
gen – Souveränität der Bundesrepublik – in Den Haag Unterstützung
fand. Allerdings war aus niederländischer Sicht eine souveräne Bundesrepublik nur im Rahmen der europäisch-atlantischen Zusammenarbeit
denkbar. Adenauer wurde als der Garant der Westbindung gesehen; über
eine Bundesregierung unter Schumacher machte man sich hingegen in den
Niederlanden keine Illusionen. Sollte Adenauer das Feld räumen müssen
und der SPD-Vorsitzende Bundeskanzler werden, könnte Deutschland
in eine neutralistische Richtung abdriften, wonach dann in einem wie-
dervereinigten Deutschland „das Ausspielen von Ost gegen West und
vice versa nach Herzenslust beginnen" könne, so ein äußerst besorg-
ter Botschafter de Booy im Herbst 1951.[24] Derartige Sorgen reichten
bis weit in die „Partij van de Arbeid" (PvdA), die sozialdemokratische
Schwesterpartei. Gegenüber dem deutschen Botschafter im Haag nannte
der PvdA-Vorsitzende, Koos Vorrink, Schumacher einmal wegen dessen
nicht ohne nationalistische Töne vorgetragenen außenpolitischen Positionen „ein Unglück für Deutschland und Europa". Der PvdA-Sekretär
für internationale Angelegenheiten, Alfred Mozer, der sich in Deutschland mehrmals leidenschaftlich für die Integration der Bundesrepublik
in den Westen ausgesprochen hatte, bekam sogar Sprechverbot auf SPD-
Versammlungen.[25] Das Mißtrauen der niederländischen Sozialdemokraten war vor allem deshalb so stark, weil die SPD die deutsche Wiedervereinigung als eine vordringlichere Zielsetzung als die westeuropäische
Integration betrachtete. Auf dem Gebiet der Außenpolitik fühlte die
PvdA sich denn auch mehr mit Adenauers CDU verbunden, während
die Genossen eher als eine Gefahr für die Nachkriegsordnung gesehen
wurden.

Das primäre Ziel der Westintegration der Bundesrepublik bedeutete jedoch nicht, daß Den Haag, um ein Bonmot von François Mauriac zu zitieren, Deutschland so sehr liebte, daß man sich freute, zwei davon zu haben. Nicht eine eventuelle Wiedervereinigung, sondern eher die deutsche Teilung wurde bis Mitte der fünfziger Jahre als Risiko für die europäische Sicherheit gesehen. Wiedervereinigung, so eine Kabinettsnote des Außenministers Jan Willem Beyen aus dem Sommer 1953, würde jedoch nur nach einer Entspannung des Ost-West-Verhältnisses stattfinden können. Vor die Entscheidung zwischen Westintegration einerseits oder Entspannung und deutscher Wiedervereinigung andererseits gestellt, lautete die Wahl des Außenministers:

„Meines Erachtens ist der Kern der Sache der, daß der Westen unmöglich ohne weiteres die atlantische und europäische Zusammenarbeit (also unter Einschluß Deutschlands) einer ‚Entspannung‘ opfern kann, die mit der ‚Wiedervereinigung‘ Deutschlands gepaart geht. Mit anderen Worten, die ‚Wiedervereinigung‘ kann für den Westen *als Ganzes* vorläufig noch kein Ziel an sich sein und wird nötigenfalls auf ein Nebengleis geschoben werden, solange die Russen nicht bereit sind, durch akzeptable Bedingungen daran mitzuarbeiten“.[26]

Anders formuliert bedeutete dies, daß aus niederländischer Sicht als Alternative für den Status quo mit einer in den Westen integrierten Bundesrepublik nur ein Status quo „plus“ in Frage kam, wobei das wiedervereinigte Deutschland zum Westen gehören würde. Angesichts der Tatsache, daß Wiedervereinigung unter diesen Bedingungen zu Recht als eine „einstweilen noch rein theoretische Möglichkeit“ abgetan wurde, blieb realistischerweise nichts anderes übrig, als auf dem eingeschlagenen Weg der Westintegration voranzuschreiten.

Die große Angst im niederländischen Außenministerium und in der niederländischen Presse vor einem erneut „unruhigen“ Deutschland und vor einem neuen „Rapallo“ war jedoch viel größer als die tatsächliche Gefahr einer solchen Entwicklung. Es ist hier zwar nicht der Ort, darauf ausführlich einzugehen, jedoch ist die Feststellung wichtig, daß es in der Bundesrepublik der frühen fünfziger Jahre keine Mehrheit für außenpolitische Experimente mit der Sowjetunion gab. Außerdem fehlte es der Bundesrepublik an politischem Spielraum für eine Außenpolitik, die nicht mit den westlichen Interessen im Einklang war. Für das Deutschlandbild dieser Jahre bedeuten solche Wahrnehmungsmuster, daß hier Kategorien der dreißiger Jahre das Denken bestimmten. Übersehen wurde, daß es seit 1945 kein selbständiges Deutschland mehr gab, das sich selbst einen Platz zwischen Ost und West aussuchen konnte. Die Wahrnehmung auf

niederländischer Seite war jedoch darauf gerichtet, daß auch nur scheinbar bedrohliche Entwicklungen immer hervorgehoben wurden und sich
dadurch immer wieder selbst bestätigten.

Mit dem Inkrafttreten der Pariser Verträge (Souveränität und NATO-
Zutritt Westdeutschlands) im Mai 1955 war die Westintegration der
Bundesrepublik formell vollzogen. Obwohl auch später die Frage der
Verläßlichkeit der deutschen Außenpolitik nicht verschwand und auch
der Begriff „Rapallo" noch manchmal auftauchte, gehörten die große
Unsicherheit und Skepsis der frühen fünziger Jahre der Vergangenheit
an. Wurde bis 1955 die deutsche Teilung als potentielles Sicherheitsrisiko
für Europa betrachtet, gewöhnte man sich ab Mitte der fünfziger Jahre
allmählich an die scheinbare Normalität der deutschen Teilung, die nun
eher als Bedingung der europäischen Sicherheit angesehen wurde. Das
bedeutete zwar nicht, daß eine deutsche Wiedervereinigung abgelehnt
wurde – schließlich blieb sie auf dem Papier Ziel des westlichen Bündnisses –, dieses Ziel ließ sich jedoch nicht nach westlichen Vorstellungen
verwirklichen, und so wurde die Bundesrepublik in zunehmendem Maße
als fester Bestandteil eines europäischen Status quo betrachtet. Kriterium
für die Beurteilung der Bundesrepublik als Partner des Westens blieb die
Antwort auf die Frage, ob sie die westliche Zusammenarbeit dauerhaft
der Lösung der nationalen Frage vorziehen würde. Der Prüfstein blieb,
daß Bonn an der Fortsetzung und Vertiefung der Westintegration der
Bundesrepublik nicht rütteln würde.

Wichtiger Zeitabschnitt zur Prüfung dieser Frage waren die Anfangs-
jahre der sozialliberalen Ost- und Deutschlandpolitik 1969–1972. Führte
diese Politik zu Zweifeln an der außenpolitischen Zuverlässigkeit des
westdeutschen Partners? Ging wie in den frühen fünziger Jahren das
Gespenst von „Rapallo" in politischen und amtlichen Kreisen um? Die
niederländische Meinungsbildung über die Bonner Entspannungspolitik
zeigte, wie sehr sich die Ansichten über Deutschland seit den fünfziger
Jahren zum Positiven gewandelt hatten. Bereits vor 1969 hatte der niederländische Botschafter in Bonn, De Beus, mit Sympathie über „den
Mut" der SPD berichtet, die Oder-Neiße-Grenze anerkennen zu wollen. Daß sich die SPD durch ihre als realistisch angesehene Haltung in
der Grenzfrage Mühe gab, Illusionen über die Wiedervereinigung aus-
zuräumen und so zu größerer Nüchternheit bezüglich der nationalen
Frage beizutragen versuchte, wurde sowohl in der Bonner Botschaft
als auch im Haager Außenministerium durchaus positiv kommentiert.
Sicherlich wurde dabei erkannt, daß die Versuche zur Normalisierung des
Verhältnisses zu Ost- und Mitteleuropa und der dazugehörige Realismus

auch zum Ziel hatten, den europäischen Status quo zu durchbrechen. Aber angesichts „der westdeutschen Angst vor dem Kommunismus, dem starken Bedürfnis nach Sicherheit, dem Bewußtsein, nur mit Unterstützung der westlichen Verbündeten nationale Bestrebungen verwirklichen zu können, sowie der Sowjetpolitik" sah man in diplomatischen Kreisen im Jahre 1968 „keinen Anlaß zur Besorgnis über einen möglichen deutschen Alleingang, ein neues Rapallo".[27]

Abwartend positiv, dieser Begriff kennzeichnete auf Regierungsebene die Haltung beim Antritt der SPD-FDP-Regierung. Außenminister Joseph Luns meinte Ende Oktober 1969 in einer Kabinettssitzung, er sei mit den Passagen über die Ostpolitik in Brandts Regierungserklärung „völlig einverstanden". Er fügte jedoch – „ohne an den Rapallovertrag erinnern zu wollen" – hinzu, „daß eine stärkere Bindung Westdeutschlands an Westeuropa nützlich wäre".[28] Auch die praktische Umsetzung der Ostpolitik wurde durchweg unterstützt, wobei zwei große Unterschiede zur Meinungsbildung in den frühen fünfziger Jahren auffallen: erstens einmal die stark verringerte Intensität der internen Diskussion und zweitens das Fehlen von Besorgnis über die öffentliche Meinung der Bundesbürger – eine Besorgnis, die knapp zwanzig Jahre zuvor noch so stark spürbar gewesen war. Daraus läßt sich nicht nur ableiten, daß aus niederländischer Sicht die Bundesrepublik formell in den Westen integriert war, sondern auch, daß die Bundesbürger als verläßliche *West*europäer betrachtet wurden, die die Westintegration „verinnerlicht" hatten.

Dieser veränderte Kontext schloß eine aufmerksame Beobachtung der Politik Brandts selbstverständlich nicht aus. Dabei tauchte im Haager Außenministerium wiederholt die Frage auf, ob die Bundesregierung mit ihrem Beitrag zur Entspannung „die Kräfte, die sie zweifellos mit sehr guten Absichten wachgerufen hat, auch im Zaum halten kann". Gemeint damit war die Gefahr eines möglichen zunehmenden Einflusses der Sowjetunion in Westeuropa.[29] Furcht vor einer „Eigendynamik" der Ostpolitik klang auch aus der Berichterstattung des Botschafters in Bonn. Obgleich er wiederholt jeden Vergleich zwischen Brandts Ostpolitik und „Rapallo" ins Reich der Fabeln verwies, schloß er eine Schwächung des Atlantischen Bandes und eine Entpolitisierung der EWG nicht aus. Er sah zwar keine Hinweise dafür, daß die Bundesregierung oder die SPD bewußt darauf aus seien, doch es bliebe eine potentielle Gefahr, daß die deutsch-russische Normalisierung westlichen Interessen schaden könnte. Um diese Gefahr abzuwenden, schien es dem Botschafter im August 1970 „dringender denn je notwendig", Großbritannien und andere EWG-Mitgliedskandidaten so schnell wie möglich in die Europäische Gemeinschaft aufzunehmen und den Integrationsprozeß zu beschleunigen. Gleichzeitig sollte das „Äußerste" getan werden, „um eine Schwächung des politischen und militärischen Engagements zu verhindern" und „um die Bundesrepublik im westlichen Lager zu halten. Gelingt uns dies nicht, ist die Finnlandisierung Europas kein bloßes Gedankenspiel mehr".[30] Solch besorgte Töne resultierten jedoch nicht aus der durch die Bundesregierung tatsächlich verfolgten Politik, die als ein durchaus willkommener westdeutscher Beitrag zur Verbesserung der Ost-West-Beziehungen gesehen wurde. Die Unsicherheit hinter den Kulissen gründete sich auf ein unvermindertes Mißtrauen gegenüber der sowjetrussischen Politik, in die die Bundesrepublik verstrickt werden könnte, wenn sich die Beziehungen zum Westen lockern sollten.

Die Feststellung, daß die niederländische Regierung die sozialliberale Ost- und Deutschlandpolitik positiv beurteilte unter der Bedingung, daß die Verankerung der Bundesrepublik in den Westen fortgesetzt und wenn möglich verstärkt würde – läßt sich auch für die wichtigsten niederländischen Tages- und Wochenzeitungen treffen. Nur auf der konservativen Seite (*De Telegraaf* und *Elsevier*) gab es kritische Beobachter. Dort meinte man, Symptome eines neuen deutschen Neutralismus entdecken zu können. Außerdem würde die Bundesrepublik westliche Interessen auf's Spiel setzen und dadurch dem sowjetrussischen Einfluß in Europa Tür und Tor öffnen.[31] Quantitativ und qualitativ wichtiger waren die positiven Stellungnahmen in den überregionalen Tageszeitungen *NRC Handelsblad, de Volkskrant, Het Parool* und *Trouw*. Wichtig war zunächst die Zufriedenheit darüber, daß die Normalisierung der Beziehungen zu den osteuropäischen Staaten im Rahmen der Politik des westlichen Bündnisses stattfand, so daß an der atlantischen Treue der Bundesrepublik nicht gezweifelt werden mußte. Gelobt wurden nicht nur die konkreten Zeichen der Versöhnung, wie etwa der Kniefall Willy Brandts in Warschau 1970, sondern auch, daß die Bundesrepublik jetzt die geographischen Realitäten der Nachkriegszeit zum Ausgangspunkt der neuen Politik gemacht hatte. Daß Bonn keine Macht-, sondern Ausgleichspolitik betrieb, war für ein Land wie die Niederlande, in dem gern moralische Maßstäbe an die internationale Politik angelegt werden, ein besonderer Grund, diese Politik grundsätzlich zu begrüßen. In einem Rückblick aus dem Jahre 1975 hieß es dazu in einem Leitartikel der für die Auslandsberichterstattung wichtigsten niederländischen Tageszeitung *NRC Handelsblad*: „Diese Wendung zum Realismus, weg von allen Resten eines Revanchismus haben wir stets begrüßt. Die Ostpolitik, Katalysator wie auch Teil der Ost-West-Entspannungspolitik, machte es möglich, den deutschen Verbündeten als einen normalen europäischen Staat zu sehen, der eine höchst wichtige, aber nicht länger durch Mythen motivierte Rolle in Europa spielt".[32]

Vor diesem Hintergrund wundert es nicht, daß Ende der siebziger und Anfang der achtziger Jahre, als die Entspannungseuphorie schon längst vorbei war und Ost und West in einen neuen Kalten Krieg hineinzugleiten drohten, die Bemühungen von Bundeskanzler Helmut Schmidt, den Dialog zwischen den Blöcken nicht abreißen zu lassen, in der niederländischen Presse positiv beurteilt wurden. Als Schmidt Anfang Juli 1980 nach Moskau reiste, um die festgefahrenen Ost-West-Beziehungen zu entkrampfen und die Sowjet-Führung zu Verhandlungen über die sogenannte Nullösung bezüglich der Mittelstreckenraketen zu bewegen, fand er in den tonangebenden Medien nachdrücklich Unterstützung. Wichtig dabei war – und hier zeigt sich erneut der rote Faden in der Beurteilung der bundesdeutschen Außenpolitik –, daß an der westlichen Treue der Bundesregierung nicht gezweifelt zu werden brauchte. *NRC Handelsblad* kommentierte: „Schmidts Auftreten in Moskau war eine Demonstration der Bonner atlantischen Orientierung, und auch darüber kann man zufrieden sein."[33] In der sozialdemokratisch orientierten *Volkskrant* wurde in einem Leitartikel ähnlich argumentiert, indem Zufriedenheit geäußert wurde über die „Behutsamkeit" von Bundeskanzler Schmidt, „dem zu Recht viel daran gelegen ist, sich nicht den Vorwurf eines ‚deutschen Alleingangs' einzuholen".[34] Mit dieser positiven Beurteilung der deutschen Außenpolitik der späten siebziger und frühen achtziger Jahre stand die Presse nicht allein. Wie im ersten Abschnitt dieses Beitrages gezeigt wurde, fand diese Politik auch in der öffentlichen Meinung große Unterstützung.

Im Hinblick auf die deutsche Frage und die Außenpolitik der Bundesrepublik stellt sich schließlich die Frage, wie auf den Fall der Mauer und die deutsche Vereinigung reagiert wurde. Auch hier zeigt sich eine deutliche Parallele zwischen der durchaus positiven Haltung der öffentlichen Meinung einerseits und der Presse und der Politik andererseits. Nachdem die internationale Euphorie über den Fall der Mauer abgeebbt war und durch den raschen Zusammenbruch der DDR deutlich wurde, daß die Wiedervereinigung sich vollzog, standen in Den Haag die altbekannten Begriffe Integration, Einbettung und Verankerung Deutschlands erneut im Mittelpunkt. Auch wenn Ministerpräsident Ruud Lubbers in Bonn für Irritationen sorgte mit seiner Aussage über die Unantastbarkeit der europäischen Grenzen – womit er anscheinend auch die deutsch-deutsche Grenze meinte –, haben die Regierung und die politischen Parteien den

'Ich Möchte Noch Etwas Sagen...'

Karikatur: Opland, *De Groene Amsterdammer*, 25. Juli 1990

deutschen Wunsch nach Einheit im Vereinigungsjahr 1989/90 durchaus unterstützt. „Wir setzen (...) keine Fragezeichen hinter das Ob", sagte Außenminister Hans van den Broek im Februar 1990 im Parlament, „wir haben höchstens Fragen bezüglich des Wie: Wie sollen die Grenzen garantiert werden? Wie wird die Einbindung des neuen Deutschlands in die Europäische Gemeinschaft stattfinden? Wie wird ein Sicherheitsarrangement um das neue Deutschland herum aussehen?"[35]

In den Antworten, die Den Haag darauf gab, sind unmittelbar die alten Status-quo-„plus"-Vorstellungen der frühen fünfziger Jahre zu erkennen: das vereinigte Deutschland müsse Mitglied der NATO sein, und der westeuropäische Integrationsprozeß solle beschleunigt fortgesetzt werden. Wie wichtig dies für Den Haag war, zeigte sich, als Moskau 1990 zu erkennen gab, daß eine Regelung der externen, sicherheitspolitischen Aspekte der deutschen Einheit nicht ohne weiteres mit der staatlichen Einheit zusammenzufallen brauche. Außenminister Van den Broek gehörte zu den ersten, die gegen diese Entkoppelung von internen und externen Aspekten Widerstand anmeldete. Nicht ohne Grund fürchtete er für diesen Fall eine unüberschaubare Sicherheitssituation in Europa und eine mögliche Schwächung der westlichen Zusammenarbeit. So als ob die niederländische Regierung in dieser Sache ein Mitspracherecht hätte, faßte *NRC Handelsblad* die Haager Reaktion zusammen unter dem Titel: „Niederlande weisen Sowjet-Angebot für die Einheit Deutschlands zurück".[36] Dieser Satz macht deutlich, daß die Niederlande ihr Sicherheitsinteresse direkt berührt sahen und deshalb unmittelbar reagierten.

Verbarg sich dahinter die Furcht vor einem vereinten Deutschland? Falls ja, resultierte dann das Plädoyer für den Status quo „plus" bezüglich NATO und EG aus dieser Furcht? Auf den ersten Blick könnte man die empfundene Notwendigkeit einer fortgesetzten Einbettung des nun vereinigten Deutschlands so verstehen. Sieht man sich die Argumentation näher an, dann zeigt sich, daß trotz des roten Fadens der Begriffe Integration und Verankerung die dahinter liegenden Ziele seit den fünfziger Jahren eine wesentliche Änderung erfahren hatten. War es in der frühen Phase der Bundesrepublik um den Schutz gegen Deutschland und um den Schutz mit Deutschland gegen die Sowjetunion gegangen, so ging es 1990 primär darum, die Errungenschaften der deutschen Westintegration zu sichern. Im Vordergrund stand der Erhalt der NATO-Strukturen und der Europäischen Gemeinschaft als Basis für ein künftiges Europa – nicht aus Angst vor Deutschland, sondern weil ohne ein integriertes Deutschland ein stabiles Europa als Illusion angesehen wurde. Aus niederländischer Sicht war klar, daß das „Europäische Haus", das wegen seiner vagen Konzeption ohnehin schon mit Skepsis betrachtet wurde, auf Treibsand zu stehen käme, wenn das einzige Fundament – die Europäische Gemeinschaft – unterminiert würde. Und für die Feststellung, daß Deutschland ein Eckpfeiler in diesem Fundament war, genügte ein einziger Blick auf die Landkarte.

Das europäische Sicherheitsrisiko liege nicht in einem vereinigten und integrierten Deutschland, so ein Bericht der „Alfred Mozer Stiftung" der Partei der Arbeit vom Frühjahr 1990, sondern weiter süd-ostwärts in den aufflammenden Nationalitätenkonflikten und der dortigen sozioökonomischen Instabilität.[37] Nur ein eng kooperierendes Westeuropa könne einen Beitrag zum sozialen, ökonomischen und politischen Aufbau und zur Stabilität der ehemaligen Ostblockländer liefern. Eine Schwächung der westlichen Zusammenarbeit würde Deutschland, ob es wolle oder nicht, schon auf Grund seines politischen und wirtschaftlichen Gewichts zur eigenständigen Einmischung in die potentiellen Brandherde in Mittel- und Osteuropa zwingen. Eine Einmischung, die nicht nur weniger effektiv wäre als ein gemeinsames westeuropäisches Vorgehen, sondern die auch zu weiterer europäischer Desintegration führen und der gemeinsamen Sicherheit schaden würde. Dies um so mehr, weil eine Desintegration Westeuropas das amerikanische Engagement bei dieser europäischen Sicherheit ernsthaft in Gefahr bringen könnte.

Karikatur: Tom Janssen, *Trouw*, 20. März 1990

Diese Nüchternheit auf niederländischer Seite im Hinblick auf den deutschen Einigungsprozeß schloß andererseits das Fehlen von Unbehagen und Kritik nicht aus. Bei manchem Beobachter verbarg sich hinter dem Plädoyer für eine Beschleunigung und Vertiefung der europäischen Integration sicherlich *auch* der Gedanke, daß Deutschland nicht anfangen dürfe, aus eigener Kraft die Geschicke des alten Kontinents zu bestimmen. Die Verankerung Deutschlands wurde als die maximale Garantie für ein europäisches Deutschland und gegen ein deutsches Europa gesehen. Von daher gab es empfindliche Reaktionen in Politik und Presse, als die Bundesregierung Initiativen ergriff, ohne die Verbündeten zu konsultieren (u. a. der Zehn-Punkte-Plan Bundeskanzler Kohls vom November 1989 sowie die Ankündigung und Durchführung der deutschen Währungsunion 1990). Auch litt in weiten Kreisen das Image der Bundesrepublik zu Beginn des Jahres 1990 durch das Ausbleiben einer deutlichen Haltung zur Anerkennung der Oder-Neiße-Grenze. Andere meinten ferner, in der herablassenden Haltung mancher „Wessis" den „Ossis" gegenüber sowie in der Weise, in der westdeutsche Politiker bei den Volkskammer-Wahlen vom März 1990 dominierten, den Vorboten einer deutschen „Dampfwalze" in Europa zu sehen. Antideutsche Auslassungen auf hoher politischer Ebene wie in Großbritannien im Sommer 1990 (Ridley- und „Chequers"-Affäre) gab es in den Niederlanden jedoch nicht, und wo simplifizierende Aussagen über ein zukünftiges „Viertes Reich" gemacht wurden, handelte es sich eher um isolierte und von daher auch nicht repräsentative Äußerungen.[38]

Dies führt zu dem Schluß, daß trotz der positiven Grundhaltung zur deutschen Vereinigung durchaus auch eine gewisse Ambivalenz sichtbar wurde. „Natürlich muß man sich erst daran gewöhnen, auch in den Niederlanden", kommentierte das *NRC Handelsblad* am Tag vor der staatlichen Einigung: „Wer ein kleines Haus mit einem kleinen Garten besitzt, sieht bei den Nachbarn nicht gern ein zusätzliches Stockwerk entstehen, denn kann die Sonne dann noch auf den Rasen scheinen?" Dem vereinigten Deutschland wurde jedoch auch gratuliert: „Deutschland, 120 Jahre nach der Schlacht bei Sedan, ist keine „verspätete Nation", sondern ein Land, in dem Freiheit und Demokratie nun für jedermann gelten; und dazu sind Glückwünsche angebracht."[39] Im Sommer 1990 hatte diese Zeitung zustimmend festgestellt, daß der Vereinigungsprozeß sich auf sehr nüchterne Weise vollzog „ohne nationalistische Demagogie der Führer und ohne nationalistische Äußerungen in der Bevölkerung."[40] Am 3. Oktober wies die protestantische Tageszeitung *Trouw* auf die Notwendigkeit hin, daß „die deutsche Politik nicht die europäische bestimmen wird, sondern die europäische Politik die deutsche". Im selben Leitartikel gab das Blatt jedoch Vertrauen in das neue Deutschland zu erkennen, indem es zugleich für einen permanenten Sitz Deutschlands im Sicherheitsrat der Vereinten Nationen eintrat: „Deutschland wird in der Weltpolitik eine wichtigere Rolle einnehmen müssen".[41] „Glückwunsch … und Beunruhigung", lautete die Schlagzeile eines Leitartikels des *Algemeen Dagblad*, in dem die Frage gestellt wurde, wie das neue Deutschland mit seiner erweiterten Macht umgehen werde.[42] Im gleichen Sinne empfand die sozialdemokratisch orientierte *Volkskrant* es als begreiflich, daß „dieses neue vereinigte Deutschland nicht überall mit großer Begeisterung empfangen" wurde. [43] *Het Parool* schließlich, ebenfalls sozialdemokratisch orientiert, verneinte die Frage, ob „der deutsche Klumpen (...) nicht zu schwer im europäischen Magen" liegen werde, „weil die Welt und die Deutschen sich verändert haben." Es wurde als ein „vielsagendes Detail" genannt, daß der alte Name Bundesrepublik Deutschland auch die offizielle Bezeichnung für das neue Deutschland bleiben sollte: „Es ist eine Frage der Symbolik: die Bundesrepublik steht für eine offene, bescheidene, westlich orientierte und demokratische Gesellschaft." Dies sei vertrauenerweckend, wie auch die Tatsache, daß „die Deutschen begreifen, daß sie bei der europäischen Zusammenarbeit viel zu gewinnen haben (...). [44]

„Holland fällt der Abschied (von der deutschen Teilung, FW) schwer", faßte Anfang Oktober die *Frankfurter Allgemeine Zeitung* die niederländische Haltung zusammen. [45] In dieser Beurteilung offenbarte sich eine einseitige Schlußfolgerung, die sich eher auf das sich in der Bundesrepublik hartnäckig haltende Klischee der „antideutschen" Niederlande stützt als auf die tatsächliche Haltung. Sicher, die Niederlande verfolgten im deutschen Vereinigungsjahr aufmerksam die Entwicklungen im größer werdenden Nachbarland, doch Zustimmung und nicht Mißtrauen stand dabei an erster Stelle. Das Bewußtsein, daß Westdeutschland als Partner und Verbündeter ein demokratischer und westlich orientierter Staat war, bildete die Basis eines nüchternen Wahrnehmungsmusters, in dem heftige Schreckreaktionen die Ausnahme waren und eine positive Haltung deutlich überwog. Daß daneben auch Unbehagen und Ambivalenz spürbar waren, muß vor dem Hintergrund einer verständlichen Unsicherheit über die Zukunft Europas nach dem Verschwinden der so vertraut gewordenen Nachkriegsordnung als normal gelten. Große politische Veränderungen bringen schließlich immer Unsicherheit mit sich, und dies gilt um so mehr, wenn es um einschneidende Änderungen in den internationalen Beziehungen geht.

Die deutsche Demokratie aus niederländischer Sicht

Das Vertrauen in die westlich-demokratische Einstellung der alten Bundesrepublik nach vierzig Jahren Westintegration und Partnerschaft war ein wichtiger Faktor in der durchaus positiven Bewertung der deutschen Vereinigung. Bezüglich seiner politischen Kultur wurde Westdeutschland schon länger als normaler Staat betrachtet, und zwar normal in dem Sinne, daß nicht mehr von *Deutschland und den westlichen Demokratien*[46] gesprochen werden konnte, sondern von Deutschland *als* westliche Demokratie. Anders formuliert: Hatte der bekannte niederländische Kulturhistoriker Johan Huizinga Anfang der dreißiger Jahre behauptet, die Grenze zwischen West- und Mitteleuropa verliefe entlang der niederländisch-deutschen Grenze, war sie aus niederländischer Sicht in der Nachkriegszeit allmählich in östliche Richtung verschoben. Kurz, in der niederländischen Perzeption wurde die Bundesrepublik im Laufe der Nachkriegsjahrzehnte eine stabile und „stinknormale" Demokratie. Ziel dieses Abschnitts ist es, diese Entwicklung der Perzeption seit der Gründung der Bundesrepublik nachzuzeichnen.

Es wundert nicht, daß für die frühe Phase des westdeutschen Staates im niederländischen Wahrnehmungsmuster große Skepsis vorherrschte. Wird die Bundesrepublik „je eine wirkliche Demokratie" werden, fragte die liberale *Nieuwe Rotterdamse Courant (NRC)* besorgt im ersten Wahlkampf 1949. Die Antwort fiel eher pessimistisch aus, denn die Zeitung meinte im Hinblick auf die als Populisten beurteilten Politiker und auf die politische Unreife der Bevölkerung, daß das „alte Deutschland noch kräftig am Leben ist".[47] Der Wahlausgang verringerte diesen Pessimismus nicht wesentlich. Zwar wurden nur zwei kleine antidemokratische Parteien in den Bundestag gewählt, und die Wahlbeteiligung (78,5%) schien die vor den Wahlen kritisierte politische Apathie der Bevölkerung zu relativieren, aber in der niederländischen Militärmission in Berlin wurde das Wahlergebnis nicht einmal als „ein Schritt auf dem Weg zu einem demokratischen Deutschland" betrachtet, höchstens als ein „günstiges Omen".[48] „Möge Gott diesen Versuch segnen", hieß es einige Wochen später in der protestantischen Tageszeitung *Trouw* unter Verweis auf den Untergang der Weimarer Republik. Diese Aussage aus dem konfessionellen Lager war charakteristisch für die allgemeine Skepsis und abwartende Haltung in Politik und Presse.

Vier Jahre später, nach den Bundestagswahlen vom September 1953, schien diese Skepsis auf den ersten Blick deutlich verringert. Die Wähler hatten Rechts- und Linksextremismus erneut eine deutliche Absage erteilt, die CDU/CSU hatte stark zugelegt (von 31% im Jahre 1949 auf 45,2%), und die SPD hatte sich mit knapp 29% in etwa gehalten. Fast euphorisch stellte *Trouw* fest, daß die Wähler sich „gegen alles" gewandt hatten, „wovor wir beim deutschen Volk normalerweise Angst haben".[49] Die damals noch katholische *Volkskrant* kommentierte das Wahlergebnis ähnlich, und die *NRC* schrieb beruhigend: „Es zeigt uns – und ist das nicht

„Westdeutsche Wahlen 1953: ‚Zerschmettert'". Karikatur: Jordaan, *Vrij Nederland*, 12. September 1953

sehr erfreulich? –, daß die unmittelbar nach dem Krieg vorgenommenen Umerziehungsversuche nicht umsonst gewesen sind." [50] Auch das Haager Außenministerium schloß sich diesen Kommentaren an und veröffentlichte dazu sogar eine offizielle Erklärung.

Aus diesen positiven Reaktion darf jedoch nicht gefolgert werden, daß nun ein wirkliches Vertrauen in die westdeutsche Demokratie entstanden war. Der Wahlausgang wurde vor allem deshalb begrüßt, weil er die Fortsetzung von Adenauers Außenpolitik ermöglichte. „Deutschland" und „Demokratie" blieben zwei Begriffe mit fragwürdigem Zusammenhang, und von einer gesicherten politischen Stabilität konnte aus niederländischer Sicht sicherlich noch nicht gesprochen werden. Zum einen gab es einen Konsens, daß die Person Adenauers die einzige Garantie für den Aufbau einer stabilen, westlich orientierten und demokratischen Bundesrepublik sei, zum anderen aber stellten die Beobachter aus Politik und Presse sich sehr oft die Frage, ob „der Alte" – er war 1953 76 Jahre alt – noch genug Lebenszeit haben würde, um diese Aufgabe zu vollenden. Darüber hinaus kritisierten sie auch oft Adenauers Verhalten als Demokrat. Der niederländische Botschafter in Bonn, J.M. De Booy, charakterisierte ihn „nach deutschen Maßstäben zwar als sehr demokratisch", aber die autoritäre Art und Weise, in der er seine Regierung und seine Partei führte und seine Politik durch den Bundestag und den Bundesrat peitschte, wurde auch wieder als Beweis der schwachen Basis der deutschen Demokratie betrachtet.[51] „Ist die ‚eiserne Faust', mit der Adenauer Politik macht und Popularität gewinnt, nicht der Beweis dafür, daß der Deutsche sich bei einem autoritären Führungsstil am wohlsten fühlt?" fragte sich der Nachfolger im Botschafteramt Lamping 1953.[52] Es war diese Ambivalenz in der Adenauer-Perzeption, die für die niederländische Skepsis bezüglich der westdeutschen Demokratie kennzeichnend war: Einerseits wurde Adenauer als der einzige Garant der politischen Stabilität gesehen, andererseits schienen sein autoritäres Verhalten und seine Wahlerfolge ein Beleg für „die natürliche Neigung der Deutschen, einer starken Persönlichkeit zu folgen".[53] Und dies war selbstverständlich nicht gerade vertrauenerweckend.

„Graphik der Ergebnisse der deutschen Umerziehung", Jordaan, *Vrij Nederland*. Karikatur: 24. Januar 1953

So zeigten sich in den fünfziger Jahren in bezug auf den Aufbau der Demokratie die gleichen Wahrnehmungsmuster wie bei der Meinungsbildung über die Westintegration. Auch hier bestimmten Wachsamkeit und Mißtrauen die Tonlage, wobei die bestehenden demokratischen Traditionen in Deutschland und deren Wirkung auf die junge Bundesrepublik kaum wahrgenommen wurden. Zwar waren sich die niederländischen Beobachter der Tatsache bewußt, daß es im Grundgesetz der Bundesrepublik viele institutionelle Sicherungen gab, die ein neues Scheitern einer deutschen Demokratie verhindern sollten; ihnen war aber auch bewußt, daß eine stabile Demokratie sich nur entwickeln konnte, wenn sie sich auf eine breite gesellschaftliche Basis stützte. Und ob diese Basis wirklich vorhanden war, darüber gab es erhebliche Zweifel. Grund zur Sorge bereiteten nicht nur die potentiellen Wähler neonazistischer Gruppierungen, sondern auch die Entwicklungen innerhalb der großen und kleinen demokratischen Parteien. Die Agressivität der politischen Auseinandersetzungen zwischen SPD und CDU, der autoritäre Führungsstil in beiden Parteien, die manchmal rechtsextremistischen Töne innerhalb der FDP und der DP sowie der Umstand, daß die demokratische Stabilität vornehmlich auf der „Überzeugungskraft" des Wirtschaftswunders basierte, waren Faktoren, die das ungebrochene Mißtrauen im Blick über die Ostgrenze zu rechtfertigen schienen. Welche Bedeutung der wirtschaftlichen Entwicklung beigemessen wurde und wie sehr die Erfahrungen von Weimar den Beobachtern „in den Knochen saß", machte Botschafter Lamping 1954 deutlich, als er Den Haag berichtete: „Es sind ... dieser Wohlstand und der Wunsch, den hohen Lebensstandard zu behalten, die Adenauer die Unterstützung von Millionen gebracht haben. Diese Millionen werden jedoch Rechts- oder Linksextremisten, wenn sie auf wirtschaftlichem Gebiet nichts mehr zu verlieren haben. Nur darin liegt der Unterschied zur politischen Situation von vor zwanzig Jahren." [54] Der Untergang der Weimarer Republik, die Gefahr, die im vermeintlich ungebrochenen Nationalismus gesehen wurde, und ein Wahrnehmungsmuster, das verallgemeinernd über *die* Deutschen sprach, gaben in den fünfziger Jahren nur wenige Lichtblicke für die Zukunft der westdeutschen Demokratie.

Diese Skepsis änderte sich in den sechziger Jahren nur wenig. Auch wenn die politische Stabilität und Kontinuität dazu keinen Anlaß boten, blieb die Vergangenheit stets ein Argument im mißtrauischen Blick über die Ostgrenze. Die führenden Politiker in Bonn, in den Ländern oder in den Kommunen, so schrieb Botschafter H.F.L.K. van Vredenburch 1960 an das Haager Außenministerium, agierten zwar durchaus vernünftig, es stelle sich aber die Frage, „ob sie wirklich zu betrachten sind als Repräsentanten des deutschen Volkes, das sich noch vor so kurzer Zeit, unter dem Hitler-Regime, zu Grausamkeiten und Exzessen hat verführen lassen, die in der Geschichte einmalig sind"[55]. Vor diesem Hintergrund wundert es dann auch nicht, daß er zwei Jahre später in seinem Abschlußbericht als Botschafter prognostizierte, daß „es noch viele Jahrzehnte dauern wird, bevor die Demokratie hier im Lande Wurzeln geschlagen haben wird"[56]. Nicht weniger skeptisch urteilte sein Nachfolger Van Ittersum. Selbst nachdem 1962 der Verlauf der Spiegel-Affäre eine gegen Übergriffe des Staates wachsame deutsche Öffentlichkeit gezeigt hatte, war auf diplomatischer Ebene kein Quentchen Optimismus spürbar, und die Zukunft erschien in düsterer Perspektive. Deutschland sei im Schwebezustand, berichtete der neue Botschafter besorgt ans Haager Außenministerium, als er Ende Dezember 1962 auf die Spiegel-Affäre zurückblickte. Es sei ein Land ohne deutliche Grenzen und ohne deutliche Zukunft, regiert von einem alten Mann, über den man sage, daß ihm die Zügel entglitten, der aber in jeder politischen Krise immer noch die zentrale Figur sei. Für eine Katerstimmung bestehe sicherlich Anlaß.[57]

Adenauer Und Kein Ende

Karikatur: Opland, *De Groene Amsterdammer*, 12. Oktober 1963

So wurde die seit 1949 immer wieder gestellte Frage nach den Unterschieden und Übereinstimmungen zwischen „Weimar" und „Bonn" auch in den sechziger Jahren noch nicht ohne Weiteres zugunsten der Bundesrepublik beantwortet. „In Deutschland ist schon einmal ein Experiment mit der Demokratie mißglückt", schrieb *Trouw* 1966 und offenbarte damit die weitreichende Skepsis auf diesem Gebiet, die gerade auch zur Zeit der Großen Koalition noch galt. [58] In diesen Jahren wurden der plötzliche Wahlerfolg der rechtsextremen NPD und die Reduzierungen der Opposition im Bundestag allein noch auf die FDP in breiten Kreisen mit Sorge betrachtet. Die Ära des Dritten Reiches, so Jörg Peter Helm in seiner umfangreichen Presseuntersuchung zum niederländischen Deutschlandbild im Jahre 1966, übe sowohl quantitativ als auch qualitativ eine „beherrschende Einwirkung" auf das Bild der Gegenwart aus. Seine „etwas überspitzt" formulierte Schlußfolgerung lautete: „Das Deutschlandbild der überregionalen niederländischen Presse wird von Assoziationen zur nationalsozialistischen Herrschaftsperiode wie von einem roten Faden durchzogen" [59].

Einen wichtigen Einschnitt in der holländischen Perzeption der westdeutschen Demokratie bildete das Jahr 1969. [60] Nach den Bundestagswahlen wurde im niederländischen Kabinett nicht nur begrüßt, daß die NPD an der 5%-Klausel gescheitert war, sondern auch darauf hingewiesen, daß die hohe Wahlbeteiligung (87%) auf eine lebendige westdeutsche Demokratie hinweise. [61] Positiv war auch der Kommentar zum bevorstehenden Regierungswechsel zur sozial-liberalen Koalition. Staatssekretär De Koster von der rechtsliberalen *Volkpartei voor Vrijheid en Demokratie* (VVD) meinte, eine Fortsetzung der Großen Koalition könne der Demokratie schaden, und ein Wechsel sei im Prinzip eine gute Sache. Beruhigt schien der liberale Politiker allerdings darüber, daß es der neuen Regierung im Bundestag an Unterstützung für eine wirklich sozialistische Politik fehlen würde. [62] Mit dem Amtsantritt Willy Brandts zum Bundeskanzler im Herbst und mit dem im Frühling 1969 gewählten neuen Bundespräsidenten Gustav Heinemann waren für viele Niederländer zum ersten Mal Vertreter des „anderen" Deutschlands an die politische Spitze der Bundesrepublik getreten. Brandts „Mehr Demokratie wagen" und die daraus hervorgehende sozialliberale Politik der inneren Reformen führten im Zusammenhang mit der bereits erwähnten positiven Meinungsbildung über die Aussöhnungspolitik zu Osteuropa zu einer deutlich günstigeren Bewertung der deutschen politischen Kultur. Als im Jahr 1969 Heinemann als erster Bundespräsident den Niederlanden einen offiziellen Besuch abstattete, trug auch dies wegen Heinemanns moralischer Ausstrahlung, seiner anti-nazistischen Vergangenheit und seiner demokratischen Offenheit wesentlich dazu bei, daß die Bundesrepublik 20

Jahre nach ihrer Gründung allmählich als normale Demokratie perzipiert wurde. [63]

Das niederländische Deutschlandbild wurde seit diesem Einschnitt differenzierter und nuancierter, eine Entwicklung, der auch die – vor allem auf Seiten der Linken scharfe – niederländische Kritik am Radikalenerlaß und an der harten Terrorbekämpfung Mitte der siebziger Jahre kein Ende setzten. Zwar gab es in diesen Jahren übereilte Kritiker, die die Bundesrepublik mit dem Begriff „Polizeistaat" etikettierten, meistens blieb die geäußerte Kritik aber nüchtern und sachlich. [64] Das schloß aber nicht aus, daß bis weit in die politische Mitte hinein in dieser Zeit eine zunehmende Besorgtheit über die Zukunft des demokratischen Rechtsstaates wahrzunehmen war. Es enstand das Bild einer intoleranter werdenden Bundesrepublik mit einem geistigen Klima, in dem Verdächtigungen gegenüber angeblichen Sympathisanten der Terrorszene und Versuche, linke Kritiker zum Schweigen zu bringen, an der Tagesordnung waren. *NRC Handelsblad* kommentierte: „Aber diese Sorge hat nichts mit einer antideutschen Einstellung zu tun, mit der man hier und da, besonders in den Niederlanden, anscheinend noch immer Karriere machen kann. Sie richtet sich auf die schleichende Erstarrung in der westdeutschen Wirklichkeit." [65] Diese – wie bereits erwähnt – für die Auslandsberichterstattung wichtigste Zeitung der Niederlande nahm die Bundesrepublik auch regelmäßig gegen unreflektierte linke Kritik in Schutz und trat gegen Ansichten ein, wie sie auch auf dem linken Flügel der sozialdemokratischen Partei (PvdA) zu hören waren, beispielsweise daß ein neuer Faschismus in Deutschland nur noch eine Frage der Zeit sei. Solche Behauptungen seien nicht nur weit von jeder Wahrheit entfernt, sondern obendrein ein „Dolch im Rücken" derjenigen, die in der Bundesrepublik der Gefährdung des demokratischen Rechtsstaates entgegenzuwirken versuchen. So bezog *NRC Handelsblad* im deutschen Herbst 1977 deutlich Stellung: „Westdeutschland ist kein Alptraum, der Faschismus wird dort nicht eingeführt, wer einen Polizeistaat sucht, der suche anderswo.(Weit braucht man dabei über die westdeutsche Grenze nicht hinwegzublicken). Seit dem Zweiten Weltkrieg ist dort eine anständige Demokratie zustandegekommen, mit der die Niederlande zu Recht enge Beziehungen auf jedem Niveau unterhalten." [66] In der sozialdemokratisch orientierten *Volkskrant* war der kritische Ton häufig schärfer, aber auch diese Zeitung hegte trotz aller Sorge über das innenpolitische Klima keinen Zweifel an der Zukunft der westdeutschen Demokratie.

Mit der Entspannung des innenpolitischen Klimas in der Bundesrepublik seit 1979 verschwand diese Besorgnis wieder. Der Radikalenerlaß wurde entschärft, die Terrorszene war ausgedünnt, und spektakuläre Anschläge fanden nur noch gelegentlich statt. Außerdem nahmen andere Themen die Aufmerksamkeit in Anspruch: Die Stationierung der Mittelstrecken-Raketen, aber auch die Entwicklungen in Mittelamerika führten zu einer erhöhten Aufmerksamkeit den Vereinigten Staaten gegenüber, die damit in der niederländischen Öffentlichkeit die Bundesrepublik in der Rolle des „Anti-Landes" ablösten, so wie dies bereits während des Vietnam-Krieges in den späten sechziger und frühen siebziger Jahren der Fall gewesen war.[67] Es blieb jedoch eine latente Sensibilität bestehen. Immer wieder, wenn die innere Sicherheit der Bundesrepublik Thema war, wurde in den Kommentaren auf die Kritik der siebziger Jahre zurückgegriffen, wenn auch mit viel weniger Erregung.

Für das niederländische Bild der deutschen Innenpolitik bedeutete die Wende von 1982 keinen Einschnitt, weil sich herausstellte, daß die Politik der inneren Sicherheit der CDU/CSU-FDP-Regierung viel zurückhaltender war, als man dies nach vielerlei Äußerungen aus Unionskreisen der siebziger Jahre hätte annehmen können. Bei den Linken und bei den in der linken Mitte stehenden Beobachtern trug auch das Aufkommen der Grünen zu einer Verringerung der Besorgtheit über die innenpolitische Lage in der Bundesrepublik bei. Mit ihren radikalen Friedens- und Umweltforderungen und ihrer Unbekümmertheit hinsichtlich politischer Konventionen zeigte der Erfolg dieser Bewegung/Partei, daß das manchmal als starr kritisierte westdeutsche politische System durchaus flexibler war, als mancher dieses in den letzten Jahren der Regierung Helmut Schmidts angenommen hatte.

So war Ende der achtziger Jahre die bis weit in die sechziger Jahre bestehende „skeptische Grundtendenz" über die westdeutsche Demokratie längst nicht mehr gültig. Es war ein Konsens entstanden, wonach die Demokratie in der Bundesrepublik kein Grund zur Sorge mehr war. Auch die Erfolge der Republikaner und der DVU bei Landtags- und Kommunalwahlen Ende der achtziger und Anfang der neunziger Jahre haben dieses Vertrauen nicht wesentlich erschüttert. Leitgedanke der Pressekommentare war eher, daß der plötzliche Anstieg der Rechtsextremisten kein typisch deutsches Phänomen sei. Genau vor diesem Hintergrund wurden auch die gewalttätigen ausländerfeindlichen Ausschreitungen kommentiert, die vor allem in den Jahren 1991–1993 inner- und außerhalb Deutschlands erneut Besorgnis und Kritik hervorriefen. Die Probleme Deutschlands, so ein Leitartikel im *NRC Handelsblad* im Dezember 1992, gebe es auch anderswo in Europa, aber in Deutschland seien sie „größer, dringender, heftiger und emotionsgeladener."[68]

Kennzeichnend für die Berichterstattung in den niederländischen Medien war ein Bemühen um Sachlichkeit. Trotz kleiner Unterschiede in den Bewertungen – die Töne in *de Volkskrant* und *Het Parool* waren ein wenig schärfer als im *NRC Handelsblad* und *Trouw* – widersetzten sich diese tonangebenden Zeitungen den durch die Brandanschläge aufdrängenden historischen Assoziationen. „Gerade um die Dämonen (der Vergangenheit, FW) zu vertreiben, sollte man die Geschichte miteinbeziehen", hieß es in *de Volkskrant* im September 1992: „Dann zeigt sich nämlich der Unterschied zwischen den Krawallen von jetzt und der Kristallnacht von damals, nämlich daß es damals die deutsche Staatsmacht war, die den Rassenhaß und die Gewalt entfesselte, während der Staat jetzt, Unzulänglichkeiten zum Trotz, versucht, die Gewalt zu bekämpfen." [69] Derartige Versuche, simplifizierenden, emotionsgeladenen Deutschlandbildern und historischen Assoziationen entgegenzutreten, sind als charakteristisch zu bezeichnen, und so zog sich der Kampf gegen die Gespenster der Vergangenheit und das Bemühen um Nüchternheit wie ein roter Faden durch die Berichterstattung und Leitartikel der genannten Zeitungen.

DUITSLAND

'...Dit Moet Door De Uitstoot Van Kwalijke Stoffen Komen...'

„Dies muß wohl durch den Ausstoß von Schadstoffen kommen". Karikatur: Opland, *de Volkskrant*, 2. Juni 1993

Selbstverständlich schloß dies Kritik an und Besorgnis über Entwicklungen in Deutschland sowie bisweilen auch Entgleisungen nicht aus. Liest man „zwischen den Zeilen", achtet man auf Überschriften mancher Artikel, auf Karikaturen oder auf die Benutzung *kursiv* gedruckter deutscher Wörter mit einem im niederländischen Sprachgebrauch unmittelbaren Bezug auf die Besatzungszeit (wie z. B. *Nacht und Nebel*), dann wurde manchmal auch von der Geschichte Gebrauch gemacht, um Dramatik und Bedrohung in den Vordergrund zu heben. [70] Dominierend war dies jedoch nicht. Zu wenig und zu spät sei in der Bundesrepublik gehandelt worden. Unter diese eher gemäßigte Formel läßt sich die in der Presse geäußerte Kritik zusammenfassen, die im Herbst 1992 ihren Höhepunkt erreichte. Unter der Überschrift „Eine neue Phase in Deutschland" hieß es Ende November 1992 (kurz nach dem Attentat in Mölln) in *Trouw*, daß der deutsche Staat zu lange passiv zugesehen habe und daß es jetzt an der Zeit sei, härter durchzugreifen. Obwohl der Vergleich mit Weimar als unzutreffend von der Hand gewiesen wurde, wurde mit großer Besorgnis festgestellt, daß eine „beunruhigend wachsende Zahl von Jugendlichen die alte Ideologie umarmt", daß die rechtsextremen Gruppierungen sich immer besser organisieren und daß, wenn man diese beiden Entwicklungen zusammen betrachtet, die Gewalt nur weiter zunehmen könne. [71] In *de Volkskrant* wünschte eine Redakteurin sich in jenem Herbst „einen Hauch von der Hysterie", die es in dem bereits erwähnten anderen deutschen Herbst, nämlich von 1977, bezüglich der Rote Armee Fraktion gab. Und nach der großen Demonstration gegen Ausländerfeindlichkeit in Berlin von Anfang November 1992 hieß es in einem Leitartikel dieser Zeitung, daß es „auch höchste Zeit (war), daß das anständige Deutschland massenhaft auf die Straße ging". [72] Eine unmittelbare Bedrohung der deutschen Demokratie wurde jedoch in keinem Pressekommentar festgestellt, und mit Erleichterung wurde nach den Massendemonstrationen in vielen deutschen Städten berichtet, daß die übergroße Mehrheit der Bevölkerung der rechtsradikalen Gewalt eine deutliche Absage erteilt habe. [73]

Zusammenfassend läßt sich feststellen, daß in den wichtigsten niederländischen Tageszeitungen kaum in grober Vereinfachung über die rechtsradikalen Ausschreitungen im vereinigten Deutschland geschrieben wurde. Die Berichterstattung ist eher als ein Spiegel der Ereignisse, als ein Spiegel ohne große Verzerrungen zu betrachten. Läßt man einige Entgleisungen außer Betracht, dann ist die Schlußfolgerung gerechtfertigt, daß der Deutschland gegenüber durchaus empfindliche niederländische Seismograph ruhig reagiert hat. In einer 1982 erschienenen Presseuntersuchung über das niederländische Deutschlandbild der siebziger Jahre hieß es, daß dieses Bild „trotz einer bleibenden Sensibilität ein hohes Maß an Erwachsenheit aufzeigt. Differenziert und in den meisten Fällen durch die tatsächlichen Ereignisse in der Bundesrepublik, nicht jedoch durch Vorurteile und Klischees von vornherein vorgezeichnet, hat es damit zu hoher Rationalität gefunden".[74] Daß diese Schlußfolgerung auch zu ziehen ist für eine Phase, in der das vereinigte Deutschland mit der rechtsradikalen Gewalt ihre bis heute größte Bewährungsprobe zu bestehen hatte, ist ein Beweis dafür, daß die von niederländischen Zeitungen vermittelten Deutschlandbilder viel nüchterner und objektiver waren, als auf Grund des „anti-deutschen" Rufs der Niederlande zu erwarten gewesen wäre.

Überblickt man schließlich die niederländische Perzeption der bundesdeutschen Demokratie 1949–1995, dann ist festzustellen, daß es bis weit in die sechziger Jahre hinein noch wenig Vertrauen in diese immer wieder als „jung" betrachtete Demokratie gab. Bei der Gründung der Bundesrepublik dominierte Skepsis, und genau wie in der nationalen Frage gab es in den fünfziger Jahren ein Wahrnehmungsmuster, in dem anscheinend gefährliche Tendenzen überbetont wurden, während die tatsächliche politische Stabilität und die unbedeutende Rolle des politischen Extremismus kaum zur Verringerung dieser Skepsis beitrugen. Bundeskanzler Adenauer gehörte zu den sehr wenigen politischen Führungsfiguren, zu denen man Vertrauen entwickelte. Gleichzeitig war das Adenauer-Bild jedoch ambivalent, weil sein patriarchalischer Führungsstil[75] und seine bis Ende der fünfziger Jahre unantastbare Position als Beweis demokratischer Unreife der Bevölkerung galten. Auch nachdem in diesem Jahrzehnt allmählich das Vertrauen in die politischen Führer zugenommen hatte, verringerten sich Wachsamkeit und Mißtrauen nur unwesentlich, denn repräsentativ für die Gesamtbevölkerung schienen diese wohl kaum.

Durchbrochen wurde die dominierende Skepsis erst 1969, als mit Gustav Heinemann und Willy Brandt Vertreter einer partizipatorischen Demokratieauffassung an die Spitze des Staates getreten waren. Es wuchs Vertrauen in die demokratische politische Kultur der Bundesrepublik, auch wenn Mitte der siebziger dieses positive Bild vor allem auf der linken Seite deutlich Rückschläge erlitt und mancher Beobachter in der Sorge um das liberale politische Klima der Republik von einer Bewährungsprobe der deutschen Demokratie sprach. Zweifel am institutionellen Funktionieren der westdeutschen Demokratie wurden jedoch nicht gehegt. Parallel mit der Entspannung der innenpolitischen Lage normalisierte sich ab Ende der siebziger Jahre das niederländische Wahrnehmungsmuster bezüglich der deutschen Demokratie. Die Skepsis verschwand von der Bildfläche und die Bundesrepublik wurde nun so perzipiert, wie sie inzwischen geworden war: als eine „stinknormale" Demokratie, nicht weniger, aber auch nicht mehr gefährdet als die anderen westlichen Demokratien. Die Berichterstattung in den niederländischen Medien über die ausländerfeindlichen Ausschreitungen im vereinigten Deutschland bestätigten dieses durchaus nüchterne und sachliche Wahrnehmungsmuster, wobei trotz einiger Entgleisungen in der Presse das Bemühen dominierte, sich von vereinfachten historischen Assoziationen zu distanzieren.

Die Bundesrepublik eine „stinknormale" Demokratie, vielleicht sogar ein Vorbild für andere westliche Demokratien? Im Oktober 1989 charakterisierte *NRC Handelsblad*-Kolumnist J.A.A. van Doorn die Bundesrepublik als den Staat mit der „stabilsten parlamentarischen Demokratie, die Europa im 20. Jahrhundert gekannt hat".[76] Und als schließlich im Oktober 1994 die zweite gesamtdeutsche Bundestagswahl im niederländischen Fernsehen kommentiert wurde, verglich ein Kommentator das Ergebnis mit Wahlausgängen aus der letzten Zeit in Italien, Österreich, Belgien und Frankreich. Sein Fazit formulierte er in zwei rhetorischen Fragen: „Wo in Europa gibt es eigentlich mehr Stabilität, Kontinuität und politische Berechenbarkeit als in Deutschland? Steht die Bundesrepublik in ihrer demokratischen politischen Kultur nicht längst viel besser da als manche andere europäische Demokratie?"

Ausblick

Trotz aller Wirbel, die 1993 die Clingendael-Umfrage und die Postkartenaktion „Ich bin wütend!" nach sich gezogen haben, ist am Ende festzustellen, daß für die gesamte Nachkriegszeit die pauschale These von den antideutschen Niederlanden als unzutreffend von der Hand zu weisen ist. Sicherlich haben die Niederländer seit dem Schock des deutschen Überfalls vom 10. Mai 1940 und der darauf folgenden fünfjährigen Besatzungszeit einen langen Weg zurückgelegt, bis sie allmählich die Brille dieser Vergangenheit ablegen und die Bundesrepublik als verläßlichen, demokratischen Staat betrachten konnten. Obwohl eine Periodisierung mit scharfen Zäsuren notwendigerweise eine Vereinfachung darstellt – Bilder ändern sich schließlich allmählich und nicht schlagartig –, macht es doch Sinn, zusammenfassend eine solche Einteilung hinsichtlich der niederländischen Meinungsbildung über die deutsche Frage und Demokratie vorzunehmen. Sie macht deutlich, wie wichtig das Jahr 1969 für die niederländischen Bilder gewesen ist. In einer ersten Phase (1949–1955) dominierten eindeutig Mißtrauen und Wachsamkeit, sowohl in der Perzeption der nationalen Frage als auch in der des demokratischen Neuaufbaus. Mit dem Beitritt der Bundesrepublik zur NATO 1955 war der Prozeß vom Feind zum Partner formell abgeschlossen, und es trat eine Phase ein (1955–1969), in der die Furcht vor einem neuen „Rapallo" zunehmend in den Hintergrund geriet und die Bundesrepublik allmählich als ein verläßlicher westlicher Bundesgenosse wahrgenommen wurde. Bestätigt wurde dies in der dritten Phase (1969–1989) durch die positive Meinungsbildung über die sozialliberale Ostpolitik sowie die positive Resonanz der bundesdeutschen Deutschland- und Außenpolitik der achtziger Jahre. Zentrales Kriterium in der Beurteilung dieser Politik war, daß die Bundesrepublik die Westintegration nicht aufs Spiel setzen dürfe, eine Konstante, die auch nach der deutschen Vereinigung nicht an Bedeutung verloren hat.

In der Beurteilung der deutschen Demokratie ist 1955 sicherlich noch keine Zäsur zu erkennen. Die Phase des Mißtrauens und der Wachsamkeit ging erst 1969 zu Ende. So läßt sich die gesamte Nachkriegszeit auf diesem Gebiet in zwei längere Phasen einteilen: 1949–1969 als die Phase der Skepsis und 1969–1989 als Periode, in der die Demokratie der Bundesrepublik als stabil, reformfähig und tatsächlich von der Bevölkerung getragen galt. Dieses Vertrauen schloß scharf formulierte Kritik und Sorge zwar nicht aus – wie zum Beispiel in der kritischen Zwischenphase Mitte der siebziger Jahre –, aber die bundesdeutsche Demokratie wurde im Laufe dieser zweiten Phase allmählich auch so gesehen, wie sie tatsächlich war: „stinknormal".

Dieses durchaus positive Endergebnis, auch bestätigt durch die meisten demoskopischen Trends, darf jedoch nicht zu dem Schluß führen, daß auf politisch-psychologischem Gebiet von einem reibungslosen, vorurteilsfreien und unproblematischen niederländisch-deutschen Verhältnis gesprochen werden könnte. Dafür gibt es zu viele Beispiele von Zwischenfällen, Spannungen und Mißverständnissen. Wiederholt sei jedoch, daß der Begriff „antideutsch" oder „deutschfeindlich" in die Irre führt. Richtiger ist es, von Ambivalenz und Sensibilität zu sprechen. Der niederländische Seismograph reagiert sicherlich empfindlich, manchmal überempfindlich auf Ereignisse im größten Nachbarland. Den anderen großen Nachbarn, die Nordsee, haben die Niederlande allmählich mit hohen Deichen in den Griff bekommen; Deutschland gegenüber haben die Niederländer keine Deiche, sondern eine niedrige „Schmerzgrenze", die man aber nicht mit einer pauschal antideutschen Stimmung gleichsetzen darf. Dazu zum Schluß sechs Thesen zum politisch-psychologischen Verhältnis zwischen Niederländern und Deutschen.

1. Allgemein ist festzustellen, daß zwischen der Meinungsbildung der „politischen Klasse" und der öffentlichen Meinung unterschieden werden muß. In diesem Beitrag sind vor allem Deutschlandbilder der sogenannten politischen Klasse dargestellt worden, die zwar auch lange Zeit von Klischees mitgeprägt wurden, sich jedoch inzwischen zu meistens nüchternen und sachlichen Bildern entwickelt haben. In der öffentlichen Meinung unterhalb dieses sachkundigen Niveaus ist trotz vieler positiver Umfrageergebnisse ein breites Spektrum an negativen Klischees und Stereotypen anzutreffen. Je sachkundiger und informierter man ist, umso geringer ist die Rolle derartiger vereinfachender Negativimages. Deren Inhalt und Bedeutung ließe sich durch gut vorbereitete Austauschprojekte – vor allem für Jugendliche – teilweise verringern. Hier sind nicht nur Regierungen, Gemeinden und Institutionen für politische Bildung, sondern vor allem Lehrer und Schuldirektoren gefordert, Initiativen zu ergreifen.

2. Gleichzeitig sollte auf politisch-psychologischem Gebiet die Bedeutung des manchmal spannungsvollen Verhältnisses nicht überdramatisiert werden. „Wo wir auch immer in der Welt hinschauen, freundliche nachbarliche Beziehungen finden wir selten, ein günstiges Stereotyp von nationalen Nachbarn so gut wie nie", hat Koch-Hillebrecht zu Recht festgestellt.[77] Dieses Zitat soll nicht als Aufruf aufgefaßt werden, unerfreuliche Tendenzen oder Zwischenfälle als unabänderlich hinzunehmen, sondern als ein Plädoyer für ein Quentchen mehr Gelassenheit. Gerade weil die Niederlande in vieler Hinsicht von Deutschland abhängig sind, es viele gemeinsame Interessen gibt und auch viele Ähnlichkeiten zwischen Deutschen und Niederländern festzustellen sind, kurz: weil die Niederlande durch tausend Fäden mit Deutschland verbunden sind, gibt es auf niederländischer Seite das fast vorprogrammierte Bedürfnis, den Deutschen zu zeigen, daß man nicht als das siebzehnte Bundesland perzipiert werden möchte, sondern als eigenständige Nation. Das ist nicht als antideutsch zu bezeichnen, sondern gehört zum normalen Spannungsverhältnis zwischen einem kleinen Land, das sich manchmal Sorgen über seine Selbständigkeit und die Aufrechterhaltung der eigenen Identität macht, und einem großen Nachbarn mit einem erheblichen politischen und wirtschaftlichen Gewicht in Europa. Derartige Spannungen sind auch nichts Neues in den niederländisch-deutschen Beziehungen. So war auch für die Periode des Kaiserreiches (1871–1918) von einem gespaltenen Verhältnis gegenüber Deutschland die Rede, in dem einerseits das Wissen, daß auf wirtschaftlichem Gebiet intensive Beziehungen vorhanden waren, sich positiv auswirkte, während andererseits eine latente Besorgtheit hinsichtlich der eigenen Selbständigkeit zur Wachsamkeit gegenüber dem eventuell zu großen deutschen Einfluß führte.[78] Die Frage nach der eigenen Identität hat Anfang der neunziger Jahre sicherlich an Bedeutung gewonnen. Dies hängt nicht nur mit der deutschen Vereinigung zusammen, sondern auch mit der allgemeinen Unsicherheit über die Zukunft Europas und damit, daß nun alte Sicherheiten verschwunden sind.

3. Politisch-psychologische Spannungen im bilateralen Bereich müssen außerdem als die Äußerungen einer sehr unterschiedlichen historischen Entwicklung und der daraus erwachsenen politischen Kulturen betrachtet werden, die stets ein gewisses Maß an Gegensätzlichkeit in den bilateralen Beziehungen implizieren.[79] Dieses strukturell bestimmte Spannungsfeld entspricht jedoch eher dem *normalen* Verhältnis zwischen den beiden Nachbarstaaten, als daß es auf nicht geheilte alte Wunden verweist. Diese Wunden gibt es zwar noch stets, wie auch die emotional geführte Debatte Anfang 1989 über die Freilassung der letzten deutschen Kriegsverbrecher („Zwei von Breda") zeigte. In dieser Debatte ging es aber nicht um Deutschland oder um das Bild der Deutschen, sondern um den niederländischen Rechtsstaat und die eigene „Vergangenheitsbewältigung".

4. Auch wenn die Hypothek des Kriegstraumas immer mehr an Bedeutung verlieren wird, mit plötzlichen Ausbrüchen von Kritik oder Emotionen, in denen erneut auch Erinnerungen an die Besatzungszeit eine Rolle spielen, ist auch künftig noch zu rechnen. Die Besatzungszeit läßt sich auch instrumentalisieren bei der Mobilmachung von Ressentiments. Daß dies gerade in den Niederlanden der Fall ist, hängt vor allem damit zusammen, daß die Jahre 1940–1945 das niederländische historische Bewußtsein sehr stark geprägt haben, wahrscheinlich auch stärker als das der anderen westlichen Länder. Es ist sogar eine gewisse Kultivierung dieser Zeit festzustellen. Obwohl in der Geschichtswissenschaft der Mythos des nationalen Widerstandes gegenüber der Besatzungsmacht schon längst durchbrochen wurde, spielt er im öffentlichen Bewußtsein noch eine wichtige Rolle. Eine Auseinandersetzung damit, daß im Vergleich zu anderen besetzten Ländern die Niederlande mehr Freiwillige für die SS lieferten, hat genausowenig stattgefunden wie eine Aufarbeitung der Tatsache, daß in den Niederlanden verhältnismäßig weniger Juden

überlebten als in anderen westlichen Staaten. Und dies war nur möglich, weil auf niederländischer Seite bei den Deportationen der Juden außerordentlich ordnungsgemäß gehandelt worden ist.

Gustav Heinemann hat einmal in einem anderen Zusammenhang gesagt, wenn man mit dem Zeigefinger in eine Richtung weist, gibt es drei Finger, die auf sich selbst zurückweisen. Er war populär, als er 1969 den Niederlanden einen Staatsbesuch abstattete und über Versöhnung redete. Die Niederländer wären nicht schlecht beraten, auch diese Aussage Heinemanns auf sich einwirken zu lassen. Möglicherweise wird man sich dann auch der Verdrängung des eigenen schlechten Gewissens bewußt, eine Verdrängung, die sicherlich den manchmal einseitigen und vereinfachenden Blick über die Ostgrenze miterklärt. Es könnte sogar „befreiend" wirken.

5. „Wir, die Niederländer, treten so häufig, ob man uns fragt oder nicht, als Schulmeister gegenüber dem Ausland auf, wenn es den hohen Maßstäben nicht genügt, die wir, wenn nicht für uns selbst, dann doch für die anderen vorschreiben ...", schrieb *NRC Handelsblad* 1970.[80] Der politische Moralismus, mit dem in den Niederlanden vielleicht mehr als anderswo das Weltgeschehen kommentiert wird, führt dazu, daß diese Kommentare häufig mit scharfer Zunge ausgesprochen werden. Sowohl die dabei gezeigte moralische Entrüstung als auch die ausgeteilten guten Zensuren sind teilweise aus den idealistischen Traditionen der niederländischen Außenpolitik und aus dem relativ geringen politischen Gewicht der Niederlande, das ihnen einen größeren Spielraum für derartige Äußerungen bietet, zu erklären. Im Zusammenhang mit der niedrigen „Schmerzgrenze" Deutschland gegenüber führte diese Neigung zum Erheben des moralischen Zeigefingers in der erwähnten „Ich bin wütend!"-Postkartenaktion vom späten Frühjahr 1993. Auf deutscher Seite sollte diese Aktion nicht als Beweis einer antideutschen Welle betrachtet werden. Sie ist primär vor dem Hintergrund einer alten, eigenartigen niederländischen Tradition zu sehen, deren „Opfer" auch andere Länder bereits gewesen sind.

6. Schließlich ist festzustellen, daß genauso wie der niederländische Seismograph manchmal überreagiert, auch die deutsche Reaktion darauf manchmal übersensibel ist. Sowohl Niederländer als auch Deutsche sollten sich darüber im Klaren sein, daß „Frieden-Freude-Eierkuchen" im politisch-psychologischen Verhältnis zwischen beiden Völkern nicht der Normalfall ist oder das Ziel sein sollte. Daran können auch die gute

Zusammenarbeit im offiziellen Bereich, die gemeinsamen wirtschaftlichen Interessen und wohlgemeinte Plädoyers für herzliche gegenseitige Beziehungen wenig ändern. Es geht darum, konstruktiv, ohne Dramatisierung und mit mehr Gelassenheit mit den genannten vorprogrammierten Spannungen umzugehen. Und auf diesem Gebiet gibt es auf beiden Seiten der Grenze sicherlich noch einiges hinzuzulernen.

Anmerkungen

1 Karel L. Poll: De Duitse democratie maakt het uitstekend. In: NRC Handelsblad, 3. März 1978.

2 Duitsland zoals het thans is. In: Trouw, 23. März 1950.

3 Duitse hardheid. In: de Volkskrant, 13. September 1952.

4 Archief Buitenlandse Zaken (Den Haag), (nachfolgend: BuZa), 912.1, Duitsland-West Verhouding, Dl. II 1951–1954, Lamping an BuZa, 11. August 1954.

5 Vgl. z. B. Erich Wiedemann: Frau Antje in den Wechseljahren. In: Der Spiegel, 9/1994, S. 172–184.

6 Vgl. J. Wilke: Imagebildung durch Massenmedien. In: Völker und Nationen im Spiegel der Medien. Schriftenreihe der Bundeszentrale für politische Bildung Bd. 269. Bonn 1989, S. 11 ff.

7 Vgl. Friso Wielenga: Vorwärtsdrängender Verstand und zögerndes Gemüt. Deutschland aus niederländischer Sicht 1945–1955. In: Horst Lademacher und Jac Bosmans (Hrsg.): Tradition und Neugestaltung. Zu Fragen des Wiederaufbaus in Deutschland und den Niederlanden in der frühen Nachkriegszeit. Münster 1991, S. 256 ff.

8 H.W. von der Dunk: Die Niederlande und Deutschland. Randvermerke zu einer Nachbarschaft. In: Die Niederlande. Korrespondenten berichten. Zürich 1980, S. 131.

9 Menschen nehmen sehr oft nur das wahr, was sie als vorgefaßter Meinung schon in sich tragen. Wie langlebig solche Stereotypen sind, zeigt Koch-Hillebrecht in seinem „Das Deutschenbild. Gegenwart, Geschichte, Psychologie". Darin stellt er u. a. fest, daß negative Klischees über die Deutschen, sie seien gewalttätig, unberechenbar und irrational, bereits das Germanenbild der Antike bestimmten; vgl. M. Koch-Hillebrecht: Das Deutschenbild. Gegenwart, Geschichte, Psychologie. München 1977, S. 154 ff; vgl. auch den Beitrag von Anne Katrin Flohr in diesem Band.

10 Vgl. zur niederländischen Ambivalenz gegenüber Deutschland vor 1940, H. Lademacher: Fremdbild und Außenpolitik. Bemerkungen zu den deutsch-niederländischen Beziehungen im 19. und 20. Jahrhundert. Nachbarn Nr. 34. Bonn, o. J.; ders.: Zwei ungleiche Nachbarn. Darmstadt 1990; H.W. von der Dunk: Randvermerke; ders.: Die Niederlande im Kräftespiel zwischen Kaiserreich und Entente. Wiesbaden 1980.

11 F.M. Roschar: Buitenlandse politiek in de Nederlandse publieke opinie. Den Haag 1975, S. 76/77, 85, 95.

12 Vgl. Ch. J. Vaneker und Ph. P. Everts: Buitenlandse politiek in de Nederlandse publieke opinie. Inventaris van de in Nederland gehouden opinieonderzoeken m.b.t. de buitenlandse politiek in de jaren 1975–1984. Clingendael, Den Haag 1984, S. 165.

13 Ebd., S. 2.

14 Ebd., S. 3/4.

15 Ebd., S. 42.

16 Auch 1980 wurden diese Fragen gestellt. Die Ergebnisse unterschieden sich kaum von denen von 1979 und werden deswegen hier nicht gesondert aufgeführt; vgl. Vaneker und Everts: Politiek, S. 119.

17 Vaneker und Everts: Politiek, S. 165.

18 Vgl. Edgar Piel: Das Bild der Deutschen im Spiegel der Demoskopie als Selbstbild und Fremdbild bei den westeuropäischen Nachbarn. Konferenz-Paper, Dezember 1993, S. 14.

19 Vgl. Ph. P. Everts: Meinungen über Deutschland in den Niederlanden. Eine Notiz für den Beirat für Frieden und Sicherheit. In: Beirat für Frieden und Sicherheit (Hrsg.): Deutschland als Partner. Den Haag 1994, Anhang 3, S. 86.

20 NRC/Handelsblad, 24. Februar 1990.

21 Vgl. weiter ausführlich: Friso Wielenga: West-Duitsland: Partner uit noodzaak. Nederland en de Bondsrepubliek 1949–1955. Utrecht 1989, S. 143–194; ders.: Sensibilität und Verwundbarkeit. Die Niederlande und die deutsche Frage. In: R. Fremdling, F. Wielenga u. a.: Die überwundene Angst? Die neun Nachbarländer und die deutsche Einheit. Landeszentrale für politische Bildung NRW. Düsseldorf 1992, S. 11–33.

22 Valstrik. In: de Volkskrant, 29. Dezember 1950; vgl. Wielenga: Partner, S. 149.

23 Ebd., S. 146.

24 Ebd., S. 149–151.

25 Vgl. Friso Wielenga: Alfred Mozer: Europeaan en democraat. In: Marnix Krop, Martin Ros e.a. (Hrsg): Het twaalfde jaarboek voor het democratisch socialisme. Amsterdam 1991, S. 135–164.

26 Wielenga: Sensibilität; ders: Partner, S. 180.

27 Vgl. BuZa, Dld.W., Toenadering tot het Oostblok, Dl. 1 1967–1970, Map 3381, Telegramm De Beus an BuZa, 21. März 1968.

28 Algemeen Rijksarchief, Den Haag, (nachfolgend ARA), Protokolle Ministerrat (MR), 31. Oktober 1969.

29 BuZa, 912.2, Dld.W. – Polen, Verhoudingen en diplomatieke betrekkingen, Dl. III 1965–1970, Map 3429, Memo DEU/ME an Chef DEU, 23. November 1970.

30 BuZa, 912.2, Dld.W. – Sovjet-Unie, Dl. VII 1970, Map 3439, Telegramm De Beus an BuZa, 11. August 1970.

31 Vgl. ausführlich Jürgen C. Heß und Friso Wielenga: Duitsland in de Nederlandse pers – altijd een probleem? Drie dagbladen over de Bondsrepubliek 1969–1980. Den Haag 1982.

32 Zit. nach Heß/Wielenga: Pers, S. 83; vgl. auch Jürgen C. Heß und Friso Wielenga: Gibt es noch Ressentiments ...? Das niederländische Deutschlandbild seit 1945. In: Jürgen C. Heß und Hanna Schissler (Hrsg.): Nachbarn zwischen Nähe und Distanz. Deutschland und die Niederlande. Frankfurt/M. 1988, S. 13–36.

33 Beweging. In: NRC Handelsblad, 3. Juli 1980.

34 Schmidts reis. In: de Volkskrant, 2. Juli 1980.

35 Handelingen Tweede Kamer, 22. Februar 1990, 44–20665.

36 Nederland wijst Sovjet-aanbod voor eenwording Duitsland af. In: NRC Handelsblad, 8. Mai 1990.

37 Alfred Mozer Stichting (Hrsg.): Een verenigd Duitsland en de toekomst van Europa. PvdA. Amsterdam, Mai 1990.

38 Vgl. die Beiträge in: Meningen over ... Duitse eenheid. Het derde Duitse wonder. Amsterdam 1990.

39 Een verenigd Duitsland ... en Europa. In: NRC Handelsblad, 2. Oktober 1990.

40 Duitse eenheid. In: NRC Handelsblad, 2. Juli 1990.

41 Duitslands verantwoordelijkheid. In: Trouw, 3. Oktober 1990.

42 Gelukwens ... en ongerustheid. In: Algemeen Dagblad, 3. Oktober 1990.

43 Duitsland. In: de Volkskrant, 3. Oktober 1990.

44 Duitsland een. In: Het Parool, 3. Oktober 1990.

45 Holland fällt der Abschied schwer. In: FAZ, 2./3. Oktober 1990.

46 Nach dem Buchtitel von Ernst Fraenkel: Deutschland und die westlichen Demokratien. Berlin, Stuttgart u. a. 1964; vgl. Wilhelm Bleek und Hanns Maull (Hrsg.): Ein ganz normaler Staat? Perspektiven nach 40 Jahren Bundesrepublik. München 1989, 10–11.

47 Betreurenswaardig. In: NRC, 2. August 1949.

48 BuZa, Archief Ambassade Bonn, Geheime Stukken, (nachfolgend AAB GS), 911.32, Dld.W., Verkiezingen 1949, Van Panhuys an De Booy, 17. August 1949.

49 De dag van Adenauer. In: Trouw, 8. September 1953.

50 Geen avontuur. In: NRC, 7. September 1953; vgl. für de Volkskrant, Zegepraal voor Europa, 8. September 1953.

51 BuZa, 911.23, Dld.W., Bondsregering, Kabinet, Dl. II 1951–1954, De Booy an BuZa, 21. März 1953; vgl. weiter ausführlich Wielenga: Partner, S. 296 ff.

52 BuZa, 912.230, Dld. W., Contractual Agreements, Parlementaire Behandeling in W.Dld., Lamping an BuZa, 20. Mai 1953.

53 BuZa, AAB, 911.32, Dld.W., Verkiezingen 1952–1953, Lamping an BuZa, 26. August 1953.

54 BuZa, AAB GS, 921.311, Westerse Defensie, Conferentie te Parijs, Lamping an BuZa, 8. Dezember 1954.

55 BuZa, AAB GS, 912.20, Alg. Dld.W., Vredenburch an BuZa, 26. September 1960.

56 BuZa, GS, 911.0, Dld.W, Algemene Rapporten 1955–1964, Dl. IV, Mappe 1160, Vredenburch an BuZa, 28. September 1962.

57 BuZa, AAB, 911.3, Binnenlandse politiek West-Duitsland 1955–1964, Vredenburch an BuZa, 27. Dezember 1962.

58 Zitiert bei Jörg Peter Helm: Zum Deutschlandbild in der niederländischen Presse. Eine Inhaltsanalyse überregionaler Tages- und Wochenzeitungen des Jahres 1966. Aachen 1969, S. 255. (Trouw, 5.2.1966, S. 7)

59 Helm: Deutschlandbild, S. 247–248.

60 Vgl. für das Deutschlandbild der Periode 1969–1980: Heß und Wielenga: Pers; vgl. auch: Friso Wielenga: Die Niederlande und Deutschland. Zwei unbekannte Nachbarn. In: Internationale Schulbuchforschung 5 (1983), H. 2, S. 145–155.

61 Die hohe Wahlbeteiligung in der Bundesrepublik ist übrigens nicht unbedingt als Zeichen einer lebendigen Demokratie aufzufassen. In der politologischen Literatur ist öfters darauf hingewiesen, daß der Gang an die Wahlurne in der Bundesrepublik lange Zeit eher aus empfundener Bürgerpflicht denn aus einem Wunsch nach demokratischer Beteiligung zu deuten war; vgl. u. a. Peter Reichel: Die politische Kultur der Bundesrepublik. Opladen 1981, S. 141–142.

62 ARA, Protokolle MR, 3. Oktober 1969.

63 Vgl. zu diesem Besuch Friso Wielenga: Der Weg zur neuen Nachbarschaft nach 1945. In: Niedersächsische Landeszentrale für politische Bildung (Hrsg.): Die Niederlande und Deutschland. Nachbarn in Europa. Hannover 1992, S. 132–133.

64 Vgl. ausführlich Heß und Wielenga: Pers, S. 38 ff.

65 Slapeloze nachten. In: NRC Handelsblad, 2. Juni 1976.

66 Duitse democratie. In: NRC Handelsblad, 7. September 1977.

67 Diese „Anti-Land-These" wurde durch M.C. Brands in „De internationale positie van de Bondsrepubliek" formuliert. In: Duitsland weer een probleem? Verslag van de Duitslandconferentie op 11 november 1978, 9 (Wiardi Beckman Stichting Amsterdam).

68 Duitsland-cliché. In: NRC Handelsblad, 2. Dezember 1992; vgl. ausführlich: Friso Wielenga: Deutsche Jugend von außen gesehen – Beobachtungen aus den Niederlanden. In:

Walter Raymond Stiftung (Hrsg.): Jugend im vereinten Deutschland. Köln 1994, S. 219–240.

69 Duitse demonen. In: de Volkskrant, 12. September 1992.

70 „Ein Land, wo Menschen lebendig verbrannt werden", lautete am 1. Juni 1993 die Überschrift auf der Titelseite in der Volkskrant nach dem dramatischen Brandanschlag in Solingen. Anscheinend war der Redakteur davon ausgegangen, daß diese Information dem Leser ausreichte, um zu wissen, daß es hier um Deutschland ging. Derartige Ausrutscher waren jedoch eine Ausnahme; vgl. auch „Politici moedigen straatterreur aan". In: het Parool, 27. November 1992.

71 Een fase verder in Duitsland. In: Trouw, 25. November 1992.

72 Duitsland. In: de Volkskrant, 10. November 1992.

73 Vgl. u. a. Rechtse terreur. In: de Volkskrant, 25. November 1992.

74 Heß und Wielenga: Pers, S. 111 ff.

75 Vgl. zu Adenauers Regierungsstil Wilfried Röhrich: Die Demokratie der Westdeutschen. Geschichte und politisches Klima einer Republik. München 1988, S. 27–47.

76 Koch-Hillebrecht: Deutschenbild, S. 239.

77 Vgl. von der Dunk: Kräftespiel; Wielenga: Partner, S. 21 ff.

78 Vgl. Hermann W. von der Dunk: Die Niederländer im Kräftespiel zwischen Kaiserreich und Entente, Wiesbaden 1980; Wilenga: Partner, S. 21 ff.

79 Vgl. die Beiträge von Hermann von der Dunk und Ernest Zahn in diesem Band.

80 Een griffel, in: NRC Handelsblad, 14. November 1970.

Nachdenken über Deutschland

ROBERT ASPESLAGH

Einführung

Festgefügte Vorstellungen von und über Menschen sind überall auf dieser Welt zu finden. Diese Bilder sind fester Bestandteil unseres Lebens. Wir denken allzu oft, das menschliche Prinzip des „wir und sie" sei vor allem eine Nationalitätenfrage. Aber auch im eigenen Land spielen Bilder in unterschiedlichen Lebenslagen eine Rolle.

Jeder von uns ist mit der Wirkung solcher Bilder vertraut und hat damit seine Erfahrung gemacht. Ich weiß noch genau, damals, als ich meine Frau kennenlernte, waren ihre Familienangehörigen irritiert. Was will die mit einem „Ausländer"? Sie stammt nämlich aus dem Süden der Niederlande, aus Maastricht, und ich komme aus dem Norden, aus Amsterdam. Ihre Schwester bändelte sogar mit einem „Preußen" an, der unweit der niederländischen Grenze im Rheinischen wohnte, den sie dann auch noch heiratete! Aber schauen wir uns doch einmal Berlin und München an. In München steht eine Engelsfigur. Berlin hat auch eine Säule mit einem Engel. Die Münchener weisen stolz auf ihren Engel und fragen: „Was ist nun der Unterschied zwischen diesem und dem Berliner Engel?" Ihre Antwort ist: „Wir haben einen Friedensengel; Berlin hat einen Siegesengel."

Viele Bilder sind relativ unschuldig, oft sogar frotzelnd und humorvoll. Dennoch steckt oft eine tiefe Bedeutung dahinter und manchmal sogar eine bittere Vergangenheit. Zwischen Limburg im Süden und den nördlichen Provinzen klaffen alte, historische Wunden. Jahrhundertelang wurden die südlichen Provinzen Limburg und Brabant von Den Haag regiert. Die anderen Provinzen des Landes dagegen waren unabhängige Teilstaaten. Das Kolonialverhalten des Nordens und ein gewisses Gefühl von Inferiorität prägen noch immer die Bilder zwischen den Niederländern aus Nord und Süd.

Eine Studie über das Deutschlandbild

Sind wir doch mit vielen Bildern vertraut und gehen tagtäglich mit ihnen um, so rütteln sie doch hin und wieder eine ganze Gesellschaft wach.

Die Umfrage des Niederländischen Instituts für internationale Beziehungen „Clingendael" zum Bild von Deutschland und den Deutschen bei Jugendlichen im Alter zwischen fünfzehn und neunzehn Jahren[1] löste nicht nur in den Niederlanden einen Schock aus. Auch viele Deutsche zerbrachen sich den Kopf darüber, was junge Niederländer bloß zu einem so negativen Bild über sie und ihr Land bringt.

Ich führe hier nur einige Ergebnisse aus der Umfrage an und gehe nicht detailliert darauf ein. Es ist nämlich weitaus interessanter, die eventuellen Ursachen für das negative Bild über Deutschland und die Deutschen in den Niederlanden zu analysieren. Wichtig ist nämlich nicht das Bild als solches, sondern die Faktoren, die dieses Bild entstehen ließen.

Die Studie trägt den vielsagenden Titel „Bekannt und unbeliebt". Die richtige Interpretation des Titels erfordert einiges Nachdenken. Den befragten Jugendlichen sind die Deutschen zweifellos ein Begriff, sie sind ihnen also „bekannt". Wird ihnen über Deutschland und die Deutschen eine Frage gestellt, so folgt prompt eine Antwort. Etwas wissenschaftlicher ausgedrückt: Geht es um Deutschland und die Deutschen, dann verfügen junge Menschen über eindeutige „beliefs". Das bedeutet jedoch noch nicht, daß auch ihr Wissen über die genannten Kategorien im gleichen Maße vorhanden ist. Die Umfrage hat gezeigt, daß hier einiges im argen liegt. Kurz gesagt sind die Deutschen bei holländischen Jugendlichen bekannt wie „bunte Hunde".

Die Untersuchung über das Deutschlandbild lieferte interessante Auskünfte. Zunächst fragten wir nach Eigenschaften, die „den Deutschen" zugeschrieben werden, und dies im Vergleich zu anderen Nationalitäten, nämlich den Niederländern, Engländern, Franzosen und Belgiern. Wir wollten von den Jugendlichen wissen, welche Eigenschaften sie für die Einwohner der genannten fünf Länder für zutreffend hielten. (vgl. Tabelle 7, S. 175) Die Untersuchungsergebnisse zeigten, daß bei negativen Eigenschaften mit großem emotionalen Gehalt die Deutschen in der Punkteskala weit oben rangierten und bezüglich positiver Eigenschaften wenig Punkte erhielten. Hier einige Beispiele: die Eigenschaften „tolerant" und „freundlich" wurden allen anderen Nationalitäten häufiger zugeordnet als den Deutschen; hingegen hielten die meisten der Befragten die Deutschen für „herrschsüchtig" und „arrogant". Hinsichtlich der Eigenschaften, die Jugendliche den Deutschen zuschreiben, können wir zunächst konstatieren, daß das Bild über die Deutschen negativ und recht homogen ist.

Die Auskünfte und Meinungen über Deutschland als Land ergaben ein anderes Bild. (Vgl. Tabelle 8, S. 176) Die Ergebnisse der Umfrage lassen

Verschiebungen erkennen. In drei Kategorien, die mit dem Begriff „Krieg" verbunden sind, schnitt Deutschland schlecht ab: es will die Welt beherrschen, es ist kriegstreiberisch, und es ist wenig friedliebend. Andererseits ist Deutschland für niederländische Jugendliche ein demokratischer und technisch hochentwickelter Staat, der nicht unter sozialen Schwierigkeiten zerbricht. Diese Angaben verdeutlichen, daß das Bild von Deutschland und den Deutschen weder einseitig negativ noch homogen ist.

Die Unterschiede zwischen der Bewertung eines Landes einerseits und der Bewertung der Menschen, die dieses Land bewohnen, andererseits können zum Teil so erklärt werden: Überzeugungen sind stärker an Personen gebunden als an Sachverhalte. Objektives Wissen kann daran wenig verändern. Wissen wir eigentlich – objektiv gesehen – etwas von einem Menschen, mal abgesehen davon, daß er lang, dünn, klein oder dick ist? Ein Land aber hat mehr objektive Werte, und diese kann man sich durch Studium aneignen.

Die Entstehung von Bildern

Auf das „Warum" dieses Deutschlandbildes findet sich in der Studie keine Antwort, denn danach ist nicht eingehend geforscht worden. Dennoch stand die Frage nach dem „Warum" in fast allen Diskussionen über das Deutschlandbild im Mittelpunkt. Die niederländischen Tageszeitungen reagierten sofort und recht massiv auf die Studie und veröffentlichten in sensationslüsterner Weise schockierende Zahlen. In Kommentaren fühlten sich die „Experten" bemüßigt, Kausalzusammenhänge herzustellen, die überhaupt nicht bewiesen sind.

Ein solcher Zusammenhang ist das Verhältnis zwischen den „Kenntnissen" und dem „Bild". Der Titel der Studie „Bekannt und unbeliebt" gab der Diskussion heftigen Zündstoff. Dem Text könne man entnehmen – so wurde argumentiert –, daß ein eindeutiger Zusammenhang zwischen den Kenntnissen und dem Bild existiere. Denn es waren tatsächlich die Schüler der höheren Bildungsstufen, die weniger negativ über Deutsche urteilten. Deren Wissen ist sicher größer als das von Schülern, die einen niedrigeren Bildungsstand haben. Aber sind es nicht auch Milieu und Umgebung, die zu nuancierter Denkweise beitragen?

Die Studie hat nicht die Kenntnisse über Deutschland mit denen über England, Frankreich, Belgien oder die Niederlande verglichen. Wenn dies erhoben worden wäre, so wäre das Ergebnis möglicherweise verblüffend gewesen: Die Zielgruppe hätte vielleicht mehr Ahnung und Sachkenntnis von Deutschland als von den anderen genannten Ländern gehabt, die Niederlande einmal ausgenommen. Wir sollten deshalb in der Interpretation der Ergebnisse recht vorsichtig sein und keine voreiligen Schlüsse ziehen.

Die Diskussion drehte sich immer wieder um das „Bild", das die Jugendlichen von Deutschland haben. Was ist das nun eigentlich? Wie entsteht so ein „Bild"? Wie können wir uns dieser „Bilder" entledigen? Für die Antwort auf diese Fragen müssen drei Dinge klar sein:

1. Die Entstehung eines „Bildes" ist ein komplexes Phänomen.

2. „Bilder" können nicht wie mit einer Pinzette aus den Köpfen der Menschen entfernt werden.

3. „Bilder" wandeln sich nur, wenn sich die Situation und das Lebensmuster der Menschen verändern. [2]

Wollen wir in die Vielschichtigkeit eines „Bildes" eindringen, dann müssen wir zunächst wissen, wie so ein „Bild" aufgebaut ist. Ein „Bild" wird von Überzeugungen genährt, daß etwas oder jemand so zu sein hat, wie man es oder ihn gerne sehen will. Diese Überzeugungen heißen im Fachjargon „beliefs", und meinen die Gesamtheit von Eigenschaften, die ein Individuum einem Objekt zuschreibt. Man erkennt an Äußerungen relativ schnell, ob es sich um „beliefs" handelt: Menschen sind zum Beispiel in der Lage, prompt und ohne mit der Wimper zu zucken über jemanden oder etwas ein Urteil zu fällen. Deshalb kann „belief" mit „Überzeugung" oder „Urteil" übersetzt werden.

Wie kommt nun so eine feste Überzeugung zustande? Ist in den Niederlanden von Deutschland oder den Deutschen die Rede, dann sind verschiedene Zusammenhänge berührt. Einige Ereignisse und maßgebliche Faktoren seien hier genannt: die Totenehrung am 4. Mai; die Feier zum Tag der Befreiung am 5. Mai; die Geschichten und Erzählungen über die Deutschen von (Groß-)Eltern und Freunden; Kriegsfilme, Romane und Sachbücher; die Massenmedien – Fernsehen und Presse –; der Schulunterricht; und natürlich der direkte Kontakt mit Deutschen selbst. Die Art, wie wir Niederländer uns selbst betrachten und inwieweit wir nationale Gefühle hegen und pflegen, beeinflußt ebenfalls diese Überzeugungen. [3]

Ein wichtiger Einflußfaktor sei hier herausgegriffen: die Wirkung der (Groß-)Eltern. Warum denken Menschen, die selbst der Nachkriegsgeneration angehören, noch immer so negativ über Deutschland? Die Wurzeln dieses Phänomens liegen in der Erziehung. Eine Generation reicht ihre Bilder an die nächste weiter. Die Großeltern der heutigen Jugendlichen

„Typisch deutsch, was, kein Gefühl für Humor". Karikatur: Albo Helm, *Dagblad Tubantia*, 3. September 1994

haben den Zweiten Weltkrieg miterlebt und teilen ihre bösen Erfahrungen mit Deutschen in negativen Bildern über die Deutschen mit.

Oder ein anderer Faktor: die Wirkung der Massenmedien. Nehmen wir zum Beispiel die Tageszeitungen. Die Volkskrant, eine vielgelesene Morgenzeitung in den Niederlanden, hat ungefähr 350.000 Leser. Ich will hier keine Analyse der einzelnen Artikel vornehmen, sondern ein Beispiel herausgreifen, das ich auf der Titelseite vom 8. März 1995 fand. Dort steht eine Reaktion auf den gestiegenen Wert der D-Mark durch den Fall des Dollars, des englischen Pfunds und der italienischen Lira. Ein Artikel trägt die Überschrift: „Deutschmark, Deutschmark über alles." Die Anspielungen sind sehr vielsagend und recht eindeutig.

Zur Entstehung eines „Bildes" gehört jedoch noch mehr als die bereits genannten Einwirkungen. Denn alle diese äußeren Einflüsse spielen sich in einem bestimmten gesellschaftlichen Rahmen ab. Das „Bild", das wir Niederländer von Deutschland und den Deutschen haben, entspringt dem gesellschaftlichen Kontext der Niederlande und ist deshalb auch ein niederländisches Problem.

Die Einflüsse auf das Deutschlandbild in den Niederlanden

Was bestimmt nun die niederländische Situation? Mit dieser Frage begeben wir uns in komplizierte Gefilde, da die Meßinstrumente fehlen und die Antwort mehr oder weniger eine Spekulation bleibt. Sowohl interne als auch externe Faktoren haben möglicherweise Einfluß auf das „Bild" von Deutschland und den Deutschen.

– *Externe Faktoren.* Hier sind vor allem die Ereignisse in Deutschland zu nennen: die Anschläge auf Ausländer und das Auftreten rechtsextremistischer Parteien.

– *Interne Faktoren* in den Niederlanden.

Im folgenden werden vier Aspekte dieser internen Faktoren knapp skizziert:

1. Welche historischen Momente prägen das Geschichtsbild eines Landes bei jungen Menschen? Die deutsche Geschichte beginnt für Schüler aus den Niederlanden mit dem Jahre 1870, der Erste Weltkrieg ist ein weiteres großes Thema, und volle Beachtung schenkt man Deutschland in den 30er und 40er Jahren. Diese Auswahl führt zu einem Bild von einem Land, das in der Vergangenheit unablässig Kriege anzettelte. Die Engländer und Amerikaner kommen da besser weg: Ihr Bild

ist auch mit dem Kampf gegen Fremd- und Vorherrschaft verbunden. Zwischen den Niederlanden und England gab es vier Seekriege. Diese wurden aber nicht alle verloren – und gerade das führt zu einem riesengroßen Unterschied in der Wahrnehmung.

2. Ein zweiter Aspekt ist der Umgang der Niederlande mit der eigenen Kriegsvergangenheit. In der niederländischen Geschichtsdarstellung werden die Greueltaten der Deutschen und der Widerstand dagegen nachhaltig betont. Die Niederländer fühlen sich einerseits als Opfer der Deutschen und wollen andererseits den Schein einer Nation wahren, die sich heldenhaft gegen die deutschen Besatzer wehrte. Die Tatsache, daß die Niederlande im Vergleich zu Dänemark und Belgien viel mehr Juden verloren haben und daß die meisten der Niederländer Mitläufer waren, paßt nicht so gut ins eigene Geschichtsbild. Schieben die Niederländer ihre „Schuld" den Deutschen in die Schuhe?

3. Zum dritten Aspekt zählen niederländische Tabus in puncto Ausländerfeindlichkeit, die einen weiteren schwachen Punkt in der Vergangenheitsbewältigung aufdecken, nämlich die Bewältigung der kolonialen Vergangenheit. Die Niederlande tun sich recht schwer mit dem Eingeständnis, daß in der ehemaligen Kolonie Niederländisch-Indien Fehler begangen und bei den sogenannten militärischen Expeditionen gegen die indonesischen Freiheitskämpfer nach dem Zweiten Weltkrieg Kriegsverbrechen verübt wurden. Diese „koloniale Schuld" ist ein wichtiger Faktor für die Existenz von Tabus. Die Meinungen über Surinamer, Türken und Marokkaner müssen vorsichtig formuliert werden, um nicht als rassistisch gebrandmarkt zu werden; negative Äußerungen über die Deutschen hingegen werden von der Öffentlichkeit hingenommen.

4. Ein vierter Aspekt ist der Größenunterschied zwischen den Niederlanden und Deutschland. Man spricht in diesem Zusammenhang vom „Kalimero-Effekt". Kalimero ist ein kleines Küken, das darunter leidet, daß es so klein ist und bleibt, während andere groß sind. Das findet das kleine Küken ungerecht. Die Niederländer fühlen sich von dem großen Nachbarn bedroht und grenzen sich deshalb von ihm ab. Der Überfall auf das neutrale Land im Jahre 1940 hat das Gefühl klein zu sein noch verstärkt.

Was können wir nun tun?

Das Bild von Deutschland und den Deutschen im Jahre 1995 hat sich im Vergleich zum Bild in der Clingendael-Studie von 1993 etwas gewandelt, und zwar in positiver Richtung. Bilder verändern sich. Wie und wodurch sich diese Bilder wandeln, ist nicht eindeutig auszumachen. Die Clingendael-Umfrage über das Bild von Deutschland und den Deutschen unter niederländischen Jugendlichen bewegte viele Gemüter. Die Niederländer haben sich – so könnte man sagen – mit der Clingendael-Studie selbst gegen das „Schienbein der Toleranz" getreten. Der dadurch ausgelöste Schock war recht kräftig und heilsam. Seit März 1993 wurden viele Initiativen ins Leben gerufen, die die deutsch-niederländischen Beziehungen verbessern sollen. Auch die deutsche Seite sieht, daß man in diese Beziehung investieren muß. Manches ist verändert worden, und damit verändert sich auch insgesamt das Bild von Deutschland und den Deutschen.

Zu guter letzt erhebt sich noch die Frage, was wir an diesem „Bild" von Deutschland und den Deutschen weiter ändern können. Daß wir versuchen sollten, es zu ändern, steht außer Frage, denn wir sind Nachbarn, und es ist wichtig, daß wir in guter Nachbarschaft leben. Bei der Frage, wie es zu verändern ist, geht es jedoch um ein komplexeres Problem.

Eine simple Lösung kann es eigentlich nicht geben. Aber am Beispiel der Zeitungsüberschriften läßt sich die Richtung unseres Handelns aufzeigen. Die meisten negativen Bemerkungen bezüglich Deutschlands sind recht beiläufig. Es ist eine Artikelüberschrift, die dem Tenor des Artikels nicht entspricht. Es ist vielleicht ein (Groß-)Elternteil, das eine negative Bemerkung über die Deutschen fallen läßt. Es ist der Sportreporter, der etwas an den Deutschen zu bemängeln hat. Wir müßten eine Atmosphäre schaffen, in der sich die Menschen solcher Bemerkungen bewußt werden und sie auch nicht weitertragen. Eine Bewußtwerdung kann durch die Aktivitäten zur Verbesserung der niederländisch deutschen Beziehungen hervorgerufen werden, die augenblicklich ausgearbeitet und durchgeführt werden. Vielleicht kann die puritanische Haltung der Niederländer uns dabei helfen. Wir halten uns für sehr tolerant, und auch die übrige Welt glaubt dies von uns. Nun müssen wir es nur noch wahrmachen. Dies ist eine große Herausforderung, die wir dank der Deutschen annehmen müssen.

Anmerkungen

1 Lútsen Jansen: Bekannt und unbeliebt. Das Bild von Deutschland und den Deutschen unter Jugendlichen von fünfzehn bis neunzehn Jahren. Den Haag: Niederländisches Institut für internationale Beziehungen „Clingendael", 1993.
2 Hans Nicklas und Änne Ostermann: Vorurteile und Feindbilder. München 1976.
3 Siehe: Henk Dekker und Lútsen Jansen: Attitudes, Images and Stereotypes of Young People in The Netherlands with Respect to Germany and other European Union Countries. Leiden: Universität Leiden, Abteilung Politikwissenschaft, 1995

Bekannt und unbeliebt

Das Bild von Deutschland und den Deutschen unter niederländischen Jugendlichen von fünfzehn bis neunzehn Jahren. Ergebnis einer Umfrage des Niederländischen Instituts für internationale Beziehungen, Clingendael*

Lútsen B. Jansen

In der Bundesrepublik besteht Interesse an dem Bild, das die Niederländer von Deutschland haben. In den Niederlanden wird die Frage, was die Deutschen von uns halten, allerdings seltener gestellt. Wir beschäftigen uns vor allem mit dem Bild, das wir selbst von unserem größten Nachbarn haben. (...)

Äußerungen über die Art und die Intensität des Deutschlandbildes unter Niederländern beruhen häufig auf persönlichen Einschätzungen. Empirische Untersuchungen sind also notwendig. Zusammen mit dem Goethe-Institut in Rotterdam und Amsterdam wollte das Niederländische Institut für internationale Beziehungen „Clingendael" dieser Tatsache Beachtung schenken. Das Interesse richtete sich dabei vor allem auf die Erforschung der Einstellungen von jungen Niederländern im Alter von 15 bis 19 Jahren. (...)

Der vorliegende Bericht ist das Ergebnis dieser Untersuchung. Sie fand während und nach der Zeit statt, in der sich in der Bundesrepublik Deutschland starke Spannungen in bezug auf Asylsuchende und Skinheads manifestierten. Diese Zeitgebundenheit deutet auch auf die Begrenztheit der Untersuchung hin: sie ist eine Momentaufnahme in einem kritischen Augenblick. Eine vergleichende Wiederholung nach

---

* Die vorliegende Dokumentation des im März 1993 in den Niederlanden veröffentlichten „Clingendael-Reports" basiert auf der deutschen Übersetzung von Marianne Mücke. Der Text wurde redaktionell überarbeitet, ohne dabei jedoch den Stil dieses sozialwissenschaftlichen Ergebnisberichts zu verändern. Der gesamte Hauptteil der Studie wird hier vollständig und ungekürzt dokumentiert; lediglich die einleitenden Passagen sowie ein dokumentarischer Anhang mit Literaturangaben, Fragebogen etc. werden hier nicht wiedergegeben.

einer gewissen Zeit könnte den Wert dieser Studie erhöhen. Die Aufnahme zeigt aber dennoch, daß es Grund genug gibt zur Sorge über das Bild, das niederländische Jugendliche von Deutschen und der Bundesrepublik Deutschland haben. (...)

1 Der Untersuchungsansatz

Die zentrale Frage der Untersuchung war: Welches Bild von Deutschland und den Deutschen haben niederländische Jugendliche zwischen 15 und 19 Jahren, und mit welchen Faktoren hängt dieses Bild zusammen?

1.1 Begriffe und Variablen

Der Begriff „Bild" umfaßt eine ganze Reihe von Dingen. Die *Einstellung* ist eine sehr wichtige und zentrale Komponente. Weitere Komponenten sind das *Interesse* und die *Kenntnisse,* wobei es sich sowohl um *objektive Kenntnisse* – z.B. über die Einwohnerzahl oder den Namen der Hauptstadt – als auch um *subjektive Kenntnisse* – um Vorstellungen und Assoziationen über die Eigenschaften und den Charakter des Landes – handeln kann.

Häufig wird, wenn es um das Bild von Ländern und insbesondere um Eigenschaften eines Volkes geht, auch von Klischees gesprochen, von Proto- und Stereotypen, von Attributen oder Vorurteilen[1]. Allerdings bestehen zwischen diesen Begriffen wichtige Unterschiede. In dieser Untersuchung wird lediglich der *Prototyp* des niederländischen Jugendlichen untersucht, d.h. „die Gesamtheit von Aussagen oder Urteilen bezüglich Kennzeichen oder Verhaltensweisen, die als typisch für eine bestimmte Gruppe angesehen werden"[2]. Des weiteren wird angenommen, daß „Haltung" in erster Linie auf Emotionen (Affekten) basiert.

Um den verschiedenen Aspekten des „Bildes" mehr Kontur zu geben und um eventuelle Anknüpfungspunkte für eine nähere Untersuchung der Frage zu finden, wie Bilder entstehen, wurden einige Variablen in die Untersuchung aufgenommen, die möglicherweise das Deutschlandbild der befragten niederländischen Jugendlichen beeinflussen. Diese Variablen waren: Alter, Geschlecht, Ausbildungsniveau, Region des Wohnsitzes, Interesse für das Tagesgeschehen und die Außenpolitik, Fernsehverhalten in bezug auf das deutsche Fernsehen, das Vorhandensein oder Fehlen von direktem Kontakt mit Deutschen sowie die Behandlung Deutschlands im Schulunterricht. Die Auswahl dieser Variablen wurde auf der Basis ähnlicher Untersuchungen[3] zum „Bild" anderer Länder und auf der Basis allgemeiner Theorien zur politischen Sozialisation[4] getroffen.

1.2 Untersuchungsmethode

Um die Fragen der Untersuchung beantworten zu können, wurde eine schriftliche Meinungsumfrage unter Schülern und vorzeitigen Schulabgängern durchgeführt. Mit Hilfe eines strukturierten Fragebogens wurden u. a. Informationen zu Haltungen und Interessen sowie zu deren Hintergründen gesammelt. Zudem wurden noch einige sogenannte offene Fragen gestellt, bei denen die Befragten selbst mit eigenen Worten eine Antwort eintragen sollten. Anhand eines Codierschemas wurden die sehr unterschiedlichen Antworten einer bestimmten Anzahl von Rubriken zugeordnet.

Für die Umfrage wurden Schulen im ganzen Land ausgewählt. Wegen der Schwierigkeiten, die es bereitet, vorzeitige Schulabgänger (d. h. arbeitende und arbeitslose Jugendliche) zu erreichen, wurde diese Gruppe über Berufsschulen und einige andere Einrichtungen für vorzeitige Schulabgänger angesprochen. Die Gruppe der Jugendlichen zwischen 15 und 19 Jahren, die weder einen Vollzeit- noch einen Teilzeitunterricht besuchen, ist deshalb in dieser Stichprobe nicht vertreten. Bei der Auswahl wurden der Schultyp, das Verhältnis von Schülern in Vollzeit- zu denen in Teilzeitunterricht sowie die geographische Lage der Schulen berücksichtigt.

52 Schulen haben sich zur Verfügung gestellt. Die Gesamtzahl der Befragten betrug 1.807. Damit wurde die vorab festgesetzte Richtzahl von 1.200 bei weitem übertroffen. Aus einem Vergleich einzelner Merkmale der Befragten (Tabelle 1) kann geschlossen werden, daß sich unter ihnen relativ viele Jungen und darunter wiederum viele Schüler von MAVO's, HAVO's oder VWO's[5] befinden. Das Verhältnis der Vollzeit- zu den Teilzeitschülern stimmt in etwa mit dem Landesdurchschnitt überein.

2 Das Bild von Deutschland und den Deutschen

Das Bild von Deutschland besteht aus vier Komponenten: der Einstellung (Attitüde), den subjektiven Kenntnissen, den objektiven Kenntnissen und den Interessen. Dieses Kapitel inventarisiert die Komponenten. Im folgenden wird untersucht, was niederländische Jugendliche von Deutschland (zu) wissen (meinen), wie interessiert sie daran sind und vor allem,

Lútsen B. Jansen

Tabelle 1: Ausgewählte Merkmale der befragten Jugendlichen

	Stichprobe		reale Verteilung
Jungen	1000	56,6%	51,0%
Mädchen	767	43,4%	49,0%
Unbekannt	40		
Insgesamt	1807	100,0%	
In Vollzeitunterricht	1597	88,4%	89,4%
In Teilzeitunterricht	210	11,6%	10,6%
Insgesamt	1807	100,0%	
LBO-Schüler	227	14,2%	20,0%
MBO-Schüler	442	27,7%	31,5%
MAVO/HAVO/VWO-Schüler	928	58,1%	48,4%
Insgesamt	1597	100,0%	

Quelle: Centraal Bureau voor de Statistiek, Statistisch jaarboek 1991, Den Haag, S. 41, S. 415; Centraal Bureau voor de Statistiek, Zakboek oderwijsstatistieken 1991, Den Haag, S. 72. (vgl. für eine Erklärung der Schultypen Anm. 5)

was sie für eine Einstellung gegenüber dem Land und seinen Bewohnern haben. Am Ende dieses Kapitels wird auf die Beziehungen zwischen Einstellungen, objektiven Kenntnissen, subjektiven Kenntnissen und Interesse eingegangen.

2.1 Einstellungen

Es wurden drei Fragen gestellt, um die Einstellung gegenüber Deutschland und den Deutschen zu messen. Erstens wurden die Gefragten gebeten, allen EG-Ländern Sympathiepunkte zuzuweisen, und zwar von 0 (sehr unsympathisch) bis 100 (sehr sympathisch). Zweitens wurden sie gebeten, das EG-Land zu nennen, in das sie für den Fall, daß sie die Niederlande verlassen müßten, am liebsten ziehen würden. Drittens sollte angegeben werden, wen man am liebsten als Nachbarn hätte, wenn die neuen Nachbarn aus einem EG-Land kämen. Die beiden letzten Fragen wurden aufgenommen, um zwischen der Sympathie zum Land und der Zuneigung zu seiner Bevölkerung unterscheiden zu können. Um ein übersichtlicheres Bild von der Einstellung gegenüber Deutschland und den Deutschen zu erhalten, ist aus den drei oben beschriebenen Fragen eine „Einstellungsskala" erarbeitet worden.

Die Sympathiepunkte

Viele Länder pendeln sich mit ihren durchschnittlichen Sympathiewerten um eine Marke von 60 Punkten ein (Tabelle 2). Die einzige positive Abweichung zeigt sich bei den Niederlanden. In negativer Hinsicht weichen zwei Länder ab: Deutschland und Irland, wobei Deutschland mit Abstand den niedrigsten Durchschnittswert von 39 Punkten verbucht. Von den Ländern, die als sonnig bekannt sind (Spanien, Frankreich, Italien, Griechenland und Portugal) ist Spanien der Spitzenreiter. Die anderen vier rangieren knapp hinter Belgien und Luxemburg.

Bei Deutschland fallen noch zwei weitere Gesichtspunkte auf. Einerseits hat das Land nach den Niederlanden die meiste Berücksichtigung überhaupt gefunden. Offensichtlich reizt Deutschland mehr zur Stellungnahme als andere EG-Länder. Andererseits ist die Spanne der Sympathiewerte für Deutschland bei weitem am größten. Die Frage, wie sympathisch Deutschland ist, führt offensichtlich zu größerer Meinungsverschiedenheit als bei anderen Ländern.

Tabelle 2: Durchschnittliche Sympathiewerte für 12 EG-Länder

Land	Durchschnitt	Varianz	N
Niederlande	78	359	1710
Spanien	64	377	1298
Luxemburg	62	295	1189
Belgien	61	296	1602
Frankreich	60	423	1560
Italien	60	394	1386
Griechenland	60	424	1006
Portugal	60	357	937
Dänemark	59	355	988
Großbritannien	57	396	1476
Irland	48	415	1113
Deutschland	39	624	1675

(0 = sehr unsympathisch, 100 = sehr sympathisch) .

Die Reihenfolge für Länder und Völker

Bei zwei der genannten Fragen sollten die Länder bzw. die Völker in eine Rangfolge von 1 (erste Wahl) bis 11 (letzte Wahl) gebracht werden. Länder, in denen der Befragte absolut nicht wohnen wollte, und Völker, deren Angehörige er absolut nicht als Nachbarn haben wollte, konnten in ein besonderes Kästchen gesetzt werden. Diesen Ländern und Völkern wurde dann Rang 11 zugewiesen. Für jedes Land und für jedes Volk wurde anschließend ein Durchschnittswert gebildet. Diese Durchschnittswerte sind im Schaubild wiedergegeben.

Bild 1:

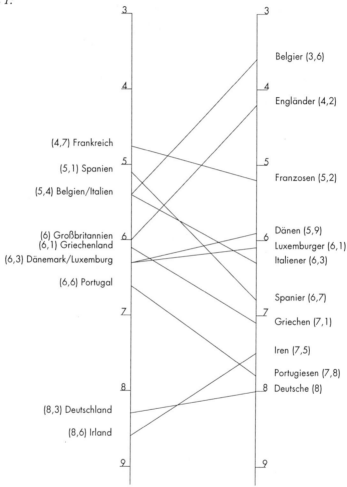

Aus diesen Zahlen ergeben sich einige neue Gesichtspunkte. Erstens nehmen sowohl Deutschland als auch die Deutschen einen sehr niedrigen Rang ein. Zweitens fällt auf, daß die südeuropäischen Länder bei der „Umzugsfrage" einen hohen Stellenwert einnehmen, der erheblich höher als bei der „Nachbarnfrage" ist. Bei der Bewertung Frankreichs und der Franzosen zeigen sich kaum Unterschiede; hingegen zeigen sich bei Italien und Griechenland sowie vor allem bei Portugal und Spanien deutliche Differenzen bei den Werten für Land und Bevölkerung. Der Unterschied zwischen dem durchschnittlichen Rang von Spanien und dem für die Spanier beträgt sogar 1,6. Das Gegenteil ist für Belgien, Großbritannien und Irland zu verzeichnen. Die dortige Bevölkerung erhält einen viel besseren Rang als das Land selbst. Bei Deutschland, Luxemburg und Dänemark sind kaum Differenzen in den jeweiligen Werten festzustellen. Bemerkenswert ist im übrigen der Platz im Mittelfeld, den Luxemburg bzw. die Luxemburger bei beiden Fragen einnehmen. Bei den Sympathiewerten liegt Luxemburg hingegen nach den Niederlanden und Spanien weit oben.

Aus diesen Ergebnissen wird deutlich, daß die Länder mit sonnigem Wetter bei der „Umzugsfrage" einen relativ hohen Rang erreichen. Die Länder, die in der Nähe der Niederlande liegen, haben wiederum einen besseren Stellenwert bei der „Nachbarnfrage", mit Ausnahme von Deutschland. Zwar ist der Rang der Deutschen etwas besser als der von Deutschland, aber sie stehen ohnehin weit unten auf der Skala. Die Länder ohne ausgesprochen sonniges Wetter, die nicht in der Nähe der Niederlande liegen, nehmen bei beiden Fragen ungefähr die gleiche Rangposition ein. Nur Irland, das überraschend wenig Anziehungskraft hat, bildet hier eine Ausnahme. Im Durchschnitt nimmt das Land sogar einen etwas niedrigeren Rang ein als Deutschland.

Tabelle 3: Korrelation zwischen den Rangpositionen von Ländern und Völkern

Land	Korrelationskoeffizient (r)
Deutschland	,694
Frankreich	,638
Dänemark	,618
Belgien	,562
Spanien	,554
Italien	,544
Irland	,533
Portugal	,531
Luxemburg	,526
Griechenland	,498
Großbritannien	,498

Neben einem allgemeinen Vergleich zwischen den durchschnittlichen Rangpositionen, die Ländern und Völkern zugewiesen werden, ist es wichtig zu ermitteln, wie stark der jeweilige Zusammenhang zwischen diesen beiden Rangpositionen ist. Dabei ist es nicht so sehr die Frage, ob es einen großen Unterschied zwischen den Durchschnittswerten gibt, sondern es geht darum, zu ermitteln, ob der Rang, der der Bevölkerung eines Landes zugewiesen wird, anhand des Ranges, den das Land erhalten hat, mit einiger Sicherheit vorausgesagt werden kann (oder vice versa). Die Korrelationswerte für alle in der Untersuchung berücksichtigten Länder liegen zwischen 0,498 und 0,694 (Tabelle 3). Die Korrelation zwischen der Rangposition von Deutschland und der der Deutschen ist deutlich am größten.

In Tabelle 4 sind die Korrelationen zwischen den Sympathiewerten der Länder sowie der Rangposition des Landes und seiner Bewohner wiedergegeben. Auch hier sind die Korrelationen für Deutschland deutlich am höchsten. Außerdem entspricht bei Deutschland die Rangposition des Landes in etwa der seiner Bewohner, während ansonsten die Werte der jeweiligen Länder über denen für ihre Bewohner liegen. Aus diesen Ergebnissen ergibt sich, daß die Einstellung gegenüber Deutschland und den Deutschen – verglichen mit anderen EU-Ländern – am negativsten und zugleich am kohärentesten sind.

Die Beurteilung des Landes liegt hier am ehesten auf einer Linie mit der Beurteilung der Menschen.

Tabelle 4: Sympathiewerte und Rangpositionen Land/Bevölkerung

Land	Korrelationswerte	
Deutschland	,552	,555
Frankreich	,472	,440
Irland	,466	,404
Italien	,448	,393
Spanien	,438	,378
Großbritannien	,433	,354
Dänemark	,413	,380
Griechenland	,386	,332
Belgien	,367	,353
Portugal	,367	,322
Luxemburg	,323	,288

Aus den Ergebnissen der Einstellungsfragen läßt sich zusammenfassen, daß die Einstellung gegenüber Deutschland verglichen mit anderen EG-Ländern deutlich am negativsten ist. Die Werte für Deutschland sind zugleich auch am kohärentesten, d. h. die Beurteilung des Landes liegt am ehesten auf einer Linie mit der Beurteilung der Menschen.

Die zusammengestellte Skala für die Einstellung

Um ein übersichtliches Bild von der Einstellung niederländischer Jugendlicher zu verschiedenen EU-Ländern zu erhalten und diese Einstellung mit anderen Variablen vergleichen zu können, wurden die Befragten auf Basis der Summe ihrer Wertungen für die einzelnen EU-Länder in drei Gruppen eingeteilt. Hierbei wurde eine Skala mit Werten zwischen 2 (äußerst positiv) und 32 (äußerst negativ) zugrundegelegt. Lag die Haltung der Befragten bei einem Wert zwischen 2 und 12, so wurde dies als positiv eingestuft, bei einem Wert zwischen 13 und 21 als teils positiv und teils negativ und bei einem Wert zwischen 23 und 32 als negativ. Für die Skalen wurde ein Glaubwürdigkeitstest durchgeführt[6].

Die dabei gewonnenen Ergebnisse decken sich mit früheren Befunden: niederländische Jugendliche stehen unter allen EU-Ländern Deutschland am negativsten gegenüber; eine absolute Mehrheit von ihnen, nämlich 56%, hat eine negative Einstellung zu Deutschland und seinen Bewohnern. 29% sind Deutschland gegenüber neutral eingestellt und nur 15% positiv. Lediglich Irland weist eine ähnlich geringe, allerdings insgesamt doch etwas höhere Popularität auf. Die Werte für die übrigen EU-Länder sind hingegen weitaus besser.

Tabelle 5: Einstellungen zu den EU-Ländern

Land	positiv	teils/teils	negativ	Gesamt	Cronbachsα
Belgien	57%	32%	11%	100%	,6839
Großbritannien	45%	43%	12%	100%	,6819
Frankreich	50%	38%	13%	101%	,7646
Dänemark	40%	45%	15%	100%	,7248
Luxemburg	36%	49%	15%	100%	,6495
Spanien	40%	43%	17%	100%	,7173
Italien	38%	45%	17%	100%	,7126
Griechenland	31%	49%	21%	100%	,6712
Portugal	25%	50%	25%	100%	,6802
Irland	13%	41%	46%	100%	,7295
Deutschland	15%	29%	56%	100%	,8194

2.2 Subjektive Kenntnisse

Die subjektiven Kenntnisse der Befragten wurden mit verschiedenen Fragen gemessen. Erstens sollten die Befragten aufschreiben, woran sie bei dem Wort „Deutschland" denken (spontane Äußerungen). Zweitens wurden sie aufgefordert, anzugeben, welche der ihnen genannten Eigenschaften sie den Deutschen (und vier anderen Völkern) zuweisen. Drittens sollten die Länder nach einigen vorgegebenen Kennzeichen eingeschätzt werden. Bei der vierten Frage sollten die Befragten auf einer 7 -Punkte-Skala angeben, für wie demokratisch sie Deutschland im Vergleich zu Frankreich, Großbritannien, Belgien und den Niederlanden halten.

Um einen ersten Eindruck zu erhalten, welche Assoziationen Deutschland bei niederländischen Jugendlichen hervorruft, wurden die Befragten gebeten, fünf Begriffe zu nennen, die ihnen einfallen, wenn sie das Wort „Deutschland" hören.

Tabelle 6: Spontane Äußerungen über Deutschland

Äußerung bezieht sich auf		N
(Ersten oder) Zweiten Weltkrieg	18%	1405
Rassismus, Rechtsextremismus, Gewalt gegen Ausländer	20%	1623
das Land selbst (Natur, Atmosphäre etc.)	12 %	987
die Bewohner (Eigenschaften, Aussehen)	10 %	766
Essen und Trinken	7%	598
‚typisch' deutsche Produkte (z. B. Autos)	5%	426
die Mauer, den Eisernen Vorhang	5%	372
Sport, Sportler	4%	350
Vereinigung, Fall der Mauer	3%	271
Wirtschaft	3%	271
Verbindung zwischen den Niederlanden und Deutschland	1%	110
Kohl, andere Politiker, Parteien etc.	1%	104
Geburtsland, Verwandtschaft	1%	82
Fußball Niederlande – Deutschland	1%	72
übrige	7%	594
Insgesamt	98%	8031

Fast 40% der Äußerungen entfielen auf zwei Kategorien: 18% bezogen sich auf den Zweiten Weltkrieg und 20% auf die aktuellen Unruhen in Deutschland (Übergriffe gegen Asylbewerberheime, Neo-Nazis, Rechtsextremismus, aufkeimender Rassismus etc.). Eine beträchtliche Anzahl von Aussagen bezogen sich auf Eigenheiten des Landes (z. B. „öde", „schöne Natur", „häßlich" etc.) oder seine Menschen (z. B. „komische Kleidung", „dicke Bierbäuche", „arrogant", „Scheißkerle", „Moffen", aber auch „nette, gesellige Leute", „gastfreundlich" etc.). Hingegen wurden der Fall der Mauer und die Wiedervereinigung weit weniger häufig erwähnt (zusammen 8%).

Äußerungen über die Fußballspiele zwischen den Niederlanden und Deutschland wurden im übrigen nur sehr wenige gemacht. Da in dem Zeitraum zwischen November 1992 und Januar 1993 kein Spiel zwischen den Niederlanden und Deutschland stattfand, ist dies vielleicht nicht verwunderlich. In der niederländischen Presse hingegen wurden der Sieg über Deutschland 1988 und die darauf folgenden Europa-Meisterschaften als die Befreiung von einem Trauma beschrieben, das während des Zweiten Weltkrieges oder der Fußball-Weltmeisterschaften von 1974 entstanden sei. Die Ergebnisse der Befragungen stützen diese Einschätzung nicht. Womöglich handelt es sich hier um latent vorhandene Ressentiments, die nur im Umfeld von Fußballspielen manifest werden.

Eigenschaften und Kennzeichen

Neben spontanen Äußerungen über Deutschland sollte auch die Perzeption der Eigenschaften der Deutschen und der Merkmale Deutschlands ermittelt werden. Hierzu wurde den Befragten eine Liste mit 15 Eigenschaften vorgelegt, die sie prüfen und fünf Völkern, den Niederländern, den Engländern, den Franzosen, den Deutschen und den Belgiern, zuordnen sollten (siehe Tabelle 7).

Tabelle 7: Nationale Eigenschaften von fünf Völkern

Eigenschaften	NL	GB	F	D	B
tolerant	48%	18%	16%	14%	32%
obrigkeitstreu	22%	36%	16%	38%	15%
hängen an Traditionen	15%	55%	25%	16%	11%
herrschsüchtig	11%	17%	18%	71%	3%
gesellig	57%	21%	32%	16%	57%
praktisch eingestellt	51%	22%	18%	21%	18%
legen Wert auf viel Geld verdienen	61%	26%	20%	55%	17%
sachlich	48%	47%	19%	37%	11%
nüchtern	57%	29%	17%	14%	25%
stolz auf ihr Land	44%	49%	51%	58%	30%
gewissenhaft	13%	27%	15%	25%	11%
unkompliziert im Umgang	53%	23%	25%	11%	54%
arrogant	12%	19%	25%	60%	5%
freundlich	55%	41%	35%	17%	60%
Sinn für Humor	61%	37%	20%	15%	60%

Eines der wichtigsten Ergebnisse hierbei ist, daß eine klare Mehrheit der niederländischen Jugendlichen die Deutschen als arrogant (60%) und herrschsüchtig (71%) betrachtet. Der Unterschied in der Perzeption der Deutschen zu den anderen vier Völkern ist hier enorm. Noch nicht einmal 15% der Befragten weisen diese Eigenschaften den Belgiern und den Niederländern zu; die Prozentsätze für die Engländer und die Franzosen liegen zwischen 15% und 25%. Ähnlich große Unterschiede sind zugleich festzustellen hinsichtlich der Eigenschaften „freundlich", „unkompliziert im Umgang", „Sinn für Humor" und „gesellig". Nur sehr wenige Jugendliche billigen diese Eigenschaften den Deutschen zu, wohingegen sich Niederländer und Belgier – der Mehrheit zufolge – durch diese Attribute auszeichnen. Engländer und Franzosen stehen mit ihren Werten zwischen den Deutschen einerseits und den Niederländern und Belgiern anderer-seits. Die Franzosen haben nach Einschätzung von 20% der Befragten „Sinn für Humor", und die Engländer werden von 21% als „gesellig" angesehen.

Eine Eigenschaft gilt als typisch englisch, nämlich die Vorliebe für Traditionen. Während 66% der Befragten die Engländer als ein Volk ansehen, das Traditionen wichtig findet, weisen nur 25% diese Eigen-schaft den Franzosen zu. Die anderen Völker liegen in ihren Werten hier noch niedriger. Den Niederländern hingegen wird von einer Mehrheit der Befragten eine praktische Einstellung und Nüchternheit zugeschrieben, während die anderen Völker in diesen Punkten nicht über 20% oder 30% hinauskommen. Bei den übrigen Eigenschaften weichen die Perzeptionen weit weniger voneinander ab.

Bei bestimmten Eigenschaften unterscheiden sich die Werte für die Deutschen stark von denen der anderen vier Völker. Die Deutschen gel-ten als herrschsüchtig, arrogant und ungesellig, kompliziert im Umgang, unfreundlich und humorlos. Viele der Befragten denken auch, daß die Deutschen stolz auf ihr Land seien, aber der Unterschied zu den anderen Ländern ist in diesem Punkt bedeutend kleiner. Nur zwei Eigenschaften werden den Niederländern und den Deutschen gleichermaßen zuerkannt: Eine Mehrheit der Befragten denkt, daß es für beide wichtig sei, viel Geld zu verdienen (61% und 55%); nur wenige glauben, daß Niederländer und Deutsche Traditionen für wichtig halten (15% bzw. 16%).

Tabelle 8: Perzipierte Kennzeichen von fünf Ländern

Kennzeichen	NL	GB	F	D	B
will die Welt beherrschen	2%	12%	11%	47%	1%
Unterschiede zw. arm und reich sind groß	7%	45%	29%	28%	7%
demokratisch	74%	40%	40%	48%	42%
nimmt wenig Flüchtlinge auf	8%	39%	23%	30%	22%
fortschrittlich	62%	22%	26%	41%	22%
kriegstreiberisch	2%	6%	7%	46%	1%
wenig soziale Einrichtungen	2%	29%	29%	14%	14%
friedliebend	70%	35%	34%	19%	54%
technisch hoch entwickelt	73%	29%	29%	56%	22%

Hinsichtlich der Merkmale, die den genannten fünf Ländern zuge-ordnet werden sollten, schälten sich frappierende Resultate heraus. Bei-nahe die Hälfte der Befragten findet Deutschland „kriegstreiberisch" und

denkt, daß Deutschland die Welt beherrschen wolle. Nicht einmal 20%
halten Deutschland für friedliebend. Mit diesen Werten steht Deutschland
im Vergleich zu den anderen vier Ländern völlig isoliert da. Weniger ins
Auge fallend, aber nicht weniger frappierend ist, daß Deutschland nach
Großbritannien von den meisten Befragten (30%) als ein Land angesehen wird, das wenig Flüchtlinge aufnimmt, während es tatsächlich von
den genannten fünf Ländern bei weitem die meisten Flüchtlinge aus dem
früheren Jugoslawien aufgenommmen hat.

Der Demokratiewert

Auf einer 7-Punkte-Skala sollten die Befragten angeben, inwieweit diese
Länder in ihren Augen demokratisch sind. Hierbei schnitten die Niederlande und Belgien etwas besser ab als Frankreich, Großbritannien und
Deutschland, die alle drei ungefähr denselben Durchschnittswert erreich-
ten (siehe Tabelle 9). Von Skepsis gegenüber der deutschen Demokratie
oder gar von einer negativen Wahrnehmung zeigt sich in diesen Zahlen
jedenfalls nichts. Die Zahl der Befragten, die Deutschland im Vergleich
mit den anderen vier Ländern als ein demokratisches Land wahrnehmen
(siehe Tabelle 8), bestätigt diesen Befund.

Tabelle 9: Durchschnittswerte und Varianz auf der 7-Punkte-Skala
Demokratie

	Durchschnitt	Varianz	N
Großbritannien	3,42	1,893	1481
Frankreich	3,34	1,693	1455
Deutschland	3,32	2,434	1473
Niederlande	2,55	3,063	1494
Belgien	2,98	2,449	1475

(1 = sehr demokratisch, 7 = gar nicht demokratisch)

2.3 Objektive Kenntnisse

Neben den subjektiven Kenntnissen sind auch die objektiven Kenntnisse,
d. h. das Faktenwissen, Teil des Deutschlandbildes. Die objektiven Kenntnisse, die die Jugendlichen über Deutschland besitzen, wurden mit Hilfe
von acht Fragen gemessen. Gefragt wurde nach der Einwohnerzahl des
Landes, dem Namen des Bundeskanzlers und des Bundespräsidenten, der
Hauptstadt, der Währung, den politischen Parteien, die an der Regierung
beteiligt sind, und nach dem Jahr, in dem Ost- und Westdeutschland wie-

der vereinigt wurden (siehe Tabelle 10). Außerdem wurden die Befragten darum gebeten, die ihnen bekannten deutschen politischen Parteien zu nennen.

Tabelle 10: Kenntnisfragen

	richtig	halbrichtig	falsch	keine Antwort	Gesamt
Einwohnerzahl	9%	16%	41%	34%	100%
Bundeskanzler	60%	–	3%	37%	100%
Bundespräsident	10%	–	12%	78%	100%
Hauptstadt	56%	–	36%	8%	100%
Währung	92%	–	2%	6%	100%
Regierungsparteien	1%	17%	6%	77%	101%
Wiedervereinigung	34%	–	52%	14%	100%

Die Antwort auf die Frage, wieviele Einwohner Deutschland hat (ca. 78 Millionen), wurde als richtig bewertet, wenn die angegebene Zahl zwischen 61 und 90 Millionen lag. Die Antwort galt als halbrichtig, wenn zwischen 41 und 60 oder zwischen 91 und 110 Millionen genannt wurden. Antworten auf die Frage nach den Regierungsparteien wurden als richtig angerechnet, wenn sie CDU und FDP oder CDU, CSU und FDP lauteten. Antworten, bei denen nur eine dieser Parteien genannt wurde, wurden als halbrichtig bewertet.

Die Antworten auf die anderen Fragen zeigten ein unterschiedliches Bild. Beinahe jeder wußte, welches die deutsche Währung ist, aber nur wenige konnten auch nur annäherungsweise sagen, wieviel Einwohner Deutschland hat oder welche Parteien die Regierung bilden. Auffallend ist der große Bekanntheitsgrad von Bundeskanzler Helmut Kohl. Hingegen kennen zwei Drittel der Befragten keine einzige politische Partei in Deutschland, 19% kennen eine Partei und 11% zwei Parteien. Rund 5% können mehr als zwei Parteien nennen.

Das Wissen über Deutschland scheint auf den ersten Blick nicht groß; dies ist aber möglicherweise der verwirrenden Situation im Zusammenhang mit der Wiedervereinigung zuzuschreiben. So ist seit kurzem zwar Berlin Hauptstadt, aber Bonn ist immer noch Regierungssitz. Auch die Frage nach dem Jahr, in dem die Wiedervereinigung vollzogen wurde, gab möglicherweise Anlaß zu Verwirrung. Viele Jugendliche dachten, daß 1989 das Jahr der Wiedervereinigung gewesen sei. Der Fall der Berliner Mauer, ein emotionales und die Phantasie anregendes Ereignis, hatte die Aufmerksamkeit der niederländischen Medien stärker auf sich gezogen, als die ein Jahr später folgende offizielle Vereinigung der beiden deutschen Staaten.

Um einen Überblick über die Kenntnisse der befragten Jugendlichen über Deutschland zu erhalten, wurde ein „Kenntniswert" konstruiert. Richtige Antworten wurden mit zwei Punkten bewertet und eine halbrichtige mit einem Punkt. Für jede politische Partei, die genannnt wurde, wurde ebenfalls ein Punkt vergeben. Die Summe der Punkte ergab den Kenntniswert. Ein Wert bis zu sechs Punkten wurde als niedrig eingestuft. Sieben bis einschließlich zwölf Punkte galten als ein mittlerer und 12 bis einschließlich 18 Punkte als ein hoher Wert. Die Hälfte der Befragten verfügt danach über mittelmäßige Kenntnisse, 42% wissen wenig bis gar nichts über Deutschland. Lediglich 10% der Jugendlichen besitzen gute Kenntnisse über Deutschland.

2.4   Interesse

Um das Interesse für Deutschland zu messen, wurden die Befragten gebeten, selbst einzuschätzen, wie interessiert sie an Deutschland, Frankreich, Großbritannien und Belgien sind (siehe Tabelle 11).

Tabelle 11: Interesse für vier europäische Länder

	D	B	F	GB
sehr interessiert	16%	10%	26%	18%
mäßig interessiert	45%	56%	50%	56%
nicht interessiert	40%	34%	24%	26%
Insgesamt	101%	100%	100%	100%
N	1702	1632	1672	1625

Das Interesse an Deutschland ist demnach nicht besonders groß. Für Deutschland interessieren sich mehr Jugendliche als für Belgien, beinahe ebenso viele wie für Großbritannien, aber zugleich ist die Zahl der Jugendlichen, die angeben, an Deutschland nicht interessiert zu sein, deutlich höher als die entsprechende Zahl für Belgien, Frankreich oder Großbritannien. Einerseits steht also das Interesse an Deutschland hinter dem Interesse an den zwei anderen großen Ländern in der Europäischen Gemeinschaft zurück – wobei das Interesse an Frankreich deutlich am größten ist – andererseits ist das Interesse an Deutschland zumindest ebenso groß wie das Interesse am Nachbarland Belgien.

2.5   Einstellungen, Kenntnisse und Interesse

Bislang wurden Einstellungen, Kenntnisse und Interesse jeweils getrennt dargestellt. Um die Befunde über das Deutschlandbild der niederländischen Jugendlichen abzurunden, wird im folgenden kurz auf das Verhältnis zwischen Einstellungen, objektiven Kenntnissen und Interesse eingegangen.

Einstellung und Kenntnis

Zwischen *Kenntnissen* und *Einstellung* besteht ein deutlicher, aber nicht allzu starker Zusammenhang (siehe Tabelle 12). Von den Befragten mit einem hohen Kenntniswert haben 29% eine positive Einstellung zu Deutschland; bei den Befragten mit mittelmäßigen Kenntnissen sind es 16%. Von den Jugendlichen mit geringen Kenntnissen haben immerhin noch 11% noch eine positive Einstellung, 64% eine negative. Von den Befragten mit mittelmäßigen Kenntnissen weisen 53% eine negative Einstellung auf. Unter den Jugendlichen mit guten Kenntnissen ist der Prozentsatz derjenigen mit einer negativen Einstellung um einiges niedriger, liegt aber immerhin noch bei 39%.

Tabelle 12: Einstellung zu und Kenntnisse über Deutschland

Einstellung	Kenntnisse		
	gut	mittel	schlecht
positiv	29%	16%	11%
teils/teils	32%	32%	24%
negativ	39%	53%	64%
Insgesamt	100%	101%	99%
N	161	722	573

(p < 0,001; Kendalls tau b = 0,162)

Einstellung und Interesse

Die Relation zwischen *Einstellung* und *Interesse* ist weitaus stärker als die zwischen der Einstellung und den Kenntnissen (siehe Tabelle 13). Von den Befragten mit einer positiven Einstellung sagten 39%, daß sie sehr an Deutschland interessiert seien, von denen mit einer teils positiven, teils negativen Einstellung waren es 18% und von denjenigen mit einer negativen Einstellung nur 8%. Von der letztgenannten Gruppe ist mehr als die Hälfte (57%) nicht an Deutschland interessiert, von den Befragten mit einer teils positiven, teils negativen Einstellung sind es 19%. Von den Jugendlichen mit einer positiven Einstellung zeigt sich beinahe niemand desinteressiert an Deutschland.

Tabelle 13: Einstellung und Interesse

Interesse	Einstellung		
	positiv	teils/teils	negativ
sehr interessiert	39%	18%	8%
mäßig interessiert	57%	63%	35%
nicht interessiert	4%	19%	57%
Insgesamt	100%	100%	100%
N	214	399	784

(p < 0,001; Kendalls tau b = 0,436)

Interesse und Kenntnis

Ein deutlicher, allerdings nicht allzu stark ausgeprägter Zusammenhang ist auch im Verhältnis zwischen dem *Interesse* und den *Kenntnissen* festzustellen (siehe Tabelle 14).

Tabelle 14: Kenntnisse und Interesse

Kenntnisse	Interesse		
	sehr	mäßig	nicht
gut	18%	12%	6%
mittel	54%	52%	43%
schlecht	29%	37%	51%
Insgesamt	101%	101%	100%
N	265	760	671

(p < 0,001; Kendalls tau b = 0,174)

2.6 Schlußfolgerungen

Im Vergleich zu anderen EU-Ländern ist die Einstellung von niederländischen Jugendlichen zu Deutschland und den Deutschen sehr negativ. Mehr als die Hälfte der Befragten hat eine negative Einstellung zu Deutschland, nur 15% hat eine positive. Die Werte, mit denen die Einstellungen gegenüber Deutschland und den Deutschen gemessen wurden, liegen dicht beieinander. Der Zusammenhang zwischen diesen beiden Werten ist größer als bei anderen Ländern, und auch die Durchschnittswerte liegen – verglichen mit anderen Ländern – dicht beieinander. Zu keinem anderen EU-Land haben niederländische Jugendliche eine klarere Einstellung als zu Deutschland.

Die spontanen Äußerungen, die niederländische Jugendliche über Deutschland machten, zeigen, daß Deutschland immer noch sehr oft mit dem Zweiten Weltkrieg assoziiert wird. Daneben spielen die aktuellen Gewalttätigkeiten gegen Ausländer in Deutschland eine große Rolle. Frappant sind die bei großen Teilen der niederländischen Jugendlichen präsenten Perzeptionen der Deutschen und Deutschlands: die Deutschen seien herrschsüchtig und arrogant, Deutschland wolle die Welt beherrschen und sei kriegstreiberisch und nicht friedliebend. Die mancherorts in der Literatur geäußerte Skepsis gegenüber der deutschen Demokratie findet man bei den niederländischen Jugendlichen hingegen nicht. Sie halten Deutschland für nicht weniger demokratisch als Frankreich oder Großbritannien.

Was die (objektiven) Kenntnisse über Deutschland angeht, ist festzustellen, daß der größte Teil der niederländischen Jugendlichen nur minimales Wissen hat. Insbesondere fällt auf, daß nur wenige Jugendliche eine Vorstellung von der Größe der deutschen Bevölkerung haben. Auffallend viele hingegen kennen den Namen des deutschen Bundeskanzlers.

Das Interesse an Deutschland ist nicht groß. Zwar besteht an Deutschland ebenso viel Interesse wie an Belgien, aber viel weniger als an Großbritannien und insbesondere Frankreich. Im Vergleich zu Belgien schneidet Deutschland nicht schlecht ab, wohl aber im Vergleich zu den anderen zwei großen Ländern in Europa. Zwischen der Einstellung zu Deutschland und den Deutschen und dem Interesse für Deutschland besteht ein deutlicher und starker Zusammenhang. Jugendliche mit einer positiven Einstellung haben im allgemeinen viel mehr Interesse an Deutschland als Jugendliche mit einer negativen Einstellung. Zwischen der Einstellung und den objektiven Kenntnissen und zwischen den objektiven Kenntnissen und dem Interesse bestehen zwar auch deutliche, aber weniger starke Zusammenhänge. Diejenigen, die viel von Deutschland wissen, sehen Deutschland im allgemeinen etwas positiver als diejenigen, die es kaum kennen. Es ist nicht verwunderlich, daß Jugendliche mit großem Interesse am östlichen Nachbarn im allgemeinen etwas mehr über ihn wissen als die Jugendlichen, die kein Interesse an ihm zeigen.

3 Objektive Kenntnisse, Interessen und Einstellungen: Zusammenhänge mit anderen Faktoren

Um dem Bild von Deutschland und dem deutschen Volk deutlichere Konturen zu geben und um Anknüpfungspunkte für zukünftige Untersuchungen über die Faktoren, die das Bild von Deutschland (und den Ländern im allgemeinen) prägen oder aber beeinflussen, anzubieten, wurden die objektiven Kenntnisse, das Interesse und die Einstellungen mit einigen anderen Variablen verglichen. Zugleich wurden die Befragten gebeten, selbst anzugeben, woher sie die Informationen über Deutschland haben – was ihre Sozialisationsinstanzen (gewesen) sind. Im folgenden sollen zunächst die Ergebnisse dieser Frage vorgestellt werden.

3.1 Kenntnisse über Deutschland und Einflußfaktoren

Das Fernsehen und das Radio wurden von den Befragten am häufigsten als Informationsquelle für ihre Kenntnisse über Deutschland und die Deutschen genannt. Mehr als drei Viertel der Befragten gaben diese Medien als Einflußfaktoren an. Circa 60% der Jugendlichen hatten durch den Geschichtsunterricht, die Eltern oder die Printmedien etwas über ihr Nachbarland erfahren.

Tabelle 15: Genannte Einflußfaktoren

Einflußfaktoren	Prozentsatz, der dort seine Informationen bezog
Fernsehen, Radio	78%
Geschichtsunterricht	61%
Eltern	57%
Zeitungen, Bücher, Zeitschriften	56%
Deutschunterricht	49%
Ferien(arbeits)erfahrungen	43%
Freunde, Bekannte	36%
Erdkundeunterricht	32%
Großeltern	26%
andere Verwandte	22%
regelmäßiger Kontakt mit Deutschen	11%
politische Jugendorganisationen / Parteien	2%

(Mehrfachnennungen waren möglich)

Etwas weniger als die Hälfte gab an, durch den Deutschunterricht oder aufgrund von Erfahrungen während des Urlaubs oder der Ferienarbeit Informationen über Deutschland erhalten zu haben. Freunde, Bekannte oder Verwandte spielen eine weitere Rolle in diesem Zusammenhang. Annähernd ein Drittel der Befragten nannten diese Gruppen.

Es kann die Schlußfolgerung gezogen werden, daß die Medien die wichtigste Informationsquelle für Jugendliche darstellen, wobei Fernsehen und Radio unbestritten an erster Stelle stehen. Danach ist der Schulunterricht (vor allem Geschichtsunterricht) von Bedeutung. Von der Verwandtschaft sind die Eltern die wichtigsten Einflußfaktoren.

Kenntnis und Medienkonsum

Die Kenntnisse der Befragten über Deutschland wurden zudem mit Faktoren verglichen, die das Interesse für das Tagesgeschehen messen. So hängen die Kenntnisse deutlich mit dem Lesen der Auslandsseite in der Zeitung (Tabelle 16) zusammen. Je weniger die Jugendlichen nach eigenen Angaben die Außenpolitik verfolgen, desto kleiner wird die Gruppe mit guten Kenntnissen über Deutschland – der Prozentsatz verringert sich von 31% bei denjenigen, die jeden Tag lesen, auf 4% bei denjenigen, die diese Rubrik nur ein paar Mal im Jahr lesen. Umgekehrt wird die Gruppe mit geringen Kenntnissen immer größer, je weniger die Auslandspolitik in der Zeitung verfolgt wird.

Tabelle 16: Kenntnisse über Deutschland und Lektüre der Außenpolitik

| Kenntnisse | Liest davon in der Zeitung | | | |
	jeden Tag	einige Male pro Woche	einige Male pro Monat	einige Male pro Jahr
umfangreich	31%	19%	9%	4%
mittelmäßig	47%	. 55%	54%	49%
gering	22%	27%	37%	48%
Insgesamt	100%	101%	100%	101%
N	100	448	384	276

(p < 0,001; Kendalls tau b = 0,215

Tabelle 17: Kenntnisse über Deutschland und Schauen der Fernsehnachrichten

| Kenntnisse | Schaut | | | |
	5–7 mal pro Woche	3–4 mal pro Woche	1–2 mal pro Woche	nie
umfangreich	13%	9%	4%	–
mittelmäßig	52%	48%	41%	31%
gering	35%	43%	55%	69%
Insgesamt	100%	100%	100%	100%
N	993	436	281	45

(p < 0,001; Kendalls tau b = 0,166)

Auch das Anschauen der Fernsehnachrichten steht im Zusammenhang mit den Kenntnissen über Deutschland. Es wissen jedoch nur 13% derjenigen, die wöchentlich 5–7mal fernsehen, viel über Deutschland, 35% immer noch wenig bis nichts. Von denjenigen, die nie Nachrichten sehen, hat niemand umfangreiche Kenntnisse!

Zwischen den Kenntnissen und dem Schauen von Berichten über das Tagesgeschehen besteht ebenfalls ein Zusammenhang, aber dieser ist weniger deutlich. Zwar wird mit abnehmender Frequenz beim Sehen von Berichten über das Tagesgeschehen auch der Prozentsatz mit umfangreichen Kenntnissen etwas geringer, aber unter denjenigen, die 3–4mal pro Woche solche Berichte sehen, ist die Gruppe mit geringen Kenntnissen relativ gesehen etwas kleiner als unter denjenigen, die sie 5–7mal sehen (34% gegenüber 37%).

Tabelle 18: Kenntnisse über Deutschland und Schauen von Fernseh-
berichten über das Tagesgeschehen

Kenntnisse	Schaut			
	5–7 mal pro Woche	3–4 mal pro Woche	1–2 mal pro Woche	nie
umfangreich	18%	16%	11%	6%
mittelmäßig	46%	50%	52%	43%
gering	37%	34%	37%	51%
Insgesamt	101%	100%	100%	100%
N	90	213	845	433

(p < 0,001; Kendalls tau b = 0,133)

Eine andere Möglichkeit, Kenntnisse zu erwerben, ist das Einschalten des deutschen Fernsehprogramms. Auch mit diesen Zahlen wurden die Kenntnisse verglichen. Eingeteilt nach der Häufigkeit, mit der die Jugendlichen das deutsche Fernsehprogramm sehen, ist kein deutlicher Unterschied des Kenntnisstandes der einzelnen Gruppen festzustellen.

Tabelle 19: Kenntnisse über Deutschland und Sehen des deutschen Fern-
sehprogramms

Kenntnisse	Schaut				
	jeden Tag	einige Male pro Woche	einige Male pro Monat	einige Male pro Jahr	nie
umfangreich	16%	15%	13%	5%	5%
mittelmäßig	48%	49%	53%	54%	42%
gering	36%	36%	35%	41%	53%
Insgesamt	100%	100%	101%	100%	100%
N	131	516	358	268	404

(p < 0,001; Kendalls tau b = 0,133)

Die Kenntnisse der befragten Jungen und Mädchen, die jeden Tag, ein paar Mal pro Woche oder pro Monat schauen, weichen kaum voneinander ab. Eher ist eine Zweiteilung zu beobachten: Die Gruppe, die ein paar Mal pro Jahr oder nie das deutsche Fernsehprogramm sehen, wissen bedeutend weniger als die anderen drei Gruppen.

Die Kenntnisse wurden nicht nur mit der Häufigkeit verglichen, mit der das deutsche Fernsehprogramm gesehen wird, sondern auch mit der Art der gesehenen Sendungen (Tabelle 20 und 21).

Tabelle 20: Kenntnisse über Deutschland und deutsches Fernsehprogramm nach Programmart

Kenntnisse	Unterhaltung		Serien		Filme	
	ja	nein	ja	nein	ja	nein
umfangreich	13%	11%	10%	13%	11%	14%
mittelmäßig	55%	49%	50%	51%	50%	54%
gering	32%	40%	41%	36%	40%	33%
Insgesamt	100%	100%	100%	100%	101%	101%
N	328	1041	471	898	976	393
	nicht signifikant		nicht signifikant		nicht signifikant	

Nur das Sehen von Berichten über das Tagesgeschehen oder über Sport hat Einfluß auf den Kenntnisstand der Jugendlichen über die Bundesrepublik. In der Rubrik Tagesgeschehen wird dies besonders deutlich. In bezug auf das Sportprogramm ist dieses Ergebnis allerdings bemerkenswert.

Tabelle 21: Kenntnisse über Deutschland und deutsches Fernsehprogramm nach Programmart

Kenntnisse	Musik/Kunst/Kultur		Sport		Tagesgeschehen	
	ja	nein	ja	nein	ja	nein
umfangreich	13%	11%	17%	9%	30%	10%
mittelmäßig	51%	51%	57%	47%	56%	50%
gering	35%	38%	27%	44%	15%	40%
Insgesamt	99%	100%	101%	100%	101%	100%
N	175	1194	494	875	137	1232
	nicht signifikant		$p < 0,001$		$p < 0,001$	

(Kendalls tau b = 0,182 / b = 0,197)

Kenntnisse und Schule

Ein anderer häufig genannter Einflußfaktor für den Erwerb von Kenntnissen über Deutschland war der Geschichtsunterricht. Die Befragten sollten angeben, ob sie (noch) Geschichtsunterricht in der Schule haben oder nicht. Ein Vergleich dieser beiden Gruppen zeigt, daß es einen Unterschied im Kenntnisstand gibt, der jedoch nicht groß ist. Hier zeigt sich, daß die Gruppe mit geringen Kenntnissen unter denjenigen Jugendlichen größer ist, die keinen Geschichtsunterricht mehr haben. Der Unterschied innerhalb der Gruppen mit umfangreichen Kenntnissen beträgt lediglich 4%.

Tabelle 22: Kenntnisse über Deutschland und Geschichtsunterricht

Kenntnisse	Unterricht	kein Unterricht
umfangreich	13%	9%
mittelmäßig	53%	47%
gering	33%	44%
Insgesamt	99%	100%
N	498	1263

(p < 0,001; Kendalls tau b = 0,102)

Kenntnisse und Variablen

Die Kenntnisse über Deutschland wurden auch in Beziehung zu folgenden Variablen gesetzt: Geschlecht, Alter, Ausbildungsniveau und die geographische Lage des Wohnortes – in der Nähe der deutschen Grenze, an der Küste oder anderswo.

Der Kenntnisse differierten zwischen Jungen und Mädchen beträchtlich: Von den Jungen haben 15% einen hohen Kenntnisstand, von den Mädchen nur 4%. Umgekehrt ist die Gruppe der Mädchen mit geringem Wissen prozentual größer (23%) als die der Jungen.

Tabelle 23: Kenntnisse über Deutschland und Geschlecht

Kenntnisse	Jungen	Mädchen
umfangreich	15%	4%
mittelmäßig	54%	42%
gering	31%	54%
Insgesamt	100%	100%
N	1000	767

(p < 0,001; Kendalls tau b = 0,239)

Zwischen dem Kenntnisstand und dem Alter besteht kein eindeutiger Zusammenhang. Der Unterschied zwischen der kleinsten Gruppe mit umfangreichen Kenntnissen (unter den 15 -jährigen: 6%) und der größten Gruppe (unter 19jährigen: 17%) beträgt 11%. Die Gruppe mit geringen Kenntnissen wird mit zunehmendem Alter bis 17 Jahre immer kleiner und nimmt unter den 18–19jährigen wieder zu.

Tabelle 24: Kenntnisse über Deutschland und Alter

Kenntnisse	< 15 Jahre	16 Jahre	17 Jahre	18 Jahre	> 19 Jahre
umfangreich	6%	9%	10%	12%	17%
mittelmäßig	46%	48%	56%	49%	42%
gering	49%	44%	35%	38%	42%
Insgesamt	101%	101%	101%	99%	99%
N	377	493	397	259	275

(p < 0,001; Kendalls tau b = 0,083)

Klassifiziert man den Kenntnisstand nach dem Ausbildungsniveau sind die Unterschiede zwischen diesen fünf Gruppen größer (Tabelle 24). Auf MBO-Niveau ist der Kenntnisstand besser als auf MAVO- und HAVO-Niveau. Der Kenntnisstand der HAVO-Schüler ist kaum höher als der der MAVO-Schüler.

Tabelle 25: Kenntnisse über Deutschland und Ausbildungsniveau

Kenntnisse	LBO/VBO	MBO	MAVO	HAVO	VWO
umfangreich	1%	12%	6%	8%	23%
mittelmäßig	36%	49%	50%	58%	54%
gering	63%	40%	45%	34%	23%
Insgesamt	100%	101%	101%	100%	100%
N	227	441	302	290	336

(p < 0,001; Kendalls tau b = 0,213; siehe zur Erläuterung der Schultypen Anm. 5)

Unter Schülern des VWO ist die Gruppe mit umfangreichen Kenntnissen bedeutend größer als unter allen anderen Gruppen von Schülern, und die Gruppe mit geringen Kenntnissen ist viel kleiner. Für das LBO/VBO gilt das Umgekehrte: Hier ist die Gruppe mit umfangreichen Kenntnissen deutlich am kleinsten, während die Gruppe mit geringen Kenntnissen bei weitem am größten ist.

Ein letzter Aspekt, der hier in bezug auf das Wissen überprüft wurde, ist die Gegend, in der die Jugendlichen wohnen. Die geringen Unterschiede zwischen den Wohngegenden lassen erkennen, daß es keinen signifikanten Zusammenhang zwischen dem Wohnort und dem Umfang der Kenntnisse gibt.

3.2 Interesse an Deutschland und andere Faktoren

Auch das Interesse der jungen Niederländer ist in Beziehung zu einigen anderen Faktoren gesetzt worden. Neben dem Interesse für das Tagesgeschehen im allgemeinen, dem Besuch bestimmter Unterrichtsfächer und

Tabelle 26: Kenntnisse über Deutschland und Wohngegend

Kenntnisse	An der deutschen Grenze	An der Küste	Übrige
umfangreich	12%	8%	10%
mittelmäßig	44%	48%	52%
gering	44%	44%	39%
Insgesamt	100%	100%	101%
N	622	360	819

(nicht signifikant)

anderen Variablen wurde auch der direkte Kontakt mit Deutschen auf einen Zusammenhang mit dem Interesse untersucht.

Interesse und Beschäftigung mit den Medien

Der Zusammenhang zwischen der Beschäftigung mit den Medien und dem Interesse ist im allgemeinen etwas weniger ausgeprägt als der zwischen dem Kenntnisstand und der Beschäftigung mit den Medien. So wird die Gruppe der sehr Interessierten kleiner – und die Gruppe ohne Interesse größer – in dem Maße, wie die Häufigkeit des Lesens von Auslandsnachrichten abnimmt. Allerdings sind die Unterschiede weniger prägnant als es bei den Kenntnissen der Fall war (siehe Tabelle 16).

Tabelle 27: Interesse an Deutschland und Lektüre der Außenpolitik

Interesse	jeden Tag	Liest davon in der Zeitung einige Male pro Woche	einige Male pro Monat	einige Male pro Jahr
sehr interessiert	31%	23%	15%	9%
ziemlich interessiert	35%	50%	51%	42%
nicht interessiert	33%	28%	34%	49%
Insgesamt	99%	101%	100%	100%
N	96	432	367	264

(p < 0,001; Kendalls tau b = 0,164)

Von denjenigen, die gehäuft Nachrichten sehen, sind 19% sehr interessiert; dieser Prozentsatz verringert sich bis auf 2% bei denjenigen, die nie Nachrichten sehen. Auf der anderen Seite steigt der Prozentsatz Desinteressierter von 35% unter denjenigen, die beinahe immer fernsehen, bis hin zu 59% bei denjenigen, die nie fernsehen.

Das Verfolgen des Tagesgeschehens im Fernsehen hat – im Gegensatz zum Nachrichtensehen – keinen signifikanten Zusammenhang mit dem Interesse für Deutschland. Die Unterschiede zwischen den Gruppen sind

Tabelle 28: Interesse an Deutschland und Nachrichten sehen

Interesse	Schaut			
	5–7 mal pro Woche	3–4 mal pro Woche	1–2 mal pro Woche	nie
sehr interessiert	19%	12%	12%	2%
ziemlich interessiert	47%	46%	41%	39%
nicht interessiert	35%	42%	46%	59%
Insgesamt	101%	100%	99%	100%
N	946	406	267	44

(p < 0,001; Kendalls tau b = 0,117)

Tabelle 29: Interesse an Deutschland und Tagesgeschehen im Fernsehen

Interesse	Schaut			
	5–7 mal pro Woche	3–4 mal pro Woche	1–2 mal pro Woche	nie
sehr interessiert	23%	17%	17%	13%
ziemlich interessiert	43%	41%	47%	42%
nicht interessiert	35%	42%	37%	46%
Insgesamt	101%	100%	101%	101%
N	87	206	798	412

(nicht signifikant)

sehr klein, und außerdem ist der Anteil Desinteressierter unter denjenigen, die ein- bis zweimal pro Woche das Tagesgeschehen im Fernsehen verfolgen, kleiner als in der Gruppe derjenigen, die das drei- bis viermal pro Woche tun. Wohingegen der Teil mit großem Interesse an Deutschland in diesen Gruppen gleich groß ist.

Interesse und direkter Kontakt mit Deutschen

Auf zweierlei Art wurde versucht zu ermitteln, ob und wieviele Jugendliche Kontakt mit Deutschen haben. Erstens wurde danach gefragt, ob sie deutsche Verwandte oder Freunde haben. Zweitens wurden sie aufgefordert anzugeben, wie oft sie in Deutschland gewesen sind.

Es gibt einen zwar nicht starken, jedoch deutlichen Zusammenhang zwischen dem Interesse und der Anzahl der Besuche in Deutschland. Die Gruppe, die fünfmal und öfter in Deutschland gewesen ist, zählt den größten Anteil sehr Interessierter und den kleinsten Anteil Desinteressierter. Dann folgt die Gruppe, die zwei- bis viermal dort gewesen ist. Von den jungen Leuten, die einmal oder nie in Deutschland gewesen sind, sind nur ca. 10% sehr interessiert. Es ist auffällig, daß die Gruppen der Desinteressierten in beiden Rubriken (ein Besuch und kein Besuch in Deutschland) sehr differieren. Von denjenigen, die nie in Deutschland waren, liegt der Anteil Desinteressierter bei 58%; von denjenigen, die einmal in Deutschland waren, beträgt der Anteil ohne jegliches Interesse 45%.

Tabelle 30: Interesse an Deutschland und Anzahl der Besuche in Deutschland

Interesse	> 5 mal	2–4 mal	1 mal	nie
sehr interessiert	21%	15%	10%	9%
ziemlich interessiert	47%	48%	45%	33%
nicht interessiert	32%	38%	45%	58%
Insgesamt	100%	101%	100%	100%
N	673	505	275	214

(p < 0,001; Kendalls tau b = 0,165)

Tabelle 31: Interesse an Deutschland und persönliche Bekanntschaft mit Deutschen (Verwandte, Freunde)

Interesse	ja	nein
sehr interessiert	22%	12%
ziemlich interessiert	49%	42%
nicht interessiert	29%	46%
Insgesamt	100%	100%
N	609	1072

(p < 0,001; Kendalls tau b = 0, 166)

Der Zusammenhang zwischen dem Interesse und der Tatsache, daß die Befragten deutsche Verwandte oder Freunde haben, ist stark (Tabelle 31) Von den Befragten mit deutschen Verwandten oder Freunden sind 22% sehr interessiert, von den Befragten, die keine Verwandten oder Freunde in Deutschland haben, 12%. Der Unterschied zwischen den Gruppen der Desinteressierten ist noch etwas größer, nämlich 17 Prozentpunkte.

Interesse und Schule

Zwischen dem Interesse und dem Besuch des Deutschunterrichts besteht ein schwacher Zusammenhang. Der Unterschied besteht nicht so sehr zwischen den Gruppen der sehr Interessierten (4%) als vielmehr zwischen den Gruppen der Desinteressierten (15%).

Tabelle 32: Interesse an Deutschland und Deutschunterricht

Interesse	ja	nein
sehr interessiert	18%	14%
ziemlich interessiert	52%	40%
nicht interessiert	31%	46%
Insgesamt	101%	100%
N	736	923

(p < 0,001; Kendalls tau b = 0,138)

Interesse und Variablen

Das Interesse wurde auch in Beziehung zu den Variablen Geschlecht, Ausbildungsniveau und Wohngegend gesetzt.

Es besteht kein signifikanter Unterschied zwischen Jungen und Mädchen, wenn es um das Interesse an Deutschland geht. Von den Jungen ist zwar noch ein etwas größerer Teil sehr interessiert, aber die Gruppe der Desinteressierten ist beiden Geschlechtern gleich groß.

Tabelle 33: Interesse an Deutschland und Geschlecht

Interesse	Jungen	Mädchen
sehr interessiert	17%	14%
ziemlich interessiert	44%	47%
nicht interessiert	39%	39%
Insgesamt	100%	100%
N	944	724

(nicht signifikant)

Tabelle 34: Interesse an Deutschland und Ausbildungsniveau

Interesse	LBO/VBO	MBO	MAVO	HAVO	VWO
sehr interessiert	11%	14%	20%	17%	18%
ziemlich interessiert	33%	46%	46%	48%	56%
nicht interessiert	56%	40%	40%	35%	26%
Insgesamt	100%	100%	100%	100%	100%
N	213	405	290	282	326

(p < 0,001; Kendalls tau b = 0,133; siehe zur Erläuterung der Schultypen Anm. 5)

Offensichtlich gibt es einen Zusammenhang zwischen dem Ausbildungsniveau und dem Interesse. Wie dieses Ergebnis zustande kommt, ist jedoch nicht klar ersichtlich. Unter den LBO/VBO-Schülern ist das Interesse deutlich am niedrigsten (die kleinste Gruppe sehr Interessierter und die größte Gruppe Desinteressierter), gefolgt von den MBO-Schülern. Dagegen ist die Gruppe mit großem Interesse unter MAVO-Schülern am größten, während die Gruppe der Desinteressierter unter VWO-Schülern am kleinsten ist. Außerdem ist das Interesse unter MAVO-Schülern größer als das unter HAVO-Schülern. Ein höheres Ausbildungsniveau bedeutet deshalb nicht automatisch mehr Interesse an Deutschland.

Ebenso wie bei den Kenntnissen spielt bei dem Interesse an Deutschland die Nähe des Wohnortes zur deutschen Grenze oder der touristischen Küstenorte keine signifikante Rolle. Die Unterschiede zwischen den Gruppen sind zu klein, als daß daraus Schlußfolgerungen gezogen werden könnten. Wider den Erwartungen konnte gerade an der Küste etwas mehr Interesse festgestellt werden als an der Grenze.

Tabelle 35: Interesse an Deutschland und Wohngebiet

Interesse	An der deutschen Grenze	An der Küste	Übrige
sehr interessiert	15%	18%	15%
ziemlich interessiert	43%	48%	45%
nicht interessiert	43%	34%	40%
Insgesamt	101%	100%	100%
N	581	344	777

(nicht signifikant)

3.3 Einstellung zu Deutschen und Deutschland und andere Faktoren

Auch die Einstellungen wurden untersucht, ob sie mit den Faktoren direkter Kontakt mit Deutschen, dem Wohnort, dem Geschlecht und dem Ausbildungsniveau zusammenhängen.

Die Einstellung und direkter Kontakt mit Deutschen

Der Zusammenhang zwischen der Einstellung und dem direkten Kontakt zu Deutschen ist mit Hilfe von zwei Fragen untersucht worden. Erstens wurde die Einstellung in Beziehung zu der Häufigkeit, mit der die Befragten in Deutschland gewesen sind, gesetzt, zweitens zu der Frage, ob sie deutsche Verwandte oder Freunde haben (Tabelle 37).

Von denjenigen Jugendlichen, die fünfmal oder öfter in Deutschland gewesen sind, hat etwas mehr als ein Viertel eine positive Einstellung. Von der Gruppe, die nie dort gewesen ist, ist die Anzahl derjenigen mit einer positiven Haltung nicht nennenswert. Dennoch haben von den Befragten, die fünfmal oder mehr in Deutschland gewesen sind, immer noch 45% eine negative Einstellung; dies steigert sich von 58% über 66% bis hin zu

73% bei den Befragten, die noch nie in Deutschland gewesen sind. Der Zusammenhang zwischen der Einstellung und der Häufigkeit, mit der die Befragten Deutschland besucht haben, ist deshalb relativ ausgeprägt.

Tabelle 36: Einstellung und Anzahl der Deutschlandbesuche

Einstellung	>5mal	2–4mal	1mal	nie
positiv	26%	11%	7%	3%
teils/teils	29%	31%	27%	24%
negativ	45%	58%	66%	73%
Insgesamt	100%	100%	100%	100%
N	585	434	241	172

(p < 0,001; Kendalls tau b = 0,214)

Auch zwischen den Befragten, die deutsche Verwandte und Freunde haben und denjenigen, die keine haben, besteht ein großer Unterschied in bezug auf ihre Haltung gegenüber Deutschland. Von denjenigen mit deutscher Verwandtschaft oder Freunden haben wohlgemerkt 26% eine positive Einstellung zu Deutschland, gegenüber nur 9% der Jugendlichen ohne deutsche Verwandte oder Freunde.

Tabelle 37: Einstellung und deutsche Verwandte oder Freunde

Einstellung	ja	nein
positiv	26%	9%
teils/teils	32%	27%
negativ	42%	64%
Insgesamt	100%	100%
N	532	915

(p < 0,001; Kendalls tau b = 0,232)

Die Einstellung und Variablen

Zwischen der Einstellung von Jungen und Mädchen ist ein deutlicher, wenn auch nicht sehr großer Unterschied festzustellen. Unter den Mädchen gibt es zum einen eine größere Gruppe mit einer negativen Einstellung als bei den Jungen (59% gegenüber 53%) und zum anderen eine kleinere Gruppe mit einer positiven Einstellung (11% gegenüber 19%).

Das Ausbildungsniveau hat nur einen geringen Einfluß auf die Einstellungen der Schüler. Auf allen Ausbildungsstufen ist die Gruppe mit einer positiven Einstellung ungefähr gleich groß (Tabelle 39). Die Differenz zwischen den mittleren Kategorien sind allerdings unverkennbar.

Tabelle 38: Einstellung und Geschlecht

Einstellung	Jungen	Mädchen
positiv	19%	11%
teils/teils	28%	30%
negativ	53%	59%
Insgesamt	100%	100%
N	814	626

(p < 0,001; Kendalls tau b = 0,080)

Von den LVO/VBO-Schhülern haben nur 15% keine ausgesprochene Meinung, während von den VWO-Schülern sogar 39% in der mittleren Kategorie zu finden sind.

Tabelle 39: Einstellung und Ausbildung

Einstellung	LBO/VBO	MBO	MAVO	HAVO	VWO
positiv	14%	17%	14%	13%	19%
teils/teils	15%	27%	30%	33%	39%
negativ	71%	56%	55%	54%	43%
Insgesamt	100%	100%	99%	100%	101%
N	161	368	260	254	273

(p < 0,001; Kendalls tau b = 0,101; siehe zur Erläuterung der Schultypen Anm. 5)

Tabelle 40: Einstellung und Wohngegend

Einstellung	An der deutschen Grenze	An der Küste	Übrige
positiv	20%	12%	13%
teils/teils	24%	31%	31%
negativ	56%	57%	56%
Insgesamt	100%	100%	100%
N	490	295	673

(p < 0,001; Uncertainty coefficient = 0,006)

Schließlich besteht zwischen der Wohngegend und der Einstellung nur ein ganz schwacher Zusammenhang (Tabelle 40). Es gibt einen kaum nennenswerten Unterschied zwischen den Gruppen mit einer positiven Einstellung. Die Kategorien derer mit einer negativen Einstellung sind in allen drei Gegenden gleich groß.

3.4 Schlußfolgerungen

In diesem Kapitel wurde für eine Anzahl von Faktoren der Zusammenhang mit einigen Komponenten des Bildes überprüft. Diese Bestandsaufnahme sollte dem Bild von Deutschland und den Deutschen Konturen geben und Anknüpfungspunkte für weitere Untersuchungen liefern.

Kenntnisse über Deutschland zeigen den stärksten Zusammenhang mit dem Geschlecht, dem Ausbildungsniveau und dem Interesse für auswärtige Politik von seiten der Befragten. Etwas geringer ist der Zusammenhang mit dem Sehen von Nachrichten, deutscher Sendungen über das Tagesgeschehen oder über Sport. Der Geschichtsunterricht und das Sehen des deutschen Fernsehprogramms haben dagegen kaum einen Einfluß auf den Kenntnisstand der Jugendlichen. Zwischen den Kenntnissen einerseits, dem Lebensalter und dem Verfolgen des Tagesgeschehens im Fernsehen andererseits besteht eine undeutliche und zudem mäßige bis schwache Verbindung. Die Wohngegend der Befragten und die Tatsache, ob sie Filme, Serien, Unterhaltungs- und Musik-, Kunst- oder Kultursendungen im deutschen Fernsehen verfolgen, zeigt keinerlei Zusammenhang mit dem Umfang der Kenntnisse über Deutschland.

Kein einziger Faktor hat einen starken Zusammenhang mit dem Interesse für Deutschland. Wohl gibt es einen deutlichen Unterschied im Grad des Interessees zwischen den Befragten, die direkten Kontakt mit Deutschen (gehabt) haben und denjenigen, die das nicht haben. Ebenso besteht ein deutlicher Zusammenhang zwischen dem Interesse für Außenpolitik und dem für Deutschland. Jugendliche, die in der Schule Deutsch haben, sind deutlich stärker an Deutschland interessiert als Jugendliche, die keinen Deutschunterricht haben. Zwischen dem Schauen von Nachrichtensendungen und dem Interesse besteht ein mäßiger Zusammenhang. Eine undeutliche Beziehung besteht zwischen dem Ausbildungsniveau der Jugendlichen und dem Interesse an Deutschland. Das Geschlecht, die Gegend, in der die Befragten wohnen, und die Beschäftigung mit Fernsehsendungen über das Tagesgeschehen zeigen keinen signifikanten Zusammenhang mit dem Interesse.

Die Einstellung hängt schließlich stark mit dem direkten Kontakt zusammen, den Jugendliche zu Deutschen pflegen. Sowohl Jugendliche mit deutschen Verwandten oder Freunden, als auch Jugendliche, die oft in Deutschland gewesen sind, haben eine signifikant positivere Einstellung zu Deutschland und den Deutschen als die übrigen Jugendlichen. Jungen halten im allgemeinen etwas mehr von Deutschland als Mädchen. Je höher das Ausbildungsniveau ist, umso größer ist die Kategorie ohne ausgesprochen positive oder negative Einstellung. Jugendliche, die in der Nähe der deutschen Grenze wohnen, stehen ihrem Nachbarland und dessen Bevölkerung etwas positiver gegenüber als andere.

4 Zusammenfassung und Schlußfolgerung

Über das Bild, das die Niederländer von Deutschland haben, besteht große Sorge. Nicht nur in niederländischen und deutschen Kreisen der Wissenschaft und der politischen Führung ist man über das Verhältnis zwischen den beiden Völkern beunruhigt; auch in einem größeren internationalen Rahmen wird der Entwicklung von Vorstellungen über andere Länder Aufmerksamkeit geschenkt. Eine der Zielsetzungen des Ministerrates des Europarates ist die Einrichtung von Schulunterricht, der die Mißverständnisse über andere Länder und Völker ausräumen soll.

Die Frage, welchen Inhalt das Deutschlandbild in der Durchschnittsbevölkerung hat, blieb bei all dieser Sorge unbeantwortet. Es wurden viele Untersuchungen in Form von Befragungen dazu durchgeführt. Die Untersuchungen, die es gegeben hat, stießen schnell an ihre Grenzen.

Darum wurde von November 1992 bis Januar 1993 eine Untersuchung unter Jugendlichen zwischen 15 und 19 Jahren durchgeführt. Im folgenden werden noch einmal die wichtigsten Ergebnisse genannt.

Als Komponenten des Bildes wurden objektive Kenntnisse, subjektive Kenntnisse, Interesse und als wichtigster Begriff die Einstellung ausgewählt. Um die Ergebnisse einordnen zu können, wurden die Fragen, die die Einstellung messen, für alle Länder der Europäischen Gemeinschaft gestellt. Die Antworten der Befragten auf diese Fragen wurden zu einem Wert für die Einstellung zusammengezählt. Durch die Art und Weise der Fragestellung und durch diese Konstruktion können Aussagen über die Einstellung zu Deutschland nur in Relation zu anderen Ländern gesehen werden.

Die Einstellung von Jugendlichen zu Deutschen und Deutschland ist im Vergleich mit der Einstellung zu anderen EG-Ländern und Völkern mit Abstand am negativsten. Bis auf Irland wurden alle anderen EG-Länder positiver beurteilt. Irland stehen niederländische Jugendliche auch deutlich weniger positiv gegenüber als den anderen Ländern.

Die subjektiven Kenntnisse wurden mit Hilfe von spontanen Äußerungen der Befragten über Deutschland festgestellt. Darüber hinaus sollten die Befragten von einer bestimmten Anzahl angegebener Eigenschaften diejenigen auswählen, die sie den Deutschen beziehungsweise

Deutschland zuweisen würden. Die große Mehrzahl sieht die Deutschen als dominierend (71%) und arrogant (60%) an. Desweiteren betrachtet beinahe die Hälfte der Jugendlichen Deutschland als kriegstreiberisch (46%) und als ein Land, das die Welt beherrschen will (47%). Nur 19% beurteilen Deutschland als ein friedliebendes Land. Die spontanen Äußerungen umfassen zu 18% Bemerkungen zum Zweiten Weltkrieg und zu 20% Antworten zum Thema Krawalle im Zusammenhang mit Asylbewerberheimen.

Um die objektiven Kenntnisse zu messen, wurden acht Fragen zu Deutschland gestellt. Viele Jugendliche wissen den Namen des Bundeskanzlers von Deutschland (60%). Nur etwas weniger als 10% der Jugendlichen kann dagegen einschätzen, wieviele Einwohner das Land ungefähr zählt. Auf der Basis der acht Fragen wurden Punkte für den Kenntnisstand berechnet. Daraus ergibt sich, daß eine deutliche Minderheit (42%) über minimale Kenntnisse von Deutschland verfügt.

Das Interesse der Jugendlichen für die Bundesrepublik wurde festgestellt, indem sie gebeten wurden, dies selbst einzuschätzen. Diese Frage wurde auch für Belgien, Großbritaninien und Frankreich gestellt. Im Vergleich mit den anderen westeuropäischen Großmächten Großbritannien und vor allem Frankreich besteht an Deutschland ein geringeres Interesse.

Zugleich ist der Zusammenhang zwischen den Komponenten des Bildes untersucht worden. Die Einstellung hängt demnach vor allem stark mit dem Interesse an Deutschland zusammen. Im allgemeinen gilt: je positiver die Einstellung, desto größer das Interesse. Auch zwischen der Einstellung und den objektiven Kenntnissen besteht ein Zusammenhang, aber dieser ist weniger signifikant. Mit der Zunahme der Kenntnisse über Deutschland wird die Einstellung zu Deutschland in der Regel positiver. Der Zusammenhang zwischen Interesse und Kenntnis ist ungefähr ebenso stark wie zwischen Einstellung und Kenntnis. Hier gilt, daß eine Zunahme des Interesses mit einer gewissen Zunahme der Kenntnisse gepaart ist.

Um den Ergebnissen etwas mehr Konturen zu geben und um Anknüpfungspunkte für eventuelle weiterführende Untersuchungen zu bieten, wurde geprüft, ob die objektiven Kenntnisse, das Interesse und die Einstellung mit anderen Faktoren zusammenhängen. Es handelte sich dabei um das Interesse für das Tagesgeschehen im allgemeinen, den direkten Kontakt mit Deutschen, den Schulunterricht, das Geschlecht, das Ausbildungsniveau, das Alter und die Gegend, in der man wohnt.

Die Lektüre der außenpolitischen Seiten in der Zeitung hängt deutlich mit dem Umfang der objektiven Kenntnisse und dem Interesse zusammen. Das Sehen der Nachrichten im Fernsehen zeigt einen deutlichen

Zusammenhang mit der Kenntnis, aber nur einen mäßigen Zusammenhang mit dem Interesse. Das Sehen von Sendungen zum Tagesgeschehen wirkt sich allerdings nur gering auf die Kenntnisse aus und gar nicht auf das Interesse. Auch die Teilnahme am Geschichtsunterricht hat nur wenig Einfluß auf das Wissen der Schüler über Deutschland. Zwischen dem Besuch des Deutschunterrichts und dem Interesse besteht ein relativ starker Zusammenhang. Jugendlichen mit deutschen Verwandten oder Freunden bekunden etwas mehr Interesse an Deutschland als Jugendliche ohne deutsche Verwandte oder Freunde. Diese Faktoren wirken sich stärker auf die Einstellung zu Deutschland und den Deutschen aus. Auch die Häufigkeit, mit der Jugendliche in Deutschland gewesen sind, wird eher im Zusammenhang mit ihrer Einstellung als mit ihrem Interesse an Deutschland offenbar. Jungen wissen mehr über Deutschland als Mädchen, und sie haben eine positivere Einstellung zu dem Land. Das Interesse ist bei beiden Gruppen gleich groß. Zwischen dem Umfang der Kenntnisse und dem Alter der Jugendlichen gibt es nur einen mäßigen und undeutlichen Zusammenhang. Das Ausbildungsniveau hängt stark mit den Kenntnissen zusammen und zeigt auch einen Zusammenhang zur Einstellung. Je höher das Ausbildungsniveau, umso besser die Kenntnisse und desto kleiner die Gruppe mit einer ausgesprochenen positiven oder negativen Einstellung zu den Deutschen und Deutschland. Schließlich hat die geographische Lage des Wohnortes der Jugendlichen keine Auswirkungen auf die Kenntnisse und das Interesse. Ob nun die Befragten an der Grenze zu Deutschland oder in einem touristischen Küstenort wohnen, hat keine Konsequenzen für die Kenntnisse oder das Interesse. An der deutschen Grenze halten die Jugendlichen kaum mehr von Deutschland und den Deutschen als anderswo im Land.

Diese Ergebnisse gelten für Jugendliche zwischen 15 und 19 Jahren in den Niederlanden. Die Stichprobe ist nur annäherungsweise repräsentativ. In der Stichprobe waren Jungen und die höheren Ausbildungsniveaus (MAVO/HAVO/VWO) etwas überrepräsentiert. Falls dies Folgen für die Ergebnisse der Untersuchung haben sollte, würde die wirkliche Einstellung zu Deutschland und den Deutschen angesichts der Tatsache, daß Jungen positiver zu Deutschland eingestellt sind als Mädchen und daß auf einem höheren Bildungsniveau weniger Menschen eine ausgesprochene Meinung haben als auf einem niedrigeren Bildungsniveau, wahrscheinlich noch negativer und klarer zum Ausdruck gebracht worden sein.

Obwohl nun bekannt ist, welches Bild niederländische Jugendliche von Deutschland und den Deutschen haben, ist noch unklar, wie diese Bilder zustande gekommen sind. Diese Untersuchung ist eine Momentaufnahme; Ursachen und Folgen können auf der Basis der Theorie, früherer Untersuchungen und dieser Befragung nicht festgestellt werden. Angesichts der deutlich gewordenen negativen Einstellung zu Deutschland ist es wichtig zu untersuchen, wann und wie diese Einstellung entstanden ist. Hier könnte an eine Langzeitstudie gedacht werden, so daß die Einstellung zu verschiedenen Zeitpunkten gemessen werden kann. Die Entwicklung von Bildern anderer Länder kann dann ebenfalls besser erfaßt werden.

Anmerkungen

1 Siehe z. B. L. Hagendoorn/H. Linssen: Nationale karakteristieken en stereotypen. In: A. Felling/J. Peters (Hrsg.): Cultuur en sociale wetenschappen. Beschouwingen en empirische studies. Nijmegen 1991, S. 171–197; K. Renckstorf/O. Lange: Niederländer über Deutsche. Eine empirische Studie zur Exploration des Bildes der Niederländer von Deutschen. Nijmegen 1990.

2 Zit. nach L. Hagendoorn: Cultuur-conflict en vooroordeel. Essays over de waarneming en betekenis von cultuurverschillen. Alphen a/d Rijn/Brüssel 1986, S. 128.

3 Siehe z. B. Renckstorf/Lange: a.a.O.; H. Dekker/J. Schot: Images of the US in the Netherlands. In: R.F. Farnen (Hrsg.): Reconceptualizing politics, socialization, and education. Oldenburg 1993, S. 205–229.

4 Siehe u. a. B. Claussen/H. Müller (Hg.): Political socialization of the young in East and West. Frankfurt/M. 1990; R.F. Farnen: Integrating political science, education, and public policy. International perspectives on decision-making, systems theory, and socialization research. Frankfurt 1990; H. Dekker/R. Meyenberg (Hrsg.): Politics and the European younger generation. Political socialization in Eastern, Central and Western Europe. Oldenburg 1991.

5 Bei LBO und MBO handelt es sich um berufsbildende Schulen unterschiedlichen Niveaus und verschiedenen Fächerangebots, bei MAVO und HAVO um eine Art Sekundarstufe im allgemeinbildenden Bereich und bei VWO um die schulische Vorbereitung auf eine wissenschaftliche Ausbildung.

6 Mit diesem Verfahren berechnet man mit Hilfe der Alternativform-Methode Cronbachsα-Koeffizienten (siehe Tabelle 5, letzte Spalte).

Auswahlbibliographie

Beunders, Henri und Herman Selier: Argwaan en profijt. Nederland en West-Duitsland 1945–1981. Amsterdam 1983.

Bläsing, Joachim F.E.: Over het moderne beeld van Nederland en Nederlandse produkten in Duitsland, oftewel „Moffen" over „Kaaskoppen". Tilburg/Den Haag 1994.

Boef, August Hans den (Hrsg.): In de broek van de vijand. Waarom wij niet woedend zijn. Amsterdam 1994.

Commissie Duitsland – Nederland (Hrsg.): De Almanak – Der Almanach, Den Haag 1995 (Auflistung von Stiftungen, Ausschüssen usw., die sich mit den bilateralen Beziehungen beschäftigen).

Der niederländische Beirat für Frieden und Sicherheit: Deutschland als Partner. Den Haag 1994.

Der 10. Mai 1940–50 Jahre danach (Nachbarn Nr. 35). Kgl. niederländische Botschaft. Bonn 1990.

Dittrich, Kathinka und Hans Würzner (Hrsg.): Die Niederlande und das deutsche Exil 1933–1940. Königstein/Ts. 1982.

Dunk, Hermann W. von der: Die Niederlande im Kräftespiel zwischen Kaiserreich und Entente. Wiesbaden 1980.

Dunk, Hermann W. von der: Holländer und Deutsche. Zwei politische Kulturen. In: Beiträge zur Konfliktforschung 16(1986), Nr. 2, S. 59–76.

Dunk, Hermann W. von der: Twee buren, twee culturen. Opstellen over Nederland en Duitsland. Amsterdam 1994.

Dunk, Hermann W. von der, und Horst Lademacher (Hrsg.) Auf dem Weg zum modernen Parteienstaat. Zur Entstehung, Organisation und Struktur politischer Parteien in Deutschland und den Niederlanden. Melsungen 1986.

Flohr, Anne Katrin: Feindbilder in der internationalen Politik. Ihre Entstehung und ihre Funktion. Münster/Hamburg 1991.

Flohr, Anne Katrin: Fremdenfeindlichkeit. Biosoziale Grundlagen von Ethnozentrismus. Opladen 1994.

Griffiths, Richard T.: The Economy and Politics of the Netherlands since 1945. Den Haag 1980.

Helm, Jörg Peter: Zum Deutschlandbild in der niederländischen Presse. Eine Inhaltsanalyse überregionaler Tages- und Wochenzeitungen des Jahres 1966. Aachen 1966.

Heß, Jürgen C. und Maarten Huyink: Deutschlandforschung in den Niederlanden. Amsterdam 1988.

Heß, Jürgen C. und Hanna Schissler (Hrsg.): Nachbarn zwischen Nähe und Distanz. Deutschland und die Niederlande. Frankfurt am Main 1988.

Heß, Jürgen C. und Friso Wielenga: Duitsland in de Nederlandse pers – altijd een probleem? Drie dagbladen over de Bondsrepubliek 1969–1980. Den Haag 1982

Heß, Jürgen C. und Friso Wielenga (Hrsg.): Duitsland en de democratie 1871–1990. 2. Auflage. Amsterdam 1994.

Koch-Hillebrecht, Manfred: Das Deutschenbild. Gegenwart, Geschichte, Psychologie. München 1977.

Lepszy, Norbert: Regierung, Parteien und Gewerkschaften in den Niederlanden. Entwicklung und Strukturen. Düsseldorf 1979.

Lademacher, Horst: Zwei ungleiche Nachbarn. Wege und Wandlungen der deutsch-niederländischen Beziehungen im 19. und 20. Jahrhundert. Darmstadt 1990.

Lademacher, Horst: Der ungleiche Nachbar. Das Bild der Deutschen in den Niederlanden. In: Günter Trautmann (Hrsg.): Die häßlichen Deutschen? Deutschland im Spiegel der westlichen und östlichen Nachbarn. Darmstadt 1991.

Lademacher, Horst: Die Niederlande. Politische Kultur zwischen Individualität und Anpassung. Berlin 1993.

Lademacher, Horst und Jac Bosmans (Hrsg.): Tradition und Neugestaltung. Zu Fragen des Wiederaufbaus in Deutschland und den Niederlanden in der frühen Nachkriegszeit. Münster 1991.

Lademacher, Horst und Walter Mühlhausen (Hrsg.): Freiheitsstreben, Demokratie, Emanzipation. Aufsätze zur politischen Kultur in Deutschland und den Niederlanden. Münster 1993.

Meines, Rob: Duitsland, Duitsland. Kracht en zwakte van een volk. Amsterdam 1990.

Meningen over ... Duitse eenheid. Het derde Duitse wonder. Amsterdam 1990.

Moor, Wam de (Hrsg.): Duitsers!? Ervaringen en verwachtingen. Den Haag 1990.

Müller, Bernd: Sporen naar Duitsland. Het Duitslandbeeld in Nederlandse romans 1945–1990. Aachen 1993.

Nautz, Jürgen P. und Joachim F. E. Bläsing (Hrsg.): Staatliche Intervention und gesellschaftliche Freiheit. Staat und Gesellschaft in den Niederlanden und Deutschland im 20. Jahrhundert. Melsungen 1987.

Nederlands Genootschap voor Internationale Zaken (Hrsg.): In de schaduw van Duitsland. Een discussie. Baarn 1979.

Niedersächsische Landeszentrale für politische Bildung (Hrsg.): Die Niederlande und Deutschland. Nachbarn in Europa. Hannover 1992.

Prangel, Matthias und Henning Westheide (Hrsg.): Duits(land) in Nederland. Waar ligt de toekomst van de Nederlandse germanistiek? Groningen 1988 (mit Beiträgen auf deutsch und auf niederländisch).

Reizende Nachbarn. Literatur und Kultur der Niederlande. (Nachbarn Nr. 36). Kgl. Niederländische Botschaft. Bonn 1992.

Renckstorf, Karsten und Jeroen Janssen (Hrsg.): Erger dan Duitsers ... Het beeld van Duitsers en Duitsland in de Nederlandse media. Nijmegen 1989.

Renckstorf, Karsten und Olaf Lange: Niederländer über Deutsche: Eine empirische Studie zur Exploration des Bildes der Niederländer von Deutschen. Nijmegen 1990.

Statistisches Bundesamt (Hrsg.): Länderbericht Niederlande. Wiesbaden 1993.

Steininger, Rolf: Polarisierung und Integration. Eine vergleichende Untersuchung der strukturellen Versäulung der Gesellschaft in den Niederlanden und in Österreich. Meisenheim am Glan 1976.

Stoop, Paul: Niederländische Presse unter Druck. Deutsche Auswärtige Pressepolitik und die Niederlande 1933–1940. München u. a. 1987.

Traa, Maarten van: „Deutschland ja – aber nicht ohne uns". In: Ulrich Wickert (Hrsg.): Angst vor Deutschland. Die neue Rolle der Bundesrepublik in Europa und der Welt. München 1990, S. 170–184.

Verheyen, Dirk: The Dutch and the Germans: Beyond Traumas and Trade. In: Verheyen, Dirk und Christian Soe (Hrsg.): The Germans and their Neighbors. Boulder/San Francisco/Oxford 1993, S. 59–82.

Vree, Frank van: De Nederlandse Pers en Duitsland 1930–1939. Een studie over de vorming van de publieke opinie. Groningen 1989.

Wielenga, Friso: Die Niederlande und Deutschland: Zwei unbekannte Nachbarn. In: Internationale Schulbuchforschung 5(1983) Nr. 2, S. 145–155.

Wielenga, Friso: West-Duitsland: partner uit noodzaak. Nederland en de Bondsrepubliek 1945–1981. Utrecht 1989.

Wielenga, Friso: Sensibilität und Verwundbarkeit. Die Niederlande und die deutsche Frage. In: Rainer Fremdling u. a. (Hrsg.): Die überwundene Angst? Die neun Nachbarländer und die deutsche Einheit. Landeszentrale für politische Bildung NRW, Düsseldorf 1992, S. 11–33.

Wielenga, Friso: Deutsche Jugend von außen gesehen. In: Walter-Raymond-Stiftung (Hrsg.): Jugend im vereinten Deutschland. Köln 1994, S. 219–240.

Wielenga, Friso und Harald Führner (Hrsg.): Deutschland im Superwahljahr 1994. Beobachtungen aus deutscher, niederländischer und französischer Sicht. Den Haag 1994. Wetenschappelijke Raad voor het Regeringsbeleid: Faktor Deutschland. Zur Sensibilität der Beziehungen zwischen den Niederlanden und der Bundesrepublik, Den Haag/Wiesbaden 1984.

Woyke, Wichard: Erfolg durch Integration. Die Europapolitik der Beneluxstaaten von 1947 bis 1969. Bochum 1985.

Zahn, Ernest: Das unbekannte Holland. Regenten, Rebellen und Reformatoren. Dritte erweiterte Auflage. München 1993.

Zu den Autorinnen und Autoren

Robert Aspeslagh, geb. 1940, Forschungsmitarbeiter des Niederländischen Instituts für internationale Beziehungen „Clingendael" und wissenschaftlicher Sekretär der Stiftung zur Förderung der Deutschlandstudien in den Niederlanden. Er leitete die Forschungsgruppe des Clingendael-Instituts, die das Deutschlandbild untersuchte.

Hermann Walther von der Dunk, Prof. Dr., geb. 1928, studierte Geschichte an der Universität Utrecht. Nach seinem Studium arbeitete er am Institut für Europäische Geschichte in Mainz und im höheren Schulbetrieb. 1963 wissenschaftlicher Mitarbeiter am Instituut voor Geschiedenis der Universität Utrecht; von 1967 bis 1990 dort Ordinarius. Von 1994 bis 1995 noch Extraordinarius der Universität Nijmegen.

Anne Katrin Flohr, Dr. phil., geb. 1962, studierte Politikwissenschaft, Psychologie und Soziologie an der Universität Bonn. Sie war zuletzt tätig im Haus der Geschichte der Bundesrepublik Deutschland in Bonn.

Bernd Müller, Dr. phil., geb. 1956, studierte Niederländische Philologie und Germanistik an den Universitäten in Münster, Amsterdam und Löwen, promovierte an der Universität von Amsterdam. Lebte 12 Jahre in Amsterdam und arbeitete in dieser Zeit an der Journalistenschule in Utrecht und an der Freien Universität Amsterdam. Seit 1992 als Wissenschaftler und Redakteur beim Wissenschaftszentrum NRW in Düsseldorf.

Friso Wielenga, Prof. Dr., geb. 1956, studierte Geschichte in Amsterdam (Freie Universität) und in Bonn, lehrt Politische Geschichte an der Universität Utrecht und ist außerordentlicher Professor für Deutschlandstudien an der Universität Groningen. Zahlreiche Veröffentlichungen zur Zeitgeschichte und zu den niederländisch-deutschen Beziehungen.

Ernest Zahn, geb. 1922, Prof. Dr., als Sohn holländischer Eltern in der Tschechoslowakei geboren, studierte in den USA Ökonomie, promovierte in der Schweiz, arbeitete 12 Jahre in der Industrie. Seit 1963 Ordinarius für Wirtschaftssoziologie an der Universität Amsterdam. Neben seiner akademischen Arbeit wirkte er als Berater von Unternehmen, Banken und Wirtschaftsverbänden. Wohnt heute in der Schweiz und in Italien und ist freiberuflich tätig.

Tabellenverzeichnis

Clingendael-Studie

Weitere Bücher bei agenda

Guido Bröer
Wie JournalistInnen mit Rassismus umgehen
Zusammenhänge von journalistischen Arbeitsformen und Darstellungs-
weisen

1995; 160 Seiten; DM 26,-; ISBN 3-929440-32-6

Guido Bröer hat die Berichterstattung über die Themen Asyl und Rassismus in drei deutschen Zeitungen untersucht. Dabei ging es ihm nicht um
eine statistische Auszählung, sondern um eine inhaltliche Spurensuche.
Vom journalistischen Produkt ausgehend versucht er, auf die Arbeits-
weisen und die journalistischen Wahrnehmungen und Weltsichten zu
schließen. Sein Ergebnis ist nicht entlarvend, sondern mahnend: Die Tendenz zu rassistischer, Fremdheit produzierender Berichterstattung wird
auch von den Arbeitsformen und Strukturen des journalistischen Alltags
geprägt.

Heike Lischewski
„Morgenröte einer besseren Zeit"
Die pazifistische Frauenfriedensbewegung von 1892 bis 1932

1995; 240 Seiten; 50 Abbildungen; DM 34,-; ISBN 3-929440-55-5

Im Jahr 1892 wurde die Deutsche Friedensgesellschaft gegründet – Ausgangspunkt der organisierten Friedensbewegung in Deutschland. Seit
Bertha von Suttner, der „Friedens-Bertha", haben Frauen diese Bewe-
gung aktiv mit geprägt. Erstmals wird diese Arbeit der Frauen jetzt in
einem Buch gewürdigt.
Heike Lischewski hat einen Dokumenten- und Quellenband erarbeitet, der als Lesebuch zum Stöbern einlädt. Philosophische Essays, politische Abhandlungen, Gedichte.und Romanauszüge dokumentieren eine
bewegte Phase deutscher Geschichte vom Kaiserreich bis zum Ende der
Weimarer Republik. Die einzelnen Pazifistinnen werden in Biographien
vorgestellt. Durch überleitende Texte und Kommentare werden die Quellen verständlich in den historischen Kontext eingeordnet.